WIE KRIJGT FLUFFY?

Judith Summers

WIE KRIJGT
FLUFFY?

the house of books

Oorspronkelijke titel
Who gets Fluffy?
Uitgave
Penguin Books, Londen
Copyright © 2008 by Judith Summers
Copyright voor het Nederlandse taalgebied © 2009 by The House of Books,
Vianen/Antwerpen

Vertaling
Karina Zegers de Beijl
Omslagontwerp
marliesvisser.nl
Omslagillustratie
Getty Images
Foto auteur
Diana Miller
Opmaak binnenwerk
ZetSpiegel, Best

ISBN 978 90 443 2504 1
D/2009/8899/91
NUR 302
www.thehouseofbooks.com

Voor Tabby, Hannah, Joshua en Nathaniel

Hoofdstuk 1

'Goed, mevrouw Curtis, laten we dit nog een keer doornemen.'
De advocaat aan de andere kant van het mahoniehouten bureau ging verzitten, streek zijn handen nerveus over zijn terugwijkende zilvergrijze haar en boog zich, na zijn leesbrilletje goed te hebben gezet, over zijn aantekeningen.

'Om te beginnen. De mogelijkheid dat het weer goed komt tussen u en uw man is uitgesloten?'

'Absoluut, meneer Williams.'

'En u weet zeker dat u op dit moment niet de voorkeur geeft aan een wettelijke scheiding van tafel en bed?'

'Ja, dat weet ik heel zeker.'

'Mooi. Dus dan gaan we over tot het indienen van uw verzoek tot echtscheiding van meneer Curtis wegens de onherstelbare echtbreuk van uw huwelijk, maar degene met wie hij overspel heeft gepleegd, wordt niet met name genoemd. Ziezo, en als uw man het verzoek niet aanvecht – '

'Nee, dat zal hij niet doen, dat verzeker ik u.'

'Nou, in dat geval zal hij de ondertekende ontvangstbevestiging naar de rechtbank sturen. Vervolgens kunnen we het voorlopig vonnis van echtscheiding aanvragen, en daarmee zijn we dan een flink eind op weg.'

'Mooi!'

Williams keek op alsof mijn enthousiaste reactie hem verbaasde. 'Wist u, mevrouw Curtis, dat uw man zelf ook al een advocaat heeft geraadpleegd?'

'Ja, dat is mij bekend,' antwoordde ik. 'Ik heb hem gezegd dat hij dat moest doen. En ook dat ik het zou betalen.'

'Werkelijk?' Er verschenen rimpels op zijn voorhoofd. 'Mag ik misschien ook vragen waarom?'

Ik haalde mijn schouders op. 'Nou ja, aangezien u mij vertegenwoordigt, lijkt me dat alleen maar eerlijk.'

Hij trok zijn beide zwaar overhangende wenkbrauwen op. Ze waren niet alleen dringend aan een lifting toe, stelde ik vast, maar moesten ook hoognodig met een heggenschaar gesnoeid. 'Eerlijk is een woord dat je hier, onder dergelijke omstandigheden, niet gauw van een cliënt zult horen,' mompelde hij, waarna hij een brief van het bureau pakte. 'Ze heet Martha Greenwood en is van Greenwood en Broadhurst,' las hij voor. 'Dit heb ik al van haar ontvangen. Een voorstel voor de financiële regeling.'

Hij boog zich weer over zijn aantekeningen. 'Zo te zien hebt u gezegd dat u uw man vijftig procent van uw bezit wilt geven, met inbegrip van de helft van uw flat – een loft met twee slaapkamers in Islington, die, twee jaar voordat u meneer Curtis leerde kennen, door u is gekocht en op uw naam staat, en die sindsdien driemaal in waarde is gestegen. En u hebt ook gezegd dat hij de Audi Avant mag hebben die u vorig jaar hebt gekocht, en die eveneens op uw naam staat. Is dat juist?'

'Ja.' De stof van mijn zwarte Armani-broekpak maakte een troostend, zacht ruisend geluid toen ik in mijn stoel naar achteren leunde en mijn benen over elkaar sloeg.

Williams fronste opnieuw en prikte zijn Mont Blanc-vulpen in een regel halverwege het blocnotevel. 'Bovendien biedt u hem de eerste keus van uw persoonlijke roerende goederen, te weten, alles wat er in uw huis staat, waartoe behoren uw nieuwe Bang & Olufsen-geluidsinstallatie, een originele, uit de jaren vijftig stammende Charles Eames-stoel met bijpassende footstool die u twee jaar geleden ter gelegenheid van uw trouwdag voor meneer Curtis hebt gekocht, en een gesigneerde, originele litho – getiteld *Welcome to Hell* – van... Wie is de kunstenaar? Ik vrees dat ik mijn handschrift niet zo goed kan lezen.'

'Banksy.' Ik spelde het voor hem.

'Dus niet een van de impressionisten dan, hè?' Hij glimlachte vluchtig om zijn eigen grapje. Ik kon de rimpeltjes bij zijn mondhoeken bijna horen kraken. 'De gesigneerde litho van Bánksy die uw man u... áfgelopen Kerstmis cadeau heeft gedaan. U bedoelt de Kerstmis die net is geweest? Een litho van achtduizend pond?'

'Ik vermoed dat hij intussen meer waard is. Maar het ding is eerlijk gezegd meer zijn smaak dan de mijne.'

Williams schraapte zijn keel. 'En verder, hoewel u gedurende uw huwelijk de enige kostwinner bent geweest...'

Ik hield mijn hand op. 'Niet de énige kostwinner, maar wel de voornaamste. Ik heb voor de dagelijkse organische ciabatta gezorgd, om het zo maar eens te zeggen, terwijl Mark af en toe een korstje van een halfje wit van de supermarkt heeft ingebracht.'

'Inderdaad.' Hij veranderde iets in zijn aantekeningen en ging weer verder. 'Ofschoon u gedurende de laatste jaren de voornáámste kostwinner was, mevrouw Curtis, hebt u, als ik dat goed begrijp, de wens uitgesproken om al uw overige bezittingen en spaargeld met uw man te delen, toch? Aandelen en obligaties verkregen vóór en tijdens de bovengenoemde periode van uw huwelijk, als ik het goed heb begrepen, met een totale waarde van...'

Hij bladerde door zijn aantekeningen tot hij een lange lijst met getallen had gevonden. 'Die een gezamenlijke waarde hebben,' hervatte hij, 'van honderdzestigduizend pond. Correct?' Hij trok één wenkbrauw op. 'Dat is een aanzienlijk bedrag.'

Ik schaamde me bijna voor dat bedrag – hoewel, waarom ik me zou moeten schamen tegenover een man die ik driehonderdvijftig pond per uur betaalde, wist ik eigenlijk niet. 'Jaarlijkse bonussen,' zei ik verontschuldigend. 'En een geslaagde speculatie op de woningmarkt. Het was boffen, dat is alles.'

Hij bleef me strak aankijken. 'En u zegt dat u de helft van dit alles aan meneer Curtis wilt geven? Zomaar, zonder voor uw bezit te knokken?'

'Ja, dat is de bedoeling.'

Williams schudde zijn hoofd en een hoeveelheid roos dwarrelde, even luchtig en teer als de allereerste sneeuw, neer op zijn wenkbrauwen en op de blauwgrijze schouders van zijn slecht-passende colbertje. 'Mevrouw Curtis, als de advocaat die u in deze onfortuinlijke zaak gaat vertegenwoordigen, voel ik mij geroepen, nee, verplícht, op te merken dat u, met uw vrijgevigheid, een grote fout maakt. En "fout" is mogelijk nog zwak uitgedrukt.' Hij hief zijn kin op en keek me, na een vluchtige blik te hebben geworpen op het dal tussen mijn borsten dat dankzij de bovenste open knoopjes van mijn Vivienne Westwood-blouse te zien was, vanonder zijn zware oogleden afkeurend aan. 'Als ik het goed heb begrepen, bezat uw man niets toen u trouwde, en heeft hij ook tijdens het huwelijk niets ingebracht. De onherstelbare breuk van uw huwelijk is, laten we zeggen in ieder geval voor een deel, zijn schuld. En zelfs al zou het in dit land mogelijk zijn geweest om zonder het aanwijzen van een schuldige partij te kunnen scheiden...'

Ik kon het niet helpen dat ik boos werd toen ik hem dat hoorde zeggen. Ik bedoel, het sloeg natuurlijk nergens op. Voor een déél zijn schuld? Mark was een vuile, gemene leugenaar. Hij had me de hemel op aarde beloofd, en in plaats daarvan kreeg ik de hel. Voor een déél zijn schuld? Ik werkte me verdorie van de vroege ochtend tot de late avond kapot opdat hij de godganse dag op zijn luie achterste kon zitten om te proberen die zogenaamd fantastische gitaarsolo op papier te krijgen waarvan hij voelde dat hij die in zich had, als hij de tijd al niet doodde met het naaien van andere vrouwen.

'Het is allemáál zijn schuld!' riep ik uit. Ik kon het niet helpen.

Williams stortte zich op mijn woorden als een uitgehongerde hond die een sappige kluif heeft bemachtigd. 'Aha! Dát bedoel ik nu! De ontrouw van uw man. Om te beginnen zijn affaire met zijn – wat was ze ook alweer – zijn therapeute?'

Ik schraapte mijn keel, ging verzitten en stopte mijn woede terug waar hij thuishoorde – diep binnen in mijzelf. 'Nou, ze was onze Pilates-trainer,' zei ik, alsof het me totaal onverschillig liet.

Hij kon zijn honende lachje maar amper onderdrukken. Zijn lippen gingen vaneen en ik zag een rij venijnige tanden, en toen hij ook nog zijn zware wenkbrauwen samentrok, leek hij precies een opvliegende schnauzer die uit was op een robbertje vechten. 'Als u wilt, kunt u dat overspel tegen hem gebruiken, hoor, en hem daar stevig voor laten boeten. Om nog maar te zwijgen van zijn onredelijke gedrag. U hoeft hem waarschijnlijk lang niet zo veel te geven.'

Ik schonk hem een medelijdende blik. 'Meneer Williams, ik verwacht heus niet van u dat u dit begrijpt, maar voor mij staat redelijkheid nu eenmaal voorop, en ik wil mijn man echt niet tekortdoen. Ik hou van hem.' Pas bij het zien van zijn bedenkelijke gezicht, drong het tot me door wat ik had gezegd. 'Nou ja, ik bedoel natuurlijk dat ik van hem héb gehouden. Wij hebben van elkaar gehouden. Erg veel zelfs, maar toen ging het mis. En aangezien dat nu eenmaal zo is, wil ik niet dat die mooie relatie van weleer op een nare, kleinzielige manier beëindigd wordt. En daar denkt Mark net zo over.'

'Dat geloof ik graag. Temeer daar hij er financieel ook zo leuk van afkomt.'

Ik kromp ineen. 'Het was mijn idee om alles eerlijk te delen.'

Williams' mond zakte open. 'Meent u dat?'

'Ja. Ik heb niet de indruk dat Mark iets van me verwacht, maar, zoals ik al zei, ik wil graag billijk zijn. Hij heeft zelf namelijk niets, weet u. En goed, hij mag dan zo zijn zwakheden hebben, hij is een heel bijzonder mens. Geld is wel het laatste waar hij aan denkt. Hij heeft nauwelijks een idee van de waarde ervan. En hij heeft echt erg veel talent. Ooit zal hij beroemd zijn. Maar momenteel is hij alleen...' In gedachten liep ik alle uitdrukkingen na die ik in het verleden had gebruikt om Mark tegenover mijn vrienden en familie te verdedigen: 'wereldvreemd', 'tijdelijk aan het uitrusten', 'op zoek naar een nieuwe stijl', 'een miskend talent'. Maar de term die het van alle andere won, was mijn vaders typering van Mark als een 'luie, profiterende lamstraal'. Ik haastte me mijn vaders woorden veilig weg te stoppen bij mijn woede. 'Niet iedereen kan nu eenmaal goed zijn in geld verdienen,' zei ik snibbig.

'Kom, mevrouw Curtis, u hoeft tegen míj niet zo lelijk te doen.

11

Die toon bewaart u maar voor uw man. Ik zou mijn plicht verzaken als ik u niet heel duidelijk zei, wat ik denk. Dit voorstel van Martha Greenwood is onaanvaardbaar. Wat u zegt dat u uw man wilt geven – ook al zegt u dan dat u hem alles uit eigen vrije wil hebt aangeboden – is geen schikking, maar een volledige capitulatie bij het eerste schot. Het enige wat ik daarop kan zeggen is: *Cut ante tubam tremor occupat artus?'*

'Pardon?'

'Dat is Latijn. Vergilius. "Waarom zou de angst bezit moeten nemen van de ledematen vóór het trompetgeschal?" Mevrouw Greenwood verwacht van ons dat we op basis van deze brief van haar in onderhandeling gaan.'

'Onderhandeling?' Ik lachte kort en verdrietig. 'Meneer Williams, we hebben het hier niet over een zakelijke kwestie. En ik verzeker u dat Mark en ik niet in oorlog zijn. We willen een zo beschaafd mogelijke scheiding.'

Zijn bovenlip krulde zich tot een spottende grijns. 'Mevrouw Curtis, ik kan u uit ervaring – en die is niet gering – zeggen dat een beschaafde echtscheiding niet bestaat.'

'Nou,' reageerde ik kribbig, 'Mark en ik zullen bewijzen dat het wél mogelijk is. Neemt u nu maar rustig van me aan dat we elkaar op geen enkele manier willen kwetsen. Het enige wat we willen, is zo snel en pijnloos mogelijk elk onze eigen weg gaan.'

Williams zuchtte. 'Vooruit. Dus dan weet u heel zeker dat u hem overal de helft van wilt geven?' Ik knikte. 'Prima, maar ik wil officieel vastleggen dat ik mijn best heb gedaan u op andere gedachten te brengen.' Hij hield zijn digitale recorder bij zijn mond, herhaalde wat hij zojuist had gezegd en krabbelde iets onder aan de laatste bladzijde van zijn aantekeningen. Toen legde hij zijn pen op zijn blocnote, draaide die om en schoof hem over zijn overvolle bureau naar mij toe. 'Ik verzoek u dit alles heel zorgvuldig door te lezen, mevrouw Curtis.'

Terwijl hij met zijn handen op zijn rug, door de oververhitte kamer met wanden vol boeken op en neer liep en zo af en toe even bleef staan om door de schuiframen naar de winterkale takken van de oude platanen van Lincoln's Inn Fields te kijken, tuurde ik naar zijn aantekeningen. Ik vermoedde dat mijn contactlenzen niet helemaal goed zaten, want het krullende, half leesbare handschrift in blauwe inkt op geel papier werd ineens heel wazig voor mijn ogen.

'U boft natuurlijk dat u geen kinderen hebt,' zei Williams, hardop peinzend. 'Een scheiding zonder kinderen is altijd veel eenvoudiger. U moest eens weten hoeveel afschuwelijke dingen ik in de rechtszaal heb meegemaakt. Hartverscheurende taferelen over de omgangsregeling en alimentatie. Hoe de mensen elkaar van alles en nog wat naar het hoofd slingeren. U hebt er geen idee van hóé ver mensen met hun beschuldigingen kunnen gaan om de rechter aan hun kant te krijgen. Maar aan de andere kant... moet ik eerlijk bekennen dat ik wel blij ben dat niet al mijn cliënten even redelijk – om niet te zeggen gul – zijn als u. Ik zou geen rooie cent verdienen! En dat zou hoe dan ook nog wel eens een probleem kunnen worden nu het aantal scheidingen zo snel terugloopt. Om nog maar te zwijgen over die snelle en makkelijke internetscheidingen... Bah! Die worden nog eens de ondergang van ons beroep. Alhoewel, wat overblijft zijn natuurlijk altijd nog de alimentatiezaken, zeker met de gecompliceerde nieuwe partnerschapwetgeving die de regering er zo graag doorheen wil hebben.'

Hij kletste maar door. Ik probeerde me op zijn geschreven woorden te concentreren, maar ineens voelde ik me verschrikkelijk ellendig. Wat een manier om het nieuwe jaar in te gaan. Dit was er uiteindelijk terechtgekomen van alle hoop die ik op mijn trouwdag had gekoesterd – een lijst van al mijn eigendommen op een blocnote. Andermans huwelijken mochten dan op de klippen lopen, maar tot op eerste kerstdag was ik er heilig van overtuigd geweest dat het onze eeuwig zou duren.

Hoe had ik zo naïef kunnen zijn?

Ineens wilde ik weg uit Williams' kantoor. Ik wilde die hele scheiding achter de rug hebben, want ik wilde alles vergeten, ook dat ik Mark ooit had ontmoet. Ik stond op en pakte mijn oversized, zwarte lakleren YSL Downtown-tas, het uitpuilende, glimmende gevaarte dat op de stoel naast me had gelegen. 'Alles is goed zo,' zei ik, terwijl ik de riem van mijn tas kreunend over mijn schouder hees. 'Hoe sneller u het afwerkt, hoe beter. Ik heb geen zin en geen tijd om me druk te maken over de details.'

'Dan zal ik het antwoord schrijven dat u kunt goedkeuren.'

Hij keerde terug naar zijn bureau, pakte de brief op die hij van Marks advocate had gekregen en nam hem nog een keer door. 'O, jeetje! Wat slordig van mij. Ik ben het PS van mevrouw Greenwood vergeten. Er is nog één klein dingetje dat geregeld moet worden.'

'O?'

'Daar zijn we vast zo mee klaar.'

Hij schonk me een glimlachje alsof de zaak zó banaal was dat hij zich er bijna voor schaamde om het ter sprake te moeten brengen. 'Kennelijk wil uw man de hond hebben.'

In de veronderstelling dat ik hem niet goed had verstaan, glimlachte ik terug. 'Zou u dat misschien nog een keertje willen zeggen?'

'Uw man wil de hond!' herhaalde hij jolig.

Ik plofte terug op de stoel en drukte de Downtown tegen mijn borst.

'Ik zei toch al dat het een futiliteit was,' vervolgde Williams vrolijk. 'Zal ik het maar gewoon op de lijst zetten?'

Hij wilde de gele blocnote pakken, maar ik legde mijn hand erop en hield hem vast. 'Dat moet een vergissing zijn,' bracht ik met moeite uit.

'Nee, nee.' Hij liet zijn blik opnieuw over de brief gaan. Door de glazen van zijn leesbril leken zijn pupillen groter dan ze waren. 'Hier staat het, zwart op wit.' Hij schraapte zijn keel en begon te lezen op een luchtig, overdreven traag toontje dat je zou kunnen gebruiken om een kind een leuk verhaaltje te vertellen: 'PS: Mijn cliënt wenst de volledige voogdij over zijn hond, Fluffy, te verkrijgen.' Hij sprak de naam van de hond extra langzaam uit en liet de 'ff' overdreven lang doorklinken.

Het voelde alsof de lucht uit mijn longen was geperst. 'Maar

Fluffy is Marks hond helemaal niet,' kwam het piepend over mijn lippen. 'Hij is van mij, en dat weet Mark heel goed.'

Twee waterige, blauwe ogen keken me aan over de rand van het leesbrilletje, en toen zei Williams met enige voorzichtigheid: 'Nou, mevrouw Curtis, zo te zien weet hij dat niet. Want hier staat toch echt heel duidelijk "de volledige voogdij over zíjn hond".'

'Hoe bedoelt u, "volledige voogdij"? Geef hier!' Mijn Downtown viel met een doffe klap op de grond terwijl ik de brief uit zijn hand griste. Mijn handen beefden zo erg dat de woorden voor mijn ogen dansten. Maar inderdaad, daar stonden ze: "volledige voogdij... zíjn hond". Ik liet het papier los en het dwarrelde neer op het bureau. 'Dat kan niet kloppen,' zei ik. 'Mark weet hoeveel Fluffy voor mij betekent. Hij zou hem nooit van me af willen nemen!'

Toch wel. Dat probeerde hij. Mark, die mij ooit meer had liefgehad dan zijn originele Gibson-gitaar, wilde me nu treffen waar het echt pijn deed. Alsof hij me niet al genoeg pijn had gedaan. Ik staarde met nietsziende ogen naar de blocnote en begon, nadat ik Williams' Mont Blanc had opgepakt, afwezig cirkeltjes in de kantlijn te tekenen. Ik, die thuis en op het werk – en ook wanneer het verschrikkelijk druk was – altijd mijn kalmte wist te bewaren, kon ineens niet meer helder denken. Het voelde alsof er een strakke ijzeren band om mijn borst klemde en ik was ook een beetje misselijk. Voor de zoveelste keer sinds Mark en ik hadden besloten om te scheiden, voelde ik zuivere paniek. Maar daar was nu ook een ander gevoel bij gekomen – een gevoel dat ik de afgelopen jaren getracht had te onderdrukken, maar dat nu met de heftigheid van een rijpe zweer de kop opstak.

De advocaat ging weer tegenover mij zitten. 'Hebben we het hier over een kostbaar dier, mevrouw Curtis? Is deze...' hij trok met zijn lippen, '... Fluffy soms een dure rashond? Een kampioen?'

'Hij is een kruising,' mompelde ik. 'Deels stropershond en deels Tibetaanse terriër. En er zit vermoedelijk nog wat Jack Russell in. De dierenarts zegt dat hij waarschijnlijk ook wel iets van een bobtail heeft.'

15

'Aha, u bedoelt een bastaard. Of liever gezegd: een vuilnisbakkie.'

'Wilt u hem zien?' Ik pakte mijn tas, haalde er mijn Black-Berry uit en toonde hem de screensaver – mijn lievelingsfoto van Fluffy, die opgerold op het bed lag te slapen, met zijn snuit tussen zijn voorpoten en zijn lange haar voor zijn ogen. Ik zag dat Williams zijn best deed om niet in de lach te schieten.

'In dat geval, en naar mijn bescheiden mening,' voegde hij eraan toe, alsof hij vond dat zijn mening allesbehalve bescheiden was, 'kan ik alleen maar zeggen dat een vuilnisbakkie in vergelijking met al die andere dingen, nauwelijks iets voorstelt. En ik herhaal, de helft van de waarde van uw flat. Een keuze uit de roerende goederen. Een dure auto. De helft van uw aandelen en spaargeld. Als u dit inderdaad zo snel en pijnloos mogelijk achter de rug wilt hebben als u zegt, is het misschien een goed idee om de hond als onderhandelingstroef in te zetten.'

Mijn mond viel open. 'Wilt u daarmee suggereren dat ik Fluffy aan Mark zou moeten geven? Bent u gek? En hoe zit het dan met al die dingen die u eerst zei over niet capituleren? En daarbij, Fluffy is van mij!'

Ik voelde de zweer openbarsten waardoor ik volstroomde met iets dodelijks en vitaliserends tegelijk – giftige, withete woede.

'Ja-aa... Maar – '

Ik hoorde van mezelf dat ik luider ging praten. 'Niks geen gemaar, meneer Williams. Het is míjn hond. Míjn hond. Hebt u dat begrepen?' besloot ik schreeuwend.

Er viel een geladen stilte. Williams keek me niet langer aan. Hij keek omlaag, naar zijn bureau, of liever, naar zijn blocnote. De aantekeningen die hij erop had gemaakt waren onleesbaar geworden door een hoeveelheid wilde blauwe krassen en halen, en het papier zelf zat onder de putjes en gaatjes op de plaatsen waar ik het getracht had met zijn pen te doorboren.

'Als ik het goed begrijp,' zei hij terwijl hij zijn Mont Blanc voorzichtig uit mijn hand haalde en de vernielde pen bekeek, 'is dit het enige punt waarover niet onderhandeld kan worden.'

Ik pakte, met alle waardigheid die ik kon opbrengen, mijn

Downtown van de vloer en stond op. Hoewel mijn knieën aanvoelden alsof ze mijn gewicht amper konden dragen, was mijn brein volkomen helder. 'Meneer Williams,' zei ik, 'zegt u maar tegen die advocate van mijn man dat, voor wat de hond betreft, die schoft van een Mark de pot op kan. Als hij erom wil vechten, kan dat. Fluffy is van mij. Punt uit. En hij blijft bij mij.'

Hoofdstuk 2

Op straat, nadat de deur van Crawley, Hurte & Williams achter me was dichtgevallen, zette ik de kraag van mijn winterjas op tegen de venijnige januariwind en keek op de Dolce & Gabbana die ik voor mijn voorlaatste verjaardag van mijn vader had gekregen hoe laat het was. Ik moest terug naar mijn werk bij het modehuis Haines and Hampton. Om vijf uur had ik een afspraak met een klant – een beroemde actrice met een hese stem die dringend een avondjapon nodig had voor de uitreiking van de BAFTA-awards. De middag was al half om, maar als ik nu meteen een taxi nam, zou ik nog nét op tijd in Chelsea terug kunnen zijn.

Ik hield een taxi aan en sprong erin, maar in plaats van de chauffeur het adres van de zaak te geven, zei ik dat hij me naar mijn huis in Islington moest brengen. De gedachte aan al die overdreven 'oh's' en 'ah's' in de paskamer kwam me op dat moment, na wat Mark me had aangedaan, ondraaglijk voor. Ik voelde me als een klaarovermoeder die op het zebrapad was platgewalst door een bloedmooie, sexy jonge moeder in een peperdure terreinwagen met vierwielaandrijving – misselijk, overdonderd en overrompeld omdat het zo onvoorstelbaar oneerlijk was. Na enig vruchteloos scharrelen op de bodem van mijn Downtown had ik eindelijk mijn BlackBerry te pakken, en ik belde mijn werk.

'Hallo, Personal Shopping van Haines and Hampton. U spreekt met Charlotte. Ik wens u een fijne dag. Waarmee kan ik u van dienst zijn?' klonk de fluweelzachte, bekakte stem van onze receptioniste.

'Ik ben het,' zei ik kortaf.

'O, hallo, Annie. Je spreekt met Charlotte.' Anders dan ikzelf kwam Charlotte uit een aristocratisch nest. Ze was buiten de stad opgegroeid, was oliedom en had de middelbare school doorlopen zonder er iets te leren, afgezien dan van haar uitspraak à la prinses Anne.

'Ja, Charlotte, ik weet dat jij het bent. Je had al gezegd wie je was.'

'O ja? Neem me niet kwalijk, Annie. Waarmee kan ik je van dienst zijn?'

'Je kunt "me van dienst zijn" door me te verbinden met Eva, alsjeblieft.'

'Een ogenblikje alsjeblieft, Annie. Ik wens je een fijne dag.' Ik bleef ongeduldig wachten tot Eva Wyrzykowski op zou nemen. Drie jaar eerder, toen Eva als schoonmaakster bij de zaak was komen werken, had ze alleen maar Pools gesproken. Inmiddels sprak ze vloeiend Engels, redelijk Frans, een beetje Russisch en voldoende Arabisch om bikini's aan onze volledig gesluierde Saoedi-Arabische klanten te kunnen slijten. Niet alleen was ze opgeklommen tot mijn favoriete assistente, ze was ook nog eens halverwege haar managementstudie aan de Open Universiteit. Maar na al die tijd was niemand op de personal shopping-afdeling – ikzelf inbegrepen – in staat haar achternaam behoorlijk uit te spreken.

'Een momentje nog, Annie. Ik verbind je nu door met Eva. Bedankt voor het bellen. Ik wens je een fijne dag.'

Ik nam me voor om Charlotte te zeggen dat ze moest ophouden met die debiele zinnetjes in Amerikaanse stijl. Het was iets wat ze zich de laatste tijd had aangewend en het was verschrikkelijk irritant. Onze klanten waren door de bank genomen drukbezette mensen die, net als ik, geen geduld hadden voor dat soort onzin. En daarbij, ik had helemaal geen fijne dag. Alles behalve. Hoe verfrissend was het toen Eva eindelijk aan de lijn kwam met een simpel en efficiënt: 'Hallo?'

'Eva, met mij.'

'Ja, Annie?'

'Ik zit met iets dringends, en ik moet naar huis. Zou jij...'

'... je volgende klant kunnen bellen, een smoes willen verzinnen en een nieuwe afspraak met haar willen maken? Liefst morgen?'

'Ja, het is...'

'... Fenella Marshall,' maakte ze mijn zin voor me af. 'Natuurlijk. Ik heb haar nummer al bij de hand. Zal ik zeggen dat je een keelontsteking voelt opkomen? Daar moet elke actrice doodsbang voor zijn.'

'Je bent een genie, Eva. Bedankt.'

Ik zocht het nummer van mijn vader, maar besloot hem toen toch maar niet te bellen. Inmiddels waren er vier weken verstreken sinds Mark en ik hadden besloten te scheiden, en in al die tijd had ik de moed nog niet kunnen opbrengen om het aan mijn vader te vertellen. In plaats daarvan belde ik mijn beste vriendin Clarissa, maar toen ze in gesprek bleek te zijn, gaf ik het op.

Ineens kon ik geen adem meer halen. Ik dwong mijn ribbenkast uit te zetten en samen te trekken om mijn longen hetzelfde te laten doen. Ik verdomde het te huilen. Dat gunde ik hem niet, die schoft – want zo dacht ik inmiddels over de man die ik tot vanochtend Mark had genoemd en op grond van alle dierbare herinneringen zelfs nog met 'lieveling' had aangesproken. Maar dat was nu voorgoed afgelopen.

En toen barstte ik in snikken uit. Ik, Annie Curtis, *née* Osborne, die sinds het heengaan van mijn moeder toen ik acht was, niet meer in het bijzijn van een ander menselijk wezen had gehuild.

De chauffeur nam me via de achteruitkijkspiegel nieuwsgierig op. Ik was bang dat hij iets aardigs wilde zeggen, dus ik wendde mijn blik af. Tegen de tijd dat hij over de honderden veiligheidsdrempels was gekropen die de achterafstraten van Islington, waar ik woonde, tot de Zwitserse Alpen hadden gemaakt, had ik mijzelf weer in de hand en mijn gezicht, met behulp van een beetje compact foundation en een veeg Chanel Rouge Noir, een nagenoeg normaal aanzien gegeven. Ik verstopte me achter mijn zonnebril en betaalde de chauffeur. In plaats van vier keer snel achter elkaar aanbellen om Mark te laten weten dat ik in aantocht was, zoals ik gewoonlijk deed, maakte ik zelf de voordeur open en liep met nijdige stappen de trap op naar de derde en bovenste verdieping.

Toen ik onze overloop op kwam, hoorde ik het tikken van de hondenpootjes op het parket. Het volgende moment viel de schaduw van een neus onder de kier van de voordeur door, en na het kortstondige maar luide gesnuffel begon het opgewonden blaffen.

Fluffy.

Misselijk bij de gedachte aan de mogelijkheid dat ik hem wel eens zou kunnen verliezen, probeerde ik de sleutel in het slot te steken, maar mijn handen beefden zo erg dat het me niet wilde lukken. Even later werd de deur geopend. Als een hazewindhond die uit de startblokken was gelaten, stortte Fluffy zich boven op mij. Uitzinnig van vreugde – uiteindelijk had hij me al niet meer gezien sinds ik die ochtend om zeven uur naar mijn werk was gegaan, en het was nog maar de vraag geweest of ik ooit weer thuis zou komen – maakte hij als een circushond een aantal acrobatische sprongen, waarna hij op zijn achterpoten ging staan en met zijn voorpoten aan de knopen van mijn jas begon te krabben. Met een harig oor rechtovereind en het andere omlaag wijzend, keek hij van onder zijn ruige, zwart-witte pony vol aanbidding grijnzend naar me op.

Ik keek over zijn dansende kop heen naar het slonzige monster dat als een zoutzak tegen de deurpost stond geleund. Zijn knokige roze voeten staken in een paar canvas strandslippers en zijn benen waren als behaarde, gespierde stokken. Hij ging gekleed in zijn gebruikelijke dagelijkse winter- en zomerklof – een oude, kakikleurige, veel te grote korte broek die tot op zijn knieën hing met daarop zijn favoriete nauwsluitende Fair Trade-sweatshirt – een verwassen grauwe trui bedrukt met de opvallend toepasselijke term *UseLess* – waardeloos. Het monster had een verkreukeld gezicht en zijn lange, donkere krullen waren ongewassen. Het was pas halfvijf 's middags, maar hij zag er, zoals gewoonlijk, uit alsof hij de hele nacht in de een of andere jazzclub had gehangen en nog maar net was opgestaan.

Dit wezen, dit onverzorgde díng, was mijn echtgenoot.

De man op wie ik ooit smoorverliefd was geweest. De man die ik gezworen had lief te zullen hebben, en die had gezworen dat hij mij lief zou hebben tot de dood ons scheidde. De man die ik ooit blindelings had vertrouwd, en die ik de liefste, aardigste en meest humane mens op aarde had gevonden.

De man van wie mijn vader, die me aanbad, meer dan eens op een allesbehalve subtiele wijze had gezegd: 'Voor mijn part denk je dat ik gek ben, lieverd, maar ik weet werkelijk niet wat je in hem ziet.'

'Hé!' Mark grijnsde zijn gebruikelijke goedmoedige, onverstoorbare grijns, stak zijn handen in de zakken van zijn broek en boog zich met een slingerbeweging naar me toe om me een zoen op de wang te geven.

Maar in plaats van hem contact te laten maken, wendde ik me op het laatste moment af en omhelsde de tien kilo uitbundigheid die op dat moment zijn uiterste best deed om me omver te kieperen. 'Hallo, Fluffy-wuffy!'

Mark veegde een restje slaap uit zijn ooghoek. 'Alles kits?' vroeg hij. Ik negeerde hem. En in plaats van te beseffen dat het zijn schuld was dat ik niets tegen hem zei, zoals hij geacht was te doen, nam hij automatisch aan dat ik een rotdag op het werk had gehad. 'Ach, heb je vandaag geen handtas van duizend pond weten te slijten?'

Dat was een oud grapje van hem en ik kon er allang niet meer om lachen. Hoewel, als ik een goede bui had gehad, zou het hem net een flauwe grijns hebben opgeleverd. Maar deze middag wierp ik hem een woedende blik toe terwijl ik mijn jas uittrok en die op de rugleuning van de bank liet vallen.

'Waar is Mickey Mouse?' vroeg ik aan Fluffy terwijl ik hem achter zijn oortjes kroelde. 'Zoek Mickey Mouse, Fluffy!' Fluffy kwispelde en ging er op zijn spillepootjes als een speer vandoor. Hij racete door de kamer naar zijn mand om zijn lievelingsspeeltje te halen, nam het in zijn bek, kwam ermee naar me terug en bleef op een halve meter van me af uitdagend grommend voor me staan. Toen ik me naar hem toe boog om het hem af te pakken, week hij prompt achteruit. 'Fluffy, los!'

'Annie?'

'Los!' riep ik op bevelende toon tegen Fluffy en boog me opnieuw met een ruk naar hem toe. Ik was wat sneller deze keer, en het lukte me Mickeys been te pakken te krijgen. Na een korte worsteling had ik het stuk speelgoed tussen Fluffy's kaken uit weten te wurmen. Toen ik het, met meer kracht dan ik feitelijk bezat, naar de andere kant van de kamer gooide, verbeeldde ik me dat ik het naar Marks hoofd slingerde.

Mark, die maar niet scheen te snappen waarom ik niets tegen hem zei, verplaatste zijn gewicht van de ene slipper op de andere, totdat het kwartje uiteindelijk viel. 'Waarom heb je in huis je zonnebril op?' vroeg hij. 'Is dat soms omdat je niet tegen me wilt praten of zo?'

'Tegen jou praten?' Fluffy kwam teruggerend met Mickey. Deze keer bleef hij op veilige afstand staan grommen. Ik wendde me tot mijn echtgenoot, zette mijn bril af en produceerde een bitter lachje. 'Waarover, meneer Curtis? Er valt nergens meer over te praten, toch? En je weet verduveld goed wat ik bedoel.'

Hij spreidde zijn handen. 'Nou, nee, dat weet ik niet.'

Ik haalde diep adem. 'Ik kom net bij mijn advocaat vandaan. En hij heeft het me verteld van Fluffy.' Mark deed zijn mond open om iets terug te zeggen, maar ik gaf hem geen kans. Ik schudde ongelovig mijn hoofd en vervolgde: 'Ik kan gewoon niet geloven dat je me dit probeert aan te doen. Ik háát je. En die bewoording haalt het niet bij wat ik voor je voel. Ik wálg van je, en ik verácht je, jij gemene, vuile, achterbakse, ontrouwe, schijnheilige bedrieger! Ik wil je nooit meer zien, nooit meer! Van mijn hele leven niet!'

Na deze preventieve aanval greep ik Fluffy's halsband vast en sleurde hem mee naar wat tot die ochtend nog onze – van Mark en mij samen – slaapkamer was geweest, en smeet de deur keihard achter me dicht.

Uitgeput liet ik me neervallen op de dure matras van memoryfoam – een matras waar de afdrukken van ons tedere liefdesspel van weleer nog in stonden – en ik schopte mijn schoenen uit. Fluffy wist niet hoe snel hij me achterna moest komen – hij sprong op het bed en probeerde op mijn borst te gaan liggen. Nadat ik hem een paar keer van me af had geduwd, begreep hij eindelijk dat hij daar niet welkom was, waarna hij een aantal keren om zijn eigen as draaide en vervolgens niet op het dekbed, maar lekker dwars over mijn voeten ging liggen.

Hoe had dit zover kunnen komen, vroeg ik mij af, terwijl ik de afstandsbediening oppakte, onze tweeëndertig inch lcd-televisie aanzette en, zonder ook maar een greintje belangstelling voor zijn verhaal, naar de high-definition George Alagiah keek die het nieuws van zes uur voorlas.

Mijn huwelijk lag aan barrels. Was verleden tijd. Kon bij het grofvuil.

En dat terwijl ik maar een paar weken eerder, op de ochtend van de vijfentwintigste december, gedacht had dat het nog nooit zo goed tussen ons was geweest.

Hoofdstuk 3

Het was eerste kerstdag in het Workhouse, maar van de buiten-
kant zag het gebouw, het voormalige armenhuis van Islington,
er nog even grimmig en deprimerend uit als toen het in de jaren
1840 voor het eerst zijn poorten had geopend voor de paupers
uit de buurt.

Maar vanbinnen was het een heel ander verhaal. Waar ooit
lange lijsten met regels en voorschriften – *Wanordelijk Gedrag
niet Toegestaan, Roken Alleen Buiten, Schuttingtaal Verboden* –
hadden gehangen, hingen nu werken van Damien Hirst en plas-
maschermen. Waar vroeger eenvoudige houten klompen op de
splinterige houten vloeren hadden gedreund, liepen nu de zachte zolen van Tod's-loafers nagenoeg geruisloos over het parket
van Amerikaans eiken. En waar, in vervlogen tijden, er op elke
verdieping slechts een enkele koudwaterkraan was geweest waaraan honderden bewoners zich moesten wassen, beschikte het
vroegere tehuis nu over een overvloed aan en-suitebadkamers,
douchecellen en douchecabines, die stuk voor stuk waren uitge-
rust met de allermodernste ontwerpen van Philippe Starck.

Indertijd, in de negentiende eeuw, hadden de bewoners van
Islington er alles voor over gehad om niet in het armenhuis te
eindigen. Hun nazaten echter, droomden er juist van. Net als de
verwaarloosde rijtjeshuizen in de buurt, die al sinds enige tijd
opgekocht en gerestaureerd werden door potentiële eerste minis-
ters, was het Workhouse (zoals het oude gebouw onlangs her-
doopt was door de groep projectontwikkelaars die de instelling

in een complex van lifestyle-appartementen had veranderd) nu het domein van welgestelden.

De hoge muren rondom het gebouw hadden indertijd moeten voorkomen dat de plaatselijke werkelozen zouden uitbreken. Inmiddels moesten diezelfde hoge muren verhinderen dat hun nazaten er zouden inbreken. Dag en nacht bewaakt door videocamera's en een ploeg Afrikaanse en Oost-Europese conciërges, gold het ommuurde project als een van de meest veilige woonplekken binnen de buurt. Zelfs de bezorgers van Ocado – de supermarkt – hadden moeite om de parkeerplaats op te komen om de ecologische producten en het luxe, driedubbelzachte toiletpapier af te leveren dat de flateigenaren op een rustig moment op hun werk via internet hadden besteld.

Deze hoge mate van beveiliging bleek echter eerder een provocerende uitwerking te hebben op de jeugdbendes van de omliggende povere woonwijken dan dat ze zich erdoor lieten afschrikken. In sweatshirts met capuchons gehulde asociale jongeren met harde, vijandige gezichten, en meisjes met blote benen die er, in hun superkorte minirokjes en laarzen met naaldhakken, bijliepen als hoeren, hingen dag en nacht rokend, drinkend, vloekend en obscene gebaren tegen de bewoners makend bij de toegangspoort van het Workhouse. Die bewoners wisten vaak niet hoe snel ze in hun VW's en Porsches de straat in en uit moesten komen en schermden met hun afstandsbediening van de parkeerplaats alsof hun leven ervan afhing.

Maar op deze kerstochtend waren de jongens en de snolletjes thuis om hun kerstcadeautjes uit te pakken en Winston Churchill, de dagportier van het Workhouse, was – als enige van de bewoners van het Workhouse – naar de kerk. In de sportzaal in de kelder, die doordeweeks een stoombad van testosteron, zweet en eau de toilette van Calvin Klein was, moesten de powerplates en de loopbanden nog worden aangezet. Minstens de helft van de bewoners was voor de kerstdagen naar Klosters, Gloucestershire of Ibiza vertrokken, met als gevolg dat je het enorme victoriaanse gebouw als een verlaten schip kon horen kraken.

Mark en ik luierden in onze dikke badjassen op de derde verdieping en genoten van de heerlijke rust.

Mark scharrelde in de open keuken aan de andere kant van onze woonkamer zonder tussenmuren terwijl ik op de grond lag, op het grote witte kleed voor de vrijstaande, met staal ommantelde open haard – een van de vele wauwfactoren die me, toen ik hier zeven jaar geleden voor het eerst naar binnen stapte, had doen besluiten het appartement te kopen. Fluffy lag, met zijn achterpoten naar achteren gestrekt en zijn snuit vredig tussen zijn voorpoten, zachtjes snurkend naast me.

Hoewel de lucht aan de andere kant van de enorme schuiframen loodgrijs was, voelde het binnenshuis heerlijk knus en gezellig. De hoog oplaaiende vlammen van het gasvuur – ik had het vuur op de maximale stand gezet – gaven de ruwe bakstenen muur een warme gloed, terwijl het twaalftal stervormige lantaarns dat tussen de stalen dakbalken was gespannen dansende schaduwen op het plafond ertussen wierp. Onze bijna twee meter hoge kerstboom hing vol met fonkelende versieringen, opzichtig engelenhaar dat bij Woolworth vandaan kwam en verscheidene snoeren knipperende ledlampjes. Een reusachtige plastic sneeuwvlok, bezaaid met glitter, was op de deur van de badkamer geprikt. En om de boel compleet te maken hadden we ook nog een dansende minikerstman die op de glazen salontafel om zijn eigen as stond te draaien, en de kerst-cd, *Krazy Karaoke Karols*, die luidkeels uit de luidsprekers van onze B&O schalde.

Toen ik twee dagen eerder overhaast naar mijn werk was gegaan, was er in huis nog geen spoor van dit alles te bespeuren geweest. Maar direct nadat ik de deur uit was gegaan, was Mark met Fluffy naar Chapel Street gelopen, waar hij op de kerstmarkt zijn slag had geslagen. Tegen de tijd dat ik die avond was thuisgekomen, had hij alles al versierd.

'Nou, hoe vind je het?' had hij, tegen de deurpost hangend, gevraagd, terwijl Fluffy als een bezetene, op jacht naar zijn staart in de vorm van een behaard vraagteken, rond de knipperende kerstboom was gerend.

Ik had mijn professionele blik door de kamer laten gaan. 'Nou, laat ik zeggen, het is voor de helft rommel uit de jaren zestig, en voor de andere helft het soort prullen dat je bij Hamley's Santa's Grotto op de kop kunt tikken. Kortom – volkomen smakeloos, kitsch en overdreven. En ik vind het schitterend, liefste! Volgend jaar zou je de etalages van Haines en Hampton moeten doen. Het enige wat nog ontbreekt is een knipperende slee op het dak.'

Mark had me bij de hand genomen en meegenomen naar de slaapkamer. Fluffy volgde ons op de voet. Opeens had hij zijn oren in zijn nek gelegd en was hij gaan grommen. Het volgende moment veranderde hij van een vredig vuilnisbakkie in een bezeten weerwolf en wierp hij zichzelf tegen de schuifpui van het slaapkamerbalkon. Vanaf het balkon werden we aangestaard door een levensgroot, opblaasbaar rendier met een gloeiende rode neus.

'Help!' riep ik ademloos uit. 'Waar heb je díé vandaan?'

'Hij werd samen met de dansende kerstman verkocht. Volgens mij wou die verkoper naar huis.'

Ik vloog mijn man om de hals. 'Hoe kan ik je ooit genoeg bedanken voor alles wat je voor me doet?'

Grappig genoeg had hij meteen een goede manier verzonnen. En het bed bevond zich toevallig vlak achter ons.

Vanaf dat moment was alles volmaakt geweest tussen ons – echt veel en veel beter dan het in tijden was geweest. Mark gaf me geen snauw omdat ik mijn afval niet had gescheiden voor de recycling, en ik zei niets toen hij zijn laarzen vol modder op het witte kleed van de woonkamer uitschopte. Hij verweet me niet dat ik die ochtend als eerste de badkamer bezette, en ik zeurde niet over zijn muziek 's avonds laat waar ik niet van kon slapen. Hij kookte, zonder dat ik erom had hoeven vragen, mijn lievelingskostje – spaghetti carbonara, in de pan geroosterde kabeljauw met zelfgemaakte patat en doperwten, en Chocolate Nemesis uit het *River Café Kookboek*. In ruil daarvoor schrokte ik alles op zonder ook maar één keer op te merken dat ik nog steeds op het koolhydraatarme dieet zat waar ik al drie jaar lang vergeefs succes mee hoopte te boeken.

Dus, terwijl ik die kerstochtend in de vlammen van het gasvuur zat te turen en Mark met twee versgezette cappuccino's naar me toe kwam gelopen, realiseerde ik me hoe fijn ik het wel had. Want was dit niet héérlijk? Om zo, samen met de twee wezens die me op de hele wereld het meest dierbaar waren, lekker voor het vuur te kunnen zitten en vals mee te kunnen blèren met de bekende kerstliedjes op de karaoke-cd? En alsof dat nog niet genoeg was, genoot ik van het zoetige, lichtelijk medicinale luchtje van de enorme blauwspar en de verleidelijke geuren van de met in calvados geweekte appels gevulde en met pancetta omwikkelde fazanten die in de oven stonden te garen.

Zoals gewoonlijk had Mark, die echt fantastisch kon koken, weer verschrikkelijk zijn best gedaan voor ons kerstmaal, maar ik voelde me die ochtend zo intens voldaan dat het me geen barst kon schelen wat ik straks op mijn bordje zou krijgen – al waren het vissticks geweest. Onze Kerstmis mocht dan niet de meest gezellige en drukke kerst zijn – mijn vader was op Barbados met zijn vriendin Norma en haar twee tienerzoons en Marks ouders, Jackie en Dennis, waren druk in de weer met de voorbereidingen van de kerstlunch voor de gasten van de Dog and Fox, hun pub even buiten Norwich – maar Mark en ik vonden het heerlijk om samen thuis te kunnen zijn. Na het eten zouden we ons aankleden en met Fluffy naar Hampstead gaan voor wat in de loop van ons vijfjarig samenzijn onze traditionele heidewandeling was geworden. Wat kon heerlijker zijn dan een rustig, kalm etmaal thuis na die waanzinnige drukte van de weken die aan de feestdagen vooraf waren gegaan? Ik had momenten waarop ik, na de vele liters Bollinger, de eindeloze opgewektheid en het peinzen over welke designerjapon, oogschaduw en avondtasje deze of gene klant het beste stond, het hele modegebeuren zó zat was dat ik overwoog er voorgoed uit te stappen.

En er was nog een andere reden waarom ik me die kerstochtend zo gelukkig voelde. Er waren nog maar zes dagen te gaan tot de eenendertigste december. En dat betekende dat Mark en ik weer een jaar langer samen waren. Gedurende de afgelopen twaalf maanden had ik meerdere malen gevreesd dat we het niet zouden halen. En dat was het jaar daarvoor ook zo geweest. En ja, het jaar dáárvoor ook. Maar kijk aan, over een weekje was het oud en nieuw en we waren nog altijd bij elkaar. Ik koesterde het heerlijke gevoel terwijl ik met een lepeltje het met cacao bestrooide schuim van mijn cappuccino schepte en in mijn mond stopte. Het was, goedbeschouwd, een kerstwonder. Niet helemaal de bevalling van de Heilige Maagd, maar toch.

'Eens zien. Wie wil er cadeautjes?' Mark was op zijn hurken naast me komen zitten.

'Ik!'

Hij zette zijn mok neer en kroop onder de boom, en onder zijn badjas ving ik een glimp op van zijn marmerblanke, naakte billen. Na enig gescharrel kwam hij weer tevoorschijn met een stapel cadeautjes, die allemaal beeldig waren ingepakt in prachtig rood met goud papier en zilveren strikken. Cadeautjes die hij speciaal voor mij en Fluffy had ingepakt. In een opwelling boog ik me naar hem toe en kuste hem.

'Mmm. Waar heb ik dat aan te danken?' vroeg hij glimlachend.

'Zomaar. Je bent gewoon een lekker ding.'

'"Een lekker ding"? Wat is dát nou weer voor uitdrukking? Dat zul je wel van die jonge assistentes van je hebben. Bedoel je niet mild, verfijnd en onweerstaanbaar?'

Als Mark iets níet was, was het wel mild en verfijnd. Maar onweerstaanbaar? Ik keek naar zijn volle, glimlachende lippen, naar zijn wijd uiteen staande blauwe ogen met de lachrimpeltjes eromheen, en zijn verweerde gezicht dat verzacht werd door de bos ongetemde, wilde krullen. Hij was op zijn veertigste nog steeds een bijzonder aantrekkelijke man, nóg aantrekkelijker zelfs dan hij geweest was toen hij vijf jaar eerder in mijn leven was verschenen.

'Nou, echt onweerstaanbaar zou ik je niet willen noemen,' zei ik, terwijl ik de dennennaalden verwijderde die in zijn haar waren blijven steken.

'Waarom niet?' Hij tuitte zijn lippen tot een spottende kus en dook boven op me. Terwijl we als een stel kleuters een robbertje stoeiden, stootte ik met mijn elleboog per ongeluk tegen Fluffy's neus. Hij werd wakker, slaakte een hoog blafje, sprong overeind en probeerde zich in het spel te mengen. Maar terwijl hij in de zoom van Marks badjas hapte, trapte hij Marks cappuccino omver.

Fluffy was als eerste aan de beurt met de pakjes. We hadden hem schandalig verwend, maar ik kan niet zeggen dat hij onder de indruk was. We hadden een nieuw bedje van namaakbont voor hem gekocht, maar hij wilde er niet in – zelfs niet toen we hem daartoe probeerden te verleiden met het ecologisch verantwoorde, zelfgebakken hondenkoekje met carobsmaak. Het enige wat hij wilde was het papier waarin de mand had gezeten, om het in zo veel mogelijk stukken te scheuren. De Burberry-halsband en -riem die ik met mijn personeelskorting op de luxe cadeauafdeling van Haines had gekocht, stonden hem fantastisch, hoewel het effect er meer eentje was van een nouveau-riche rockster dan dat van de landjonker-met-stamboom waar ik op had gehoopt. Maar ja, met zijn magere, stropershondachtige lijf, zijn naar verhouding nogal lange rug, zijn waggelende gang, zijn uitstekende heupbotten en dat cartoonachtige, recht overeind staande toefje zwartwitte haar op zijn kop dat hem het aanzien van een zwabber gaf, was Fluffy nu eenmaal niet het stamboomachtige type.

Gelukkig maakte het sterling zilveren naamplaatje in de vorm van een kluif dat we voor hem hadden laten graveren veel goed. Niet dat Fluffy veel om designeraccessoires leek te geven. Sterker nog, het enige cadeautje waar hij echt belangstelling voor had, was de goedkope kerstkous die we vol hadden gepropt met botjes van buffelhuid en snoepjes met leversmaak die Mark bij de dierenzaak in de buurt had gekocht, en die Fluffy binnen enkele minuten naar binnen had gewerkt (met inbegrip van een deel van het plastic netje waar de kluifjes in hadden gezeten), ondanks het feit dat we hem ervoor hadden gewaarschuwd dat hij, als hij dat zou doen, straks geen trek meer zou hebben in de feestelijke lunch.

Vervolgens waren wij aan de beurt. Ik had de nieuwe autobiografie van Eric Clapton voor Mark gekocht en hij gaf me een cadeaubon voor een dag in Londens meest chique spa. Ik gaf hem een sweatshirt van Paul Smith en hij had voor mij die prachtige roodleren laktas van Vivienne Westwood gekocht waar ik al het hele seizoen een oogje op had gehad. Ik had de Bose-oortelefoon voor zijn iPod voor hem gekocht en hij had voor mij de litho van achtduizend pond van Banksy gekocht waaraan hij, toen we een paar maanden tevoren op een tentoonstelling waren geweest, zijn hart had verpand.

Iedereen die al die geschenken zo bij elkaar zag zou mij, in vergelijking met mijn verschrikkelijk gulle echtgenoot, mogelijk nogal gierig hebben gevonden. Het was alleen wel zo dat alles wat Mark en ik met onze creditcards voor elkaar hadden gekocht uiteindelijk van onze gezamenlijke bankrekening werd betaald. En ik zeg 'gezamenlijke bankrekening' omdat hij op naam van ons beiden stond. We hadden alle twee een chequeboekje, betaalpasjes en toegang tot internetbankieren. Dus alles wat van die rekening werd betaald, was een gezamenlijke uitgave.

Het enige wat niet gezamenlijk aan die rekening was, was het geld dat erop werd gestort.

Dat was enkel en alleen van mij.

Zoals ik regelmatig tegen mijn vader had gezegd wanneer hij weer eens moeilijk deed over Mark was er, afgezien van een omkering van de traditionele rolverdeling, niets ongewoons aan onze financiële situatie. Er waren op de hele wereld miljoenen stellen van wie er een de voornaamste kostwinner was. In ons geval was ík dat – ik zorgde voor het grootste deel van ons inkomen terwijl mijn echtgenoot, die zo af en toe ook eens wat bijverdiende, me hielp met het uitgeven ervan. Heel toevallig was geld uitgeven een van de drie dingen waar die echtgenoot van mij goed in was. De andere twee, dat waren koken en seks.

'Wow!' riep ik uit terwijl ik de Banksy uitpakte. 'Dus dan heb je hem toch gekocht!'

'Ja.' Hij keek er met trots naar en glimlachte. 'Ik ben een paar dagen later teruggegaan naar die galerie. Met mijn Visa.'

'Ongelooflijk!'

'Ben je er blij mee?'

'Natuurlijk! Hij is prachtig!' Zo prachtig als hij maar kon zijn wanneer je in aanmerking nam dat het ging om een afbeelding van een rat die een bord vast had waarop de woorden 'Welkom in de Hel' waren gekrabbeld. 'Ik ben alleen... nou ja, verrast dat je er al dat geld aan hebt uitgegeven, dat is alles.'

'Ja, nou, ik weet dat het ontzettend extravagant is,' ging Mark verder terwijl hij me, nu wat onzeker, aankeek. 'Maar ik dacht dat je er blij mee zou zijn.'

'O, dat ben ik ook! Ik ben er érg blij mee! Ik bedoel, hij is prachtig, Mark. Het is een schítterend cadeau. Heel erg bedankt! En waar denk je dat we hem het beste kunnen ophangen?'

'Nou, ik weet niet. Ik had gedacht... daar, misschien.'

Hij wees op de kleine mezzanine boven een deel van de keuken. Dat was onze werkhoek, waar Mark zijn digitale piano had staan die ik hem voor zijn laatste verjaardag had gegeven in de vage hoop dat het ding hem zou inspireren tot de compositie van zijn grote hit.

'Mmm.'

Zijn gezicht betrok. 'Waarom zeg je dat zo, Annie?'

'Hoe bedoel je?'

'Nou, het klinkt zo achterdochtig. Mmm? Net alsof je denkt dat ik de Banksy voor mijzelf gekocht zou hebben.'

Ik kon het niet uitstaan dat hij mijn gedachten kon lezen. 'Mark! Hoe kun je dat zo zeggen!'

'Nou, ik denk gewoon dat hij daar mooi zal staan. Jij niet?'

'Ja, fantastisch.'

'Echt? Moet je horen, ik weet dat het veel geld is, maar het leek me een goede investering. Ik bedoel, afgezien van dat het een cadeau is. Ik weet zeker dat ik in de *Guardian* heb gelezen dat de prijs van Banksy's werk omhoogschiet.'

'O, ja?'

'En ik vond ook dat je voor Kerstmis iets bijzonders verdiende.' Ineens keek hij beschaamd. 'Ik wilde je verwennen. Je hebt zo hard gewerkt dit jaar, en zoveel geld verdiend, terwijl ik... Nou, ik heb weer eens geen bal uitgevoerd. Zoals gewoonlijk.'

'Dat is niet waar!'

'Hou op, Annie.'

Ik smolt altijd weer opnieuw wanneer Mark op die manier over zichzelf begon. Eerlijk gezegd kon ik het niet verdragen wanneer hij zo negatief over zichzelf deed. Voor hem was niets zo belangrijk als het componeren van gitaarmuziek en het schrijven van songteksten – iets wat hij al deed sinds hij honderd jaar daarvoor zijn studie had afgebroken. Een studie waarin hij, volgens mijn vader, de meest luie en trage student ooit moest zijn geweest. Hij deed zo zijn best met dat componeren, maar het wilde hem maar niet lukken. De flarden van zijn nummers die hij mij zo nu en dan voorspeelde, klonken me allemaal als potentiële hits in de oren, de kwestie was alleen dat hij iemand moest zien te vinden die bereid was ze op te nemen.

Alleen niemand wist wanneer dat ooit eens zou gebeuren. Het was geen wonder dat hij zich zo ontmoedigd voelde. Terwijl het me in mijn carrière voor de wind ging sinds we bijna vijf jaar geleden waren getrouwd, was hij met de zijne geen stap verder gekomen. Hij had ambitie – nou ja, een beetje dan, maar had hij ook voldoende talent? Ik vond zijn muziek geweldig, maar helaas dachten de deskundigen in het vak daar anders over. Jaar in jaar uit bleef Mark de moed erin houden – hij schreef en herschreef en schaafde zijn composities eindeloos bij, net zolang tot er uiteindelijk nog maar weinig van over was. Op zijn bureau lag een dikke stapel brieven – afwijzingen van muziekuitgevers, platenproducers en agenten van zangers. Sommige waren beleefde epistels waarin de schrijvers zich uitdrukten in de trant van dat ze helaas al zo veel klanten hadden dat Marks talent bij hen nooit tot zijn recht zou kunnen komen. Andere waren ronduit beledigend, en ten slotte had je ook nog agenten die het niet eens nodig vonden om te antwoorden. Waarschijnlijk hadden ze ook niet eens geluisterd naar de cd die hij hun had gestuurd, maar was het schijfje rechtstreeks in de prullenbak beland zoals de dvd's van oude televisieseries die je altijd bij elke zondagkrant cadeau scheen te moeten krijgen.

'O, lieveling, doe niet zo mal!' zei ik nu tegen Mark. 'Je bent een geniale componist!'

'Ik ben waardeloos.'

'Dat ben je niet! Ik geloof in je.'

'Dank je. Maar wat weet jij van muziek?'

Dat was Marks steevaste, lichtelijk beledigende antwoord wanneer ik zijn werk prees. 'Nou, ik luister naar de radio en ik kijk ook wel eens naar MTV. En daarbij, je weet best dat ik niet zou kunnen doen wat ik doe als ik jou niet had. Zulke lange dagen op de zaak draaien, bedoel ik. Wie zou er voor Fluffy moeten zorgen als jij een volle baan had gehad? En wie zou er voor mij moeten zorgen?'

Uiteindelijk lukte het me hem weer wat op te vrolijken, en we gingen terug naar bed. Terwijl Fluffy zachtjes op het kleed lag te snurken, bedreven wij de liefde. Lange tijd was het niet zo fijn en teder tussen ons geweest. Ik stond zelfs van mezelf te kijken om het feit dat ik niet eens moest doen alsof ik een orgasme had – iets wat de laatste tijd maar al te vaak was voorgekomen. Het was niet dat Mark me niets meer deed, het was alleen dat ik doorgaans zo moe was wanneer ik eindelijk thuiskwam van mijn werk dat ik liever een beker warme melk had dan de hartstocht die in de aanbieding was. Misschien werd ik wel oud.

Na afloop kropen we lekker dicht tegen elkaar aan en bekeken een dvd van *It's a Wonderful Life*.

'Wat ruik ik?' riep Mark opeens. 'Er staat iets aan te branden. O, verdomme, dat moet de fazant zijn!' Hij sprong uit bed en rende, met Fluffy op zijn hielen, in zijn blootje naar de keuken.

Voor me uit grinnikend ging ik lekker in de kussens zitten en luisterde naar de huiselijke symfonie vanuit de keuken – het gerammel van de braadslede die uit de oven werd gehaald, het ritselen van aluminiumfolie, het geratel van de messenlade, gevolgd door een reeks verwensingen.

'Geen paniek, zuster,' riep hij. 'Ze mag dan derdegraads verbrandingen hebben, maar ik denk dat ik haar kan redden. Ik vrees echter wel dat er geamputeerd zal moeten worden.' Een paar minuten later kwam hij de slaapkamer binnen met een verkoolde drumstick en vroeg: 'Denk je dat deze gaar is?'

Toen ik bijna dubbelsloeg van de lach, griste Fluffy hem het verbrande stuk gevogelte uit de hand, ging ermee op het kleed naast het bed liggen, klemde het tussen zijn voorpoten en wilde zich eraan te goed doen. Tot zijn woede pakte Mark het hem meteen weer af voor het geval de botjes in zijn bek zouden versplinteren. Vervolgens sloot hij de verongelijkte hond in de slaapkamer bij mij op en keerde terug naar de keuken om de rest van ons kerstmaal te redden.

Getrouwd zijn! Er ging niets boven, dacht ik terwijl Fluffy, die woedend was omdat hij niet meer naar de keuken kon, eerst een paar seconden bij de deur ging zitten piepen en vervolgens, op wraak belust en azend op iets wat hij zou kunnen vernielen, onder het bed kroop. Voldaan besefte ik hoe verstandig ik eraan had gedaan om bij Mark te blijven. Nadat ik achttien maanden eerder achter zijn verhouding met Fern, onze pilatesjuf, was gekomen, had mijn beste vriendin Clarissa me ervoor gewaarschuwd dat hij van zijn leven niet volwassen zou worden en nooit met één vrouw genoegen zou willen nemen. Het was me echter, onder het genot van een fles Chileense Sauvignon Blanc en een grote schaal zoute amandelen bij de Roach and Parrot in Upper Street, gelukt haar ervan te overtuigen dat ze zich vergiste.

'Mark zegt dat hij alleen maar een verhouding had omdat hij ongelukkig en gefrustreerd was,' had ik defensief gezegd. 'Het was voor een groot deel mijn schuld.'

'Jóuw schuld?' had Clarissa stomverbaasd uitgeroepen terwijl ze op het puntje van haar stoel was gaan zitten. Zelfs in een oude zwarte broek en een marineblauwe trui van haar man, die haar niet alleen drie maten te groot was, maar die bovendien zijn beste tijd had gehad, kreeg mijn lange, slanke vriendin het nog voor elkaar om er even chic en elegant uit te zien als Erin O'Connor. Zelfs het donkerblauwe schooluniform had haar nog goed gestaan – iets wat van geen enkel ander meisje gezegd zou kunnen worden. 'Die waardigheid zit haar nu eenmaal in het bloed,' had haar moeder ooit eens tegen mij gezegd, in de woonkamer van haar ouderlijk huis op Cadogan Square – een sobere villa vol met oude, geverniste portretten van mensen van wie ik nog nooit had gehoord, en donker victoriaans meubilair dat, net als de finan-

ciën van de Garlands, betere tijden had gekend. 'Je moet namelijk weten, lieve kind, dat Clarissa's grootmoeder hertogin was.
En beschaving is nu eenmaal iets wat je, zoals iedereen weet, bij
de geboorte meekrijgt.' Misschien dat Clarissa's moeder me had
willen afschrikken omdat ze het maar niets vond dat ik en haar
dochter vriendinnen waren. Ik kwam nu eenmaal uit een heel
eenvoudig milieu, en in de ogen van mevrouw Garland was ik gewoon niet beschaafd genoeg. Het aardige aan Clarissa is evenwel
dat die dingen haar niets konden schelen, ook niet toen ze nog
maar elf was. Zij en ik waren vanaf onze eerste schooldag onaf-
scheidelijk, ondanks het feit dat ik mijn grootmoeder 'oma'
noemde in plaats van 'mevrouw', mijn uitspraak nogal plat was
en ik mijn aardappels met mijn mes te lijf ging (hoewel mijn
nieuwe leraren daar al vrijwel meteen een stokje voor staken).

Hoe dan ook, het bleek al snel dat Clarissa helemaal niets van
die oude, vervallen aristocratische wortels van haar afkomst
wilde weten. Nog voor ze goed en wel haar eindexamen had gedaan, sloot ze zich aan bij de socialistische arbeiderspartij en
ging samenwonen met James, een straatarme mijnwerkerszoon
uit Wales die een linkse student was. Nu, zeventien jaar later,
zat diezelfde James in de Queens Council – de ererang van advocaten – en was hij een trouwe aanhanger van de Liberale De-
mocraten, terwijl Clarissa maatschappelijk werkster was en de
geteisterde en lichtelijk overwerkte moeder van hun vier beeldschone dochters Rachel, Rebecca, Emily en Miranda. Maar wat
nog veel belangrijker was – in ieder geval voor mij – was dat ze
nog steeds mijn beste vriendin was.

'Ik heb Mark de laatste tijd niet genoeg aandacht geschonken,'
ging ik verder met uitleggen. 'Ik ben niet lief genoeg voor hem
geweest. Mijn werk heeft me gewoon te veel in beslag genomen.'

Clarissa had haar lange, steile haren geschud. 'Dat is omdat je
geweldig bent in je werk! Je hebt de personal shopping-afdeling
van Haines tot een succes gemaakt. *Vogue* heeft je in hun laatste
nummer niet voor niets uitgeroepen tot de "make-overkonin-
gin", lieverd. Dat zou Mark moeten begrijpen. Hij zou trots op
je moeten zijn.'

'O, dat is hij ook. Dat weet ik zeker.'

'En zegt hij dat ook regelmatig tegen je?'

'Ja,' had ik gejokt. Maar toen Clarissa me doordringend had aangekeken, had ik toegegeven: 'Nou, de laatste tijd niet meer.'

'Annie, je mag je niet schuldig gaan voelen over je succes. Je hebt een gave om mensen te helpen er beter uit te zien. Ik bedoel, kijk maar naar wat je voor hoe-heet-ze-ook-alweer hebt gedaan. Het ene moment werd ze in de rioolpers nog een schande voor de politiek genoemd, het volgende wilde elk belangrijk vrouwenblad haar op de cover hebben.'

'Wie bedoel je?'

'Je weet wel – de schaduwminister voor afvalverwerking en recycling.'

'Nou, dat was een koud kunstje, want ze had er niet waardelozer uit kunnen zien.'

'Mark zou je dankbaar moeten zijn. Eén van jullie twee zal toch een beetje behoorlijk de kost moeten verdienen, verdorie.'

'Dat weet ik. Maar volgens mij beseft hij niet goed hoeveel de dingen kosten.' Ik at een paar amandelen en spoelde ze weg met een flinke slok Sauvignon. 'En dan is er natuurlijk ook nog de babykwestie.'

'Aha. De belazerde babykwestie,' herhaalde ze nadrukkelijk met die voortreffelijke uitspraak van haar, 'die van tijd tot tijd zijn akelige kop weer opsteekt.'

'Het is niet om te lachen. Het is echt een probleem. En je kunt het Mark niet kwalijk nemen dat hij kinderen wil.'

'Nou nee, waarschijnlijk niet. Mannen hebben van die zielige kleine ego's dat ze kinderen nodig hebben om te bewijzen dat ze echte kerels zijn. Kijk maar naar James. Nou ja, noem me maar ouderwets, maar als je het mij vraagt is overspel plegen niet de beste manier om je vrouw zwanger te krijgen.'

'Nou nee. Maar je kent mij, en ik ben niet rijp voor het moederschap.'

Clarissa had haar welgevormde, aristocratische wenkbrauwen opgetrokken. 'Je bent anders wél eind dertig, lieverd. De tikkende klok en al die onzin meer.'

'Fijn dat je me daar even aan herinnert. Je lijkt Mark wel. En mijn vader. Zie je nu wel? Zelfs jíj vindt dat ik Mark wegjaag omdat ik nog geen kinderen wil!'

'Kom, je kon verwachten dat hij ze vroeg of laat zou willen hebben. Hij komt uiteindelijk uit een groot, gezellig gezin. Hoeveel zussen heeft hij ook alweer? Zes? Zeven?'

'Drie. Maar ik ben de tel kwijt van al die neefjes en nichtjes.'

Ik duwde de schaal met amandelen naar haar kant van de tafel. 'Laat me daar niet meer van eten, alsjeblieft. Verbied het me. Afgezien van deze nog,' had ik gezegd, terwijl ik snel nog een handje in mijn mond had gepropt. Dit was niet het ideale moment om me aan mijn dieet te houden. En welk moment was dat wel? 'Ik denk toch dat ik in de toekomst meer mijn best voor hem zal moeten doen als ik wil dat hij me voortaan trouw is.'

'Goed idee,' had Clarissa droogjes gezegd. 'Neem een heleboel kindertjes om Mark tevreden te houden. Een verzameling krijsende peuters die de flat onveilig maken – dat zal hem wel in het gareel houden.' Clarissa had wanhopig haar hoofd geschud. 'Annie, je zou jezelf eens moeten horen. Je klinkt als een mishandelde echtgenote die zichzelf de schuld geeft van het schandalige gedrag van haar man en zich vervolgens opnieuw in elkaar laat slaan.'

Terwijl ik daar die kerstdag zo op bed lag, probeerde ik dat gesprek van me af te zetten en me in plaats daarvan te concentreren op de uit 1946 stammende zwart-witbeelden van het Amerikaanse stadje die, over het scherm gleden in It's a Wonderful Life. Maar zelfs terwijl ik keek naar hoe de wanhopige George Bailey – James Stewart – tegen zijn beschermengel zei dat zijn leven een grote mislukking was, bleef ik in gedachten bij Marks overspel van weleer.

Ondanks wat Clarissa had gezegd nadat ik die walgelijke tanga van Fern tussen de vele paren sokken in zijn sporttas had gevonden, wist ik dat ik er goed aan had gedaan om bij hem te blijven. Uiteindelijk was het maar een kortstondige affaire geweest, een Brief Encounter, zullen we maar zeggen. Behalve dan dat, in tegenstelling tot Celia Johnson en Trevor Howard, de verliefde sterren van een van mijn favoriete zwart-witfilms, Mark en Fern wél met elkaar naar bed waren geweest in plaats van alleen maar met de gedachte te spelen. En als ik me niet vergiste hadden ze dat zelfs heel wat keren gedaan. Maar Mark had volgehouden dat het alleen maar was gebeurd omdat hij zo gedeprimeerd en teleurgesteld was geweest aangezien hij zo veel meer van onze relatie had verwacht, en hij had gezworen dat het niet nog eens zou gebeuren. En als je het goede en het verkeerde van de situatie, met inbegrip van die kanten tanga en al, tegen elkaar afwoog, wat waren dan een paar nietszeggende wippen in vergelijking met ons huwelijk?

In *It's a Wonderful Life* kwamen de brave burgers van Bedford Falls bijeen om George Bailey van de financiële ondergang te redden terwijl zijn vrouw Mary met tranen in de ogen stond toe te kijken. Terwijl ik lekker wegkroop onder de dekens, prees ik mijzelf gelukkig met het feit dat het in het afgelopen jaar echt een stuk beter was gegaan tussen mij en Mark. Het was niet gemakkelijk geweest, maar het was ons gelukt om moeilijke onderwerpen – zoals geld, en Fern, en het krijgen van kinderen, en geld, en Fern, en mijn lange werkdagen, en de lange dagen waarop hij niets deed, en Fern, en geld – te mijden, met het gevolg dat we veel minder ruzie hadden gehad dan voorheen. In de weken voor Kerstmis had hij veel gelukkiger en meer ontspannen geleken dan in het begin van het jaar. Hij was zelfs aan een nieuw nummer begonnen waar hij goede vorderingen mee maakte. Zodra zijn talent erkend werd, zou het wel weer goedkomen met zijn eigenwaarde en uiteindelijk zou het tussen ons net zo worden als tussen George en Mary Bailey. Eind goed, al goed.

Ik hoorde geritsel onder het bed en het puntje van Fluffy's lange, ruige staart, die onder de volant uitkeek, zwiepte opgewonden heen en weer. Het was duidelijk dat hij iets spannends had gevonden tussen de troep die we onder het bed hadden weggeschoven, en te oordelen naar de geluiden, was hij enthousiast bezig om de boel aan flarden te scheuren.

'Fluffy?' Ik boog me omlaag over de rand van het bed, tilde de volant op en tuurde in het duister. Hoewel Fluffy wist dat ik daar was, deed hij alsof hij gek was, en hij bleef me zelfs negeren toen ik hem op zijn achterwerk tikte. 'Wat doe je daar?' Hij bleef doen alsof jij niets merkte. Wat hij ook gevonden mocht hebben – een oude onderbroek, een half opgegeten koekje of een in elkaar gepropte panty – ik wist dat het niet goed voor hem zou zijn. Hij zou het waarschijnlijk opeten en vervolgens moeten overgeven. Ik was de tel kwijtgeraakt van de talloze keren dat Mark en ik de uitgebraakte resten van Fluffy's vernielingen hadden moeten opruimen.

Wat had hij nu weer te pakken? 'Laat los!' zei ik, zo streng als ik maar kon. Ik had me de moeite kunnen besparen. Het was zinloos, want Fluffy luisterde nooit. Mark, die goed met honden overweg kon, zei dat hij geen hond kende die zo slecht gehoorzaamde als Fluffy.

'Heb je me gehoord, Fluffy? Ik zei, laat lós!' Fluffy wierp me een uitdagende blik toe – zijn ogen lichtten geelachtig op vanuit het duister onder het bed – en ging weer door met waar hij mee bezig was. Ik hoorde nog iets scheuren, en vervolgens iets kraken. Ik sprong uit bed, schoot mijn badjas aan, greep hem bij zijn heupen en sleurde hem onder het bed uit. Hoewel hij dreigend gromde, wist ik dat hij me niet zou bijten. Fluffy mocht zich dan graag agressief voordoen, maar in werkelijkheid had hij een enorme hekel aan geweld – afgezien van zo nu en dan eens een vechtpartijtje met andere honden.

'Zo is het echt wel genoeg!' zei ik. 'Geef hier!' Hij dacht slim te zijn en liet hetgene waar hij op kauwde op het laatste nippertje, voordat ik hem onder het bed uit had, uit zijn bek vallen. Zijn onschuldige blik kon niet verhinderen dat er snippertjes rood met goud papier aan zijn snuit plakten.

Ik liet hem los, maar voordat hij weer onder het bed zou kruipen, griste ik zijn kleffe prooi eronder vandaan. Ik mikte het op bed en hij sprong er opgewonden blaffend achter aan. Nadat ik hem achterna was gedoken, rukte ik het ding bij hem weg. 'Eraf!' riep ik terwijl ik op de matras ging staan en Fluffy, zijn lijf in vreemde bochten draaiend, happend naar mijn hand sprong. 'Eraf! Stoute hond! Af!' Ten slotte liet hij zich van het bed af glijden en ging, verlangend naar het pakje kijkend, braaf naast het bed zitten wachten.

Hij had nog een kerstcadeautje gevonden. Het zat in hetzelfde dure, rood met gouden inpakpapier als de Banksy. Ik las de woorden op het kaartje. 'Lieveling,' stond er, in Marks krabbelhandschrift, 'een kleinigheidje voor onze wandelingen op de hei.' Daaronder stond de lange rij kruisjes gevolgd door een ster waarmee hij al zijn briefjes aan mij ondertekende. Hij moest vergeten zijn om het eerder aan mij te geven, dacht ik. Of misschien bewaarde hij het wel als een speciale verrassing voor later op de dag.

Ik voelde me heerlijk warm worden vanbinnen.

Ik glimlachte bij mezelf, ja, dat deed ik echt.

Ik dacht: wat ben je toch een vreselijke bofferd.

'Alles in orde daarbinnen?' riep Mark vanuit de keuken. 'Het is bijna klaar.'

'Ja, hoor,' riep ik terug. 'Alles is piekfijn in orde hier. Ik kom eraan.'

Ik wist dat ik het pakje weer onder het bed zou moeten leggen en moest wachten tot Mark het aan mij zou geven, maar ik kon mijn nieuwsgierigheid niet de baas. Ik popelde om te zien wat hij voor me had gekocht voor onze wandelingen op de hei. Een kasjmier sjaal van N.Peal's in de Burlington Arcade? Of een hoed van Nicole Farhi? Of misschien wel die gele, met bont gevoerde handschoenen van Mark Jabobs die me de vorige week waren opgevallen toen ik bij Harvey Nichols was gaan spioneren?

Heel voorzichtig, om het papier niet verder te scheuren, trok ik het open en keek erin.

Mijn hart stond stil. Opgerold, als een slang in een nestje van cellofaan en gouden vloeipapier, lagen een hondenhalsband en een riem. De riem was handgestikt en gemaakt van de mooiste, meest glanzende struisvogelhuid. Aan de bijpassende halsband hingen talloze kleine bedeltjes – geëmailleerde sterretjes, een zilveren kennel, een mobiele telefoon met knopjes van namaakdiamantjes en een voerbak, en dat allemaal met kleine zilveren hartjes ertussen.

Ik realiseerde me dat Mark daar een vermogen voor betaald moest hebben – het waren echt de allermooiste halsband en riem die ik ooit had gezien.

Er was alleen één dingetje dat niet klopte.

De kleur.

Roze.

Na enkele momenten van verwarring werd me alles ineens verschrikkelijk duidelijk. Dit mooie roze setje was niet bestemd voor onze uiterst mannelijke hond. Ergo, die vele kruisjes op het kaartje waren evenmin voor mij bestemd.

'Het eten staat op tafel!' riep Mark opgewekt vanuit de woonkamer. 'Kom gauw, engel!'

Ik kon geen woord uitbrengen en ging zitten, met het kleffe, half geopende pakje in mijn hand. Fluffy kwam snuffelend naderbij om te zien of hij het weer terug kon krijgen. Deze keer liet ik hem begaan toen hij het uiteinde van de riem te pakken kreeg en erop begon te kauwen. Wat kon het me schelen als het ding vol kwam te zitten met tandafdrukken? Ik probeerde te bepalen wat het ergste verraad was – dat Mark weer een verhouding had of dat hij het cadeautje dat hij voor zijn nieuwe geliefde had gekocht onder ons bed had verstopt. Hoe kon hij me, wetende dat het ding onder ons lag, zo liefdevol in zijn armen hebben genomen als hij zojuist had gedaan? Hoe had hij me zo teder kunnen beminnen, alsof hij het ook meende, zonder zich tegelijkertijd verschrikkelijk schuldig te voelen? Want áls hij zich schuldig had gevoeld, dan had hij dat beter weten te verbergen dan hij dat rotcadeautje had gedaan. Ik moest wel totaal blind zijn voor zijn gevoelens, want ik had echt niets aan hem gemerkt.

Hoe kon ik zo ontzettend stom zijn!

Ik moest snel nadenken. Hoe zou ik dit aanpakken? Zou ik hem, zodra hij aan tafel was gaan zitten, wurgen met de riem? Of kon ik het pakje maar beter weer terugleggen onder het bed, er niets van zeggen en proberen te doen alsof ik het nooit had gevonden? Dat had ik indertijd ook met Ferns tanga geprobeerd, maar ik ben – in tegenstelling tot Mark, dat was duidelijk – heel slecht in het verbergen van mijn gevoelens. Uiteindelijk had hij slechts zes gebroken borden in evenveel seconden nodig gehad om te begrijpen dat er iets goed mis was tussen ons.

De beslissing werd me uit handen genomen toen Mark opeens in volle vaart de slaapkamer binnenkwam.

'Hé, schat, ons verbrande hapje ligt koud te worden,' zei hij. 'Kom en...' De rest van zijn woorden bestierven hem op de lippen toen hij het roze riempje van struisvogelhuid zag dat tussen mijn hand en Fluffy's op elkaar geklemde kaken spande. Hij verstijfde. Onze blikken kruisten elkaar en hij trok lijkbleek weg.

'O, shit!' zei hij. Hij kwam naar me toe, duwde Fluffy opzij en knielde berouwvol aan mijn voeten. 'O, lieveling, ik weet wat je moet denken,' zei hij terwijl hij zijn hand op de mijne legde en hem drukte. 'Maar geloof me als ik zeg dat het alleen maar een stomme flirt was. Het heeft niets te betekenen.'

Ik had even nodig om dit te verwerken, en toen zei ik: 'Voor jou niet, misschien.'

'O, Annie, het spijt me zo verschrikkelijk. Ik weet niet, het is gewoon gebeurd. Je moet namelijk weten dat ik –'

Ik viel hem in de rede en trok mijn hand weg. 'Ik ben niet geïnteresseerd in je smoezen.'

'Toe, lieveling, laat het me alsjeblieft uitleggen.'

'Nee,' zei ik. 'Deze keer niet meer.' Ik zuchtte. 'En nooit meer.'

'Annie?' zei hij. 'Hoe bedoel je dat?'

Ik keek in de prachtige blauwe ogen van mijn echtgenoot en wist dat ik hem, ongeacht wat hij zei of beloofde, nooit meer zou kunnen vertrouwen. 'Moet je horen, Mark,' zei ik. 'We weten alle twee dat het afgelopen is tussen ons. Dit huwelijk is niet wat jij ervan verwachtte, en het is ook niet wat ik me ervan had voorgesteld.'

En toen sprak ik de drie woordjes die het begin vormden van deze hele afschuwelijke opeenvolging van gebeurtenissen. 'Ik wil scheiden.'

Hoofdstuk 4

Mijn moeders meest kostbare bezit was haar toilettafel.

Hij was niervormig, en was gemaakt van roomkleurig geschilderd hout dat verfraaid was met goudkleurige, barokke krullen – doorsnee goedkoop slaapkamermeubilair uit de jaren zestig, maar tegenwoordig weer helemaal in als retro. 'Franse kale chic.' Hoewel de ouderslaapkamer van de in de jaren vijftig gebouwde gemeentewoning niet bepaald ruim was – er was nauwelijks voldoende plaats om de gebloemde vloerbedekking tussen het bed en de muren te kunnen zien – paste mams toilettafel met het bijpassende, met een gestreept, namaak Regency-stofje beklede krukje eronder geschoven, net in het hoekje bij het metalen raamkozijn.

Het bovenblad van de nier was bedekt met een dikke glasplaat waaronder een aantal familiekiekjes was geschoven. Tot deze verzameling behoorden een zwart-witopname van mijn grootouders van moeders kant die voor hun groentezaak in Stepney poseerden, een aandoenlijke, in een fotostudio gemaakte naaktfoto van mij als baby en een foto van mijn moeder, Julie, die met een vriendin op het strand van Brighton zat. Mam moest iets van twintig zijn geweest toen iemand haar en haar vriendin – beiden in bikini – had gekiekt, en ze maakte een onvoorstelbaar jonge en zorgeloze indruk.

De vijf laden van de toilettafel – twee diepe laden aan weerszijden van de knieruimte en het kleine, ondiepe laatje daarboven – lagen vol schatten aan spullen die ze ofwel gekocht, ofwel van haar eigen moeder had geërfd, die gestorven was in het jaar dat ik was geboren. In de bovenste lade links lag een stapeltje bontgekleurde nylon sjaaltjes, een paar suède avondhandschoenen met paarlen knoopjes aan de pols, een hoeveelheid plastic haarkammen en een aantal haarschuifjes. De la eronder bevatte geborduurde zakdoekjes – ongebruikt en nog in hun oorspronkelijke verpakking – en een ouderwetse, zeemleren nagelpoetser met een handgreep van been, en ragfijne haarnetjes gemaakt van geknoopt echt haar. De laden aan de andere kant van de knieruimte bevatten mijn moeders juwelen – oude jaren-vijftigbroches met gekleurde, namaakhalfedelstenen, een paar grote zilveren oorringen en kleurige kettingen en armbanden van plexiglas, waarvan eentje met een zwart-wit op-artmotief. Verder bewaarde ze er mijn grootmoeders naaizak – een vilten zak met een metalen vingerhoed, een pakje naalden en een streng van vervlochten draden in talloze kleuren, waarvan mijn moeder zo nu en dan gebruikmaakte om een knoop aan te naaien. Als ik het me goed herinner, was haar huishoudelijke aanleg daartoe beperkt.

Het laatje boven de knieruimte was echter mijn lievelingslaatje, want daarin bewaarde mijn moeder haar make-up. In de ondiepe houten vakjes lagen en stonden potjes rouge met waaiervormige kwastjes, half gebruikte steentjes Rimmel-eyeliner, sticks Max Factor PanStik, een flesje nagellak van Mary Quant en oude plastic poederdozen waaruit een beetje van de bleke inhoud naar de achterste, stoffige hoekjes was gelekt. En verder bevatte het laatje een grote verzameling vettige roze lippenstiften, allemaal in even vettige gouden hulzen en allemaal opgebruikt tot de onregelmatige, U-vormige stomp die het resultaat was van de specifieke manier waarop mijn moeder haar lippen stiftte.

Het was deze toilettafel, op de bijbehorende kruk, waaraan mijn moeder ging zitten om zichzelf mooi te maken voor ze, een of twee keer per week, een bezoek bracht aan de plaatselijke pub. Liggend op haar bed, in mijn roze, van talloze ruches voorziene babydoll, keek ik naar haar terwijl ze haar zoals ze dat zelf noemde oorlogsverf opbracht. Dat deed ze met haar rechterhand terwijl ze in haar linkerhand een mentholsigaret met een lange punt van as hield. Dankzij de bijpassende driedelige spiegel die op de toilettafel balanceerde, zag ik haar van drie kanten – haar amandelvormige, grote, groene ogen omlijst door de dikke valse wimpers, haar lange, golvende en glanzende blonde haren, haar wipneusje en haar schitterende hoge jukbeenderen, geaccentueerd door de juiste hoeveelheid zilverachtige Minershighlighter en, eronder, door enkele strepen bruine face-shaper van Mary Quant.

En als ze dan, parmantig in haar lange Biba-jas van nepbont en naar Estee Lauders Youth Dew geurend, de flat uit was gewandeld, ging ik op de kruk zitten, klemde de gedoofde peuk met lippenstift in mijn mond en begon me met haar spullen op te tutten. Ik vermoedde dat dit het prille begin was van de duizenden make-overs waar ik later beroemd om zou worden. Het moge duidelijk zijn dat ik voor mijn werk in de wieg was gelegd. In plaats van mijn moeders knappe gezicht en prachtige blonde lokken had ik de vierkante kin, het hoge voorhoofd, de platte boksersneus en het steile, muisachtige haar van mijn vader geërfd. Ik vermoed dat ik toen al besefte dat ik mijn moeders schoonheid nooit zou evenaren, ook al deed ik nog zo veel make-up op mijn gezicht. Dat nam evenwel niet weg dat ik het heerlijk vond om de sexy volwassene te spelen. Als meisje van acht beschouwde ik opgroeien als een rotsachtige heuvel met een afgeplatte top. Tegen de tijd dat ik twintig was, zou ik dat plateau hebben bereikt, de man van mijn dromen hebben getrouwd en het eeuwige geluk hebben gevonden. De toekomst strekte zich als een rimpelloze grasvlakte voor me uit.

Zag het leven van mijn ouders er ook zo uit? Uiterlijk leek Julie een sociabel wezen dat altijd voor een pretje te porren was, terwijl Bob Osborne, mijn joviale, hardwerkende vader zich nergens door van zijn stuk liet brengen, afgezien dan van zijn verliezen op het plaatselijke bookmakerskantoor, waar hij het grootste deel van het geld verkwanselde dat hij verdiend had met het op de markt verkopen van goedkope en verlopen cosmetica. Maar nu, terugdenkend aan vroeger, herinner ik mij gezinsmaaltijden waarbij geen woord werd gesproken, terwijl de sfeer met een broodmes te snijden was, en ik herinner me mijn moeders hatelijke opmerkingen over het gokken van mijn vader, en de schreeuwpartijen achter gesloten deuren waarbij mijn ouders elkaar uitmaakten voor 'schoft' en 'kreng', en andere scheldwoorden even rap tussen de een en de ander heen en weer vlogen als het pingpongballetje tijdens een partijtje tafeltennis. Indertijd zocht ik daar niet al te veel achter. Zo was het nu eenmaal bij ons thuis: dan weer werd er gelachen en dan weer was er ruzie. Soms lagen mijn ouders met elkaar overhoop, dan leken ze weer net de tortelduifjes die ik bij de dierenzaak had gezien, die verliefd koerend en kopjes gevend naast elkaar op een houten stokje zaten. Maar wanneer mam en pap samen op de bank naar Coronation Street zaten te kijken en mijn vader zijn arm om haar schouders sloeg en haar tegen zich aan trok, had ik soms het akelige gevoel – al had ik geen idee waar ik het vandaan haalde – dat ze zijn liefkozingen en kussen alleen maar tolereerde in plaats van ervan te genieten.

Op een avond werd ik wakker, en in mijn halfslaap hoorde ik gestommel op de gang. Toen ik de volgende ochtend op mijn tenen de slaapkamer van mijn ouders binnensloop om, zoals ik wel vaker deed, op dat lekkere veilige plekje tussen hen in te gaan liggen, viel mam nergens te bekennen en zat pap, ellendig en met rode ogen, tegen het roze hoofdeinde geleund. De laatjes van de toilettafel stonden open en zagen eruit alsof ze geplunderd waren.

'Wat is er gebeurd? Waar is mam?' vroeg ik aan mijn vader.

'Ze is weg, lieverd,' snikte hij, in een halfleeg glas met gin. 'En ze komt ook niet meer terug!'

'Hoe bedoel je?'

Hij haalde zijn hand over zijn ogen. 'Je moeder is 'em gesmeerd.'

Ik had die uitdrukking nog nooit gehoord en vermoedde dat het betekende dat ze, net als zijn broer James, die door de politie was opgepakt en op beschuldiging van een gewapende bankoverval voor vijftien jaar in de gevangenis was beland. Dus toen mijn moeder die avond nog niet terug was, en de volgende ook niet, en ook de week daarop niet was verschenen, nam ik automatisch aan dat haar hetzelfde was overkomen als oom Jimmy, en dat ze wanneer het Hare Majesteit behaagde vrijgelaten zou worden, en dat we het, tot het zover was, zonder haar zouden moeten stellen.

Een halfjaar later, tijdens een bezoek aan mijn grootouders van vaderskant, vergaarde ik de nodige moed om oma te vragen wanneer mijn moeder uit de gevangenis zou komen. Haar gerimpelde gezicht onder haar roodgespoelde haar liep paars aan en ze zei: 'Wanneer ze vrijkomt? Nou lieverd, ze komt nooit vrij omdat ze nooit is opgesloten.'

Ik begreep er niets van. 'Hoe bedoel je, oma?'

'Je mam zit niet in de nor, lieverd.'

'Waar is ze dan? Pap zei dat ze aan de haal is gegaan. Is ze dan niet gehaald?'

Oma schudde haar hoofd. 'Nee, schat. Ze is aan de haal gegaan naar Panama. Ze is naar Panama gegaan met Gordon, de vroegere eigenaar van de Feathers-bar in Stephey High Street.' En met die woorden wendde ze zich van me af, tuitte haar gerimpelde lippen en spuugde in de clownvormige asbak van Murano-glas die de ereplaats bezette op het tafeltje naast de bank. Ik had het gevoel dat mijn grootmoeder, áls mijn moeder met een geweer met afgezaagde loop het plaatselijke bijkantoor van Barclay's bank overvallen zou hebben, trots op haar zou zijn geweest – uiteindelijk had oom Jimmy door dat te doen een haast legendarische status verworven. Maar nu voelde oma alleen maar de diepste minachting voor mijn moeder. Het was me alleen niet duidelijk wat voor haar het ergste was – dat Julie haar achtjarige dochtertje in de steek had gelaten of dat ze haar dierbare oudste zoon had belazerd. Hoe dan ook, de naam van haar gewezen schoondochter mocht nooit meer worden genoemd in haar huis. Ik mocht zelfs niet naar *Mary Poppins*, vanwege Julie Andrews.

Het nieuwtje dat mijn moeder me uit eigen vrije wil had verlaten, maakte op slag een eind aan mijn zorgeloze jeugdjaren en deed me in een acute toestand van voortijdige adolescente twijfel aan mijzelf belanden. Waarom had ze ons in de steek gelaten? Wat had die mysterieuze Gordon van de Feathers dat mijn vader en ik niet hadden? En waarom belde mam nooit, en schreef ze niet? Had ik soms iets verkeerd gedaan of gezegd? Misschien kwam het wel doordat ik niet zo mooi was als zij. Ja, dat moest het zijn, want anders had ze me vast wel meegenomen naar Panama. Het was een plaats waar ik niets van afwist, behalve dat je ook zonnehoeden had die zo heetten. Ik pijnigde mijn geheugen en probeerde me te herinneren of we lelijke dingen tegen elkaar hadden gezegd, maar het enige wat me te binnen wilde schieten waarover ze van streek zou kunnen zijn, was mijn laatste, dieptreurige schoolrapport.

'Van nu af aan staan we er alleen voor, Annie,' zei mijn vader toen hij die avond thuiskwam van zijn werk en me achter mijn moeders toilettafel vond waar ik, met de enige lippenstift – een roze stompje – die nog over was, 'mam' op de spiegeltriptiek aan het schrijven was. 'En ik zal je eens wat zeggen, schat?' voegde hij eraan toe.

'Wat?' jammerde ik.

'Je mag je moeder dan kwijt zijn, maar ik zweer je dat je nooit van je leven nog iets tekort zult komen. Nooit meer.'

Ik realiseerde me niet dat ik iets tekort gekomen zou zijn, maar het was heel fijn om te beseffen dat hij van nu af aan voor me zou zorgen en dat het me aan niets zou ontbreken.

En pap hield woord. Vanaf dat moment werkte hij zich kapot om het verraad van mijn moeder goed te maken. Niet langer vergokte hij zijn verdiensten, en het duurde niet lang voor hij een kleine, zelfstandige ondernemer werd. Afgezien van de verlopen cosmetica die hij vanaf zijn marktkraam verkocht, begon hij nu ook nagemaakte dure parfums te verkopen, die hij zelf fabriceerde door goedkope eau de colognes met elkaar te vermengen. Dat deed hij thuis, aan de keukentafel, waar hij het mengsel vervolgens met een trechtertje in tweedehands dure geurflesjes deed en ze zo prachtig verpakte dat het net nieuwe, originele geuren waren.

Daar kwam echter al redelijk snel een eind aan. Hij werd opgepakt en verdween voor een tijdje bij oom Jimmy achter de tralies van Wormwood Scrubs. Tegen de tijd echter dat mijn vader weer vrijkwam en me bij oma ophaalde, waar ik zo lang had gewoond, had hij alweer een geniaal nieuw idee. Hij wilde een bonafide bedrijfje beginnen, Osborne Perfumes, dat zich, net als voorheen, bezig zou houden met het verkopen van zijn luchtjes, alleen dat hij de namen en ook de verpakking ervan een beetje zou veranderen. Op die manier kon de wet hem niets maken. In plaats van nepparfums vanonder de toonbank te verkopen, begon mijn vader nu met de officiële verkoop van Osborne Channel No.5, Osborne Saint Lawrence Rive Coach, Osborne Nino Richy's Lair Dew Temps, en de onvergetelijke Osborne Diarrhissima. Ik wist niet of de mensen die zijn luchtjes kochten dyslectisch waren, of dat ze niet goed konden ruiken, maar het duurde niet lang voor de vraag naar Osborne Perfumes zo sterk toenam dat de productie van onze keukentafel naar een klein fabriekje in Whitechapel verhuisde en mijn vader de eigenaar werd van een keten van een aantal winkeltjes in de achterbuurten van Zuidoost-Engeland, waar hij zijn waar rechtstreeks aan de klanten kon slijten, dus zonder tussenpersonen, waardoor hij zijn winst alleen nog maar vergrootte.

En toen, toen de huizenprijzen begonnen te stijgen en veel arbeidersbuurten ineens 'in' werden en kostbare opknapbeurten ondergingen, bleken paps winkeltjes ineens heel veel waard te zijn. Tegen de tijd dat ik de puberteit had bereikt was de parfumbusiness verkocht en was Bob de koopman als vanzelf Bob de Bouwer geworden, of liever, Robert Andrew Osborne, een gladde, rijke projectontwikkelaar. 'Deze business is het helemaal, Annie,' zei hij op zekere dag handenwrijvend tegen mij, nadat hij de verkoop van een paar verwaarloosde winkeltjes op de Isle of Dogs rond had gekregen, die gesloopt zouden worden om plaats te maken voor mooie nieuwe flats. 'Je kunt gewoon op je achterste blijven zitten en het geld stroomt vanzelf binnen! Meissie, we zijn rijk!'

En dat had hij nog niet gezegd, of hij begon het uit te geven.

Hij kocht een vrijstaand huis in Georgiaanse stijl in Hampstead Garden. We aten regelmatig buiten de deur in dure restaurants. Ik werd naar een heel chique meisjesschool in het centrum van Londen gestuurd. En verder besteedde hij het aan kasjmier winterjassen, Italiaanse sportwagens en dure hotels aan de Franse Rivièra die, dat moest ik toegeven, een hele vooruitgang waren vergeleken bij het pension in Margate waar mijn vader en oma me mee naartoe hadden genomen kort nadat mijn moeder ervandoor was gegaan. En pap gaf bakken met geld uit aan een reeks van oogverblindende jongere vrouwen die hij, bijna in hetzelfde tempo als zijn Alfa Romeo's, inruilde voor nog jongere en nog mooiere modellen.

Hoe kreeg mijn vader het voor elkaar om door die jonge vrouwen aanbeden te worden? Mijn aristocratische nieuwe vriendinnetje van school, Clarissa Garland, en ik konden daar uren achtereen over speculeren terwijl we, vanuit de erker in mijn slaapkamer, een van pa's oude modellen in tranen de half cirkelvormige oprijlaan af zagen rijden om, enkele minuten later, haar opvolgster de oprit op te zien komen. Want het kon niet alleen zijn luxueuze levensstijl zijn waardoor deze vrouwen zich tot Bob Osborne voelden aangetrokken. Kon het, vroegen we ons af, soms aan zijn fantastische persoonlijkheid liggen? Of aan de uitdaging om hem aan de haak te slaan? Of vielen ze voor zijn forse, stevig gebouwde lijf dat hij tegenwoordig drie keer in de week aan een rigoureuze training onderwierp? Of was het zijn bedrevenheid tussen de lakens? Zijn vriendinnen leken oprecht dol op hem te zijn, en vele van hen bleven hem, ook nadat hij ze gedumpt had, bezoeken – vaak met talloze cadeautjes voor mij in een poging hem terug te winnen. 'De donkere liefjes van je vader,' noemde oma ze, want ze waren allemaal jong, mooi en zwart, of zó nepbruin dat ze eerder donkeroranje waren. En ze waren ook veel te lief en te intelligent voor een middelbare exmarktkoopman en oplichter die nauwelijks kon lezen en schrijven en die bovendien niet van plan leek te zijn ooit nog eens te trouwen. 'Een ezel stoot zich zelden twee keer aan dezelfde steen,' luidde oma's verklaring voor zijn overdreven rokkenjagerij. 'En als mijn zoon ook maar een greintje verstand heeft, laat hij zich nooit nóg eens beetnemen door een vrouw.'

En dat gold ook voor mij. Met het verstrijken van de jaren, het uitblijven van ook maar één berichtje van mijn moeder – zelfs op mijn verjaardagen – en het feit dat het ene, achtergelaten sjaaltje intussen ook al niet meer naar haar favoriete luchtje van Youth Dew rook, begon haar beeld meer en meer te vervagen tot een schaduw waarvan uiteindelijk ook niets meer over was. Ik kon me niets meer van haar herinneren – niet haar lach, niet haar stem en al helemaal niet haar karakter. Ik miste haar niet, want hoe kun je iemand missen van wie je je niets meer herinnert? Wanneer ik soms naar haar foto keek, was het alsof ik een vreemde zag. Wie was die aantrekkelijke vrouw met die lange benen die, in haar gestreepte mini-jurk en oorringen en met die trouweloos grijnzende roze lippen, naast mijn vader stond?

Hoofdstuk 5

'Een roze halsband en riem? Voor Flúffy?'

Het was de eerste week van februari, en mijn vader en ik zaten samen aan de zondagse lunch. Ik had lang en diep nagedacht over wanneer en waar ik het hem zou vertellen – hoe de ochtend van die vijfentwintigste december voor mij en Mark zo blij en gezellig was begonnen met het uitwisselen van pakjes, en hoe, tegen de tijd dat de koningin om twee uur aan haar toespraak begon, mijn huwelijk vergeleken kon worden met de puinhoop van de resten kerstpapier die Fluffy met zoveel plezier aan flarden had gescheurd. Als ik het pap bij hem thuis verteld zou hebben, zou hij – dat wist ik zeker – meteen in zijn Jaguar zijn gesprongen en naar het Workhouse zijn gereden om Mark eigenhandig te wurgen. Eindelijk zou hij het perfecte excuus hebben om datgene te doen wat hij al had willen doen sinds de tijd waarin we nog niet eens getrouwd waren. Maar hier, in het restaurant, gezeten achter een *saignant* gebakken biefstuk, patat, salade en een glas verrukkelijke Merlot, was de kans een stuk groter dat mijn vader zich behoorlijk zou gedragen.

En hoe chiquer het restaurant, des te beter zijn gedrag, want hij zou zichzelf en mij in het openbaar niet willen beschamen. En al helemaal niet hier, in het trendy Le Caprice in St James, zijn favoriete tent om bekende mensen tegen te komen, waar je een redelijke kans had Joan Collins of Michael Winner tegen het lijf te lopen.

'Precies, pap,' zei ik. 'Dat bedoel ik. Mark had ze dus niet voor Fluffy gekocht. Het cadeautje was niet voor mij bestemd.'

'Voor wie dan wel, verdomme?'

'Nou, inmiddels weet ik dat het voor een Weimaraner was.'

De verbaasde uitdrukking op zijn gezicht maakte plaats voor woede. 'Een buitenlander? En een Duitser nog wel. Ik had het kunnen weten!'

'Pap!'

'Zeg op, wie is die Weimar-trut met wie hij een verhouding heeft?'

Ik legde mijn hand op de zijne. 'De Weimaraner is een teef.'

'Ja, dát staat als een paal boven water!'

'Ik bedoel dat ze een hond is.'

'Een hond? Je bedoelt dat ze hondslelijk is!' Het bestek rammelde toen hij zijn vlakke hand op het witte tafelkleed sloeg. 'Hoe bestaat het!'

Ik zuchtte geïrriteerd. 'Een hond zoals een spaniël. Of een labrador. Of een dalmatiër.'

Mijn vader werd nog roder, maar nu niet van woede maar van schaamte. 'Dat wist ik ook wel,' zei hij defensief. 'Natuurlijk. Het was maar een geintje, ja? Goed, goed, je hoeft heus niet zo te grinniken, jongedame. Niet iedereen kan prat gaan op een goede opleiding.'

'Ja, pap, je hebt gelijk.'

'Sommigen van ons moesten met veertien jaar van school om te werken – om achter een marktkraam tot op het bot te verkleumen om de kost te verdienen.' Hij spreidde zijn forse handen – zijn op worstjes lijkende vingers kregen inmiddels wekelijks een professionele manicure, en waren permanent getooid met gouden ringen met diamanten.

'Ja, pap, dat weet ik.'

'Ik heb nooit de kans gekregen om te studeren.'

'En je weet best dat ik je eeuwig dankbaar ben voor alle geweldige kansen die je mij hebt gegeven.'

'Hmmm!' gromde hij sceptisch, waarna hij zijn glas opnam en zijn laatste restje wijn in één slok achterover gooide. Toen, met een geoefend verfijnd gebaar, liet hij de kelner weten dat hij nog een glas wilde hebben.

Ik haalde diep adem en ging verder met mijn trieste verhaal. 'Marks... geliefde... is het bazinnetje van de Weimaraner.'

Pap greep het heft van zijn mes zo stevig beet dat zijn knokkels er wit van zagen. 'Ik vermoord hem,' siste hij.

'Ze is getrouwd. En ze heeft twee kinderen. Kennelijk hebben ze elkaar leren kennen toen ze alle twee de hond uitlieten op de hei. Mark zegt dat het alleen maar een avontuurtje was, en een ernstige vergissing, en dat het alleen maar is gebeurd omdat hij ongelukkig was.'

'Ha! Wacht maar tot ik klaar met hem ben! Dan zal hij nog een stuk ongelukkiger zijn!'

Ik werd innerlijk verscheurd door het verlangen om pap aan te moedigen en de wetenschap dat ik hem juist moest zien te kalmeren. Gelukkig won mijn verstand. 'Toe, pap,' smeekte ik. 'Hier heb ik niets aan.'

'Hoe durft die schofterige nietsnut je te bedriegen?'

'Nou, hij bezweert me dat het hem verschrikkelijk spijt en dat het uit is, enzovoort, enzovoort. Maar... het probleem is dat ik hem niet geloof.'

'Nee, terecht!' was hij het met me eens.

'Want...'

'Ik heb je van begin af aan gezegd dat hij een geboren leugenaar was,' viel hij me in de rede.

'Nee, dat is het niet. En wees zo lief om me rustig uit te laten praten. Je moet namelijk weten dat...' Ik aarzelde.

'Wat?' Pap keek bezorgd. 'Vooruit, schat, je kunt me alles vertellen. Ik ben uiteindelijk je vader.'

Dat was nu juist het probleem. 'Je moet me eerst beloven dat je niet zult ontploffen.'

'Alsof ik dat ooit zou doen.'

'Je moet het beloven.'

Hij schudde zijn hoofd en slaakte een verslagen zucht. 'Goed, goed, ik beloof het.'

'Mooi. Nou, de kwestie is... Eh,' ik haalde diep adem, 'het is niet de eerste keer dat Mark me ontrouw is geweest.'

Le Caprice of geen Caprice, pap gooide zijn bestek met luid

gerinkel op zijn bord, schoof zijn stoel naar achteren en sprong op. 'Wát?' brulde hij.

'In godsnaam, ga weer zitten!' siste ik, terwijl ik hem aan zijn jasje trok, iedereen zich naar ons omdraaide en de maître haastig aan kwam gelopen om te vragen of alles in orde was. 'Hij heeft het maar één keertje eerder gedaan.'

'Máár één keertje eerder? Ik zal die schoft een lesje leren – ik trek hem een voor een de ledematen uit zijn lijf.'

'Meneer Osborne? Is alles naar wens?'

'Ja, Carlo, dank je wel.'

'En het vlees?'

'Dat is heerlijk. Zoals gewoonlijk. Sorry voor alle drukte. Het is alleen... nou ja, ik heb slecht nieuws te verwerken gehad, dat is alles.'

'Dat spijt me, meneer. Kan ik misschien iets voor u doen?'

'Nee, dank je. Tenzij je me een huurmoordenaar kunt aanbevelen,' mompelde hij, terwijl hij Carlos gebaarde dat hij kon gaan.

'Die affaire had niets te betekenen, pap. Ik bedoel, niet voor Mark. Dat zegt hij nu in ieder geval. Hij zegt dat hij het alleen maar heeft gedaan omdat hij zich verwaarloosd voelde. En omdat ik... nou ja, laat maar zitten.' Dit was niet het moment om pap te vertellen dat Mark en ik een halfjaar eerder in een impasse waren geraakt ten aanzien van het krijgen van kinderen. Mark wilde zoals altijd dat we het zouden proberen, en ik wilde, zoals altijd, nog wachten. 'Ik moet je bekennen dat het de laatste tijd niet zo erg goed ging tussen ons. Nou ja, al langer dan een jaar, eigenlijk. En daarom,' ging ik haastig verder, toen ik mijn vader weer rood zag aanlopen, 'heb ik besloten dat ik wil scheiden.'

'O!' Paps wenkbrauwen schoten omhoog, waardoor hij er ineens niet meer stomverbaasd, maar bijna dolblij uitzag. 'Echt waar?' mompelde hij. 'Nou, Annie, dat noem ik nog eens een verstandige beslissing.'

'Ik ben ook al bij de advocaat geweest.'

'O ja?' Hij gaf me een klopje op de arm. 'Zo mag ik het horen!

Je hebt het er niet bij laten zitten. Smijt die smerige wurm eruit en laat hem teruggaan naar de goot waar hij vandaan komt.'

Hoe kwam het dat het me pijn deed om mijn vader zo over Mark te horen praten, terwijl ik zelf al veel ergere dingen van hem had gedacht? 'Toe, pap, niet doen. Hij is nog steeds mijn man.'

'Ja, maar dat zal nu niet lang meer duren, gelukkig. Als je het mij vraagt is het hoog tijd dat je hem dumpt.' Hij pakte zijn mes en vork op en begon genietend in zijn biefstuk te snijden. Bij het zien van de bloederige vleessappen die over zijn bord liepen, begon hij zowaar grimmig te grijnzen. 'Ik heb van begin af aan geweten dat hij niet deugde. Heb ik dat niet gezegd toen je hem die eerste keer kwam voorstellen?'

'Ja, dat heb je.'

'En nu, slimmerikje, blijkt dat die domme pa van jou al die tijd gelijk heeft gehad. Een lekkere echtgenoot is die Mark voor jou geweest! Niks dan luieren, en zo af en toe eens een riedel op die gitaar van hem spelen, terwijl jij je voor hem te pletter werkte.' Hij zweeg om op een hap vlees te kauwen, en ik schoof het viskoekje op mijn bord heen en weer. 'Hoe kun je nu respect hebben voor zo'n man? En hoe kan hij zichzelf respecteren? Dat zou ik wel eens willen weten.'

'Mark heeft ook gewerkt. Op zijn manier.'

'Bah! Die man weet nog niet eens wat fatsoenlijk werken is, al zou je hem ermee om de oren slaan!'

Ik zei niets, volstond ermee mijn vork en mes neer te leggen en verdrietig naar mijn bord te staren. Mijn vader snoof als een woedende stier. Sinds de dag dat mijn moeder ons had verlaten, had hij het niet kunnen verdragen mij verdrietig te zien. 'De hemel sta me bij, als hij jouw hart heeft gebroken, dan breek ik elk bot in zijn lijf!' brabbelde hij met zijn volle mond.

Ik voelde me nog ellendiger. 'Je hebt hem nooit gemogen, hè?' vroeg ik.

Pap haalde zijn schouders op. 'Wat valt er te mogen? Hij vertoont geen enkel initiatief en hij kan je niet onderhouden. Niet bepaald het type dat de handen uit de mouwen steekt. Toegegeven, hij is altijd heel aardig en zo, en zijn ouders zijn vriendelijke, hardwerkende mensen. Maar de werkgenen zijn aan hem voorbijgegaan. Hij heeft geen pit, Annie, en jij hebt dat wel. Ik ben erg trots op je, weet je dat wel?'

Ja, dat wist ik, maar het deed me altijd weer goed om het van hem te horen. En op dat moment kon mijn zelfvertrouwen daar best nog wel wat meer van gebruiken. Dus ik vroeg: 'Echt, pap?'

'Afgestudeerd met een titel – als eerste van de familie. En dan die geweldige baan die je hebt. Je vette salaris. Je eigen huis, dat je helemaal zelf hebt gekocht. En dan zo zelfstandig als je bent. Wat dacht je, en óf ik trots op je ben!'

'Dank je.'

'Maar híj – het enige wat hij kan is nemen, nemen en nog eens nemen. Hier, lieverd!' Hij stak zijn hand in de zak van zijn Aquascutum-colbertje en haalde er een linnen zakdoek uit die tot in de perfectie was gestreken door zijn hulp, die drie keer per week bij hem langskwam. Terwijl ik de tranen wegbette die in mijn ogen waren gesprongen, vervolgde hij: 'Die dochter van mij, dat is een kei, wist je dat? Ze heeft heel veel meegemaakt, maar ze heeft het ook heel ver geschopt.' Hij kroelde me onder mijn kin. 'Ze verdient veel beter dan zo'n veertigjarige halvegare die droomt van een carrière als rockster, maar die, zoals nu blijkt, nog niet eens in staat is zijn pik in zijn broek te houden.'

Nu kon ik de tranen werkelijk niet meer de baas. 'Ik haat hem, pap!' riep ik uit. 'En dan weet je nog niet eens het ergste! Hij probeert me Fluffy af te pakken!'

'Wat?'

'Stel je voor! Hij wil de voogdij over Fluffy!'

'O ja?' Maar in plaats van dat mijn vader, zoals ik verwacht had, opnieuw in diep verontwaardigde toorn ontstak, leek hij dit laatste beetje nieuws juist amusant te vinden. 'Dat zou wel eens het enige verstandige idee kunnen zijn dat die rotzak ooit heeft gehad.' Grinnikend prikte hij een aantal patatjes aan zijn vork.

Hoofdstuk 6

Het was vijf jaar geleden, op een zondagmiddag in de eerste week van juli, dat ik verliefd op hem was geworden. Ik weet het nog goed. Na een week van grijze luchten en motregen zaten we opeens in een hittegolf. Ik had maar niet in kunnen slapen, en toen me dat uiteindelijk zo tegen drieën gelukt was, was ik de volgende ochtend veel te laat wakker geworden om nog op tijd bij Clarissa te kunnen zijn – ze woonde tussen Camden Town en Primrose Hill – die me voor de lunch had uitgenodigd.

Ik haastte me naar de Angel en nam de Northern Line. Ik ging naar mijn idee perfect gekleed voor een zondags uitje naar Camden – een simpel zwart T-shirt met kapmouwtjes van Gap, een witte spijkerbroek van Armani en sandalen met een sleehak van Manolo Blahnik. De broek en de sandalen waren, evenals alle designerkleren en accessoires in mijn niet geringe garderobe, van Haines en Hampton, waar ik een flinke personeelskorting genoot. De olijfgroene, plastic retro jaren-zestigoorbellen, die ik voor drie pond vijftig bij een winkel van Oxfam had gekocht, gaven net het juiste glamourtintje aan wat in principe een klassieke look was. Er werden onderhoudswerkzaamheden verricht aan de Northern Line en dat betekende niet alleen dat er meerdere metrostellen waren uitgevallen, maar ook dat de wagons even afgeladen vol waren als op een normale doordeweekse dag tijdens het spitsuur, en dat het interieur naar hamburgers stonk, en naar zweet.

In Camden Town werd ik op een menselijke tsunami meegevoerd naar de brede, met afval bezaaide en door ingetrapte kauwgum gespikkelde stoep bovengronds. Daar sloot ik me aan bij de in denim gestoken troepen op weg naar Camden Market. Zoals altijd op zondag wemelde het er van de toeristen, tieners, opgeschoten hangjeugd, lieden die zich beijverden voor een beter milieu, buurtwerkers en regelrechte, lijkbleek uitziende punks – een van hen had meer metalen kopspijkers in zijn gezicht dan een zilveren ceintuur van Versace. De menigte benauwde me en ik dook een zijstraat, Jamestown Road, in.

En daar zat hij, vlak voor mijn neus, op een smerige blauwe slaapzak op de stoep.

Het was op dat moment minstens dertig graden Celsius, maar hij zat in de volle zon. Het was geen wonder dat zijn vochtige, zweterige haar aan zijn koppetje zat geplakt, dat zijn bekje openhing en zijn lippen gebarsten waren en bloedden. Zo te zien was hij volledig uitgedroogd, vuil en dringend aan een wasbeurt toe, dus toen ik hem genaderd was, stapte ik automatisch van de stoep de straat op om in een wijde boog om hem heen te lopen.

Was ik soms bang dat ik, door te dicht in zijn buurt te komen, besmet zou worden met de builenpest? Of voelde ik intuïtief aan dat hij, net als de meeste van zijn seksegenoten, meer tot last dan tot lust zou zijn? En last was wel het laatste waar ik behoefte aan had. Zoals ik al zo vaak tegen Clarissa had gezegd – die me desondanks tijdens diezelfde lunch aan een van de collega's van haar man wilde koppelen – redde ik het uitstekend, zo in mijn eentje.

Had het lot niet zo zijn eigen plannen gehad, dan zou ik mogelijk gewoon aan hem voorbij zijn gegaan, waarmee me deze hele ellendige geschiedenis bespaard zou zijn gebleven. Maar toen ik in zijn buurt was gekomen, hief hij zijn kopje naar me op en keek, met die treurige, smekende ogen van hem, recht in de mijne. Mijn nekharen kwamen overeind. Want dit was geen normale blik. Ik durfde er iets om te verwedden dat hij in staat was om dwars door de donkere lenzen van mijn Prada-zonnebril heen, tot diep in mijn ziel te kijken.

Hij hield mijn blik zodanig gevangen dat ik, toen ik op gelijke hoogte met hem was gekomen, als vanzelf bleef staan. Tot mijn verbazing was ik niet in staat om door te lopen. Ik keek vanaf mijn door de sleehakken verhoogde lengte op hem neer. Ik zat gevangen in die ogen van hem en wist heel zeker dat hij iets van me wilde. Kon het zijn dat hij behoefte had aan enkele troostende woorden? Of wilde hij iets drinken? Of een handvol muntjes in het blikje dat voor zijn pootjes stond? Op de zijkant van het blikje stond, met zwarte inkt, geschreven 'U gule gift svp', en er zat een touwtje aan dat een primitief hengsel vormde.

Ineens, als gekweld door een ondraaglijke jeuk, draaide hij zich om en begon zich met een naar verhouding grote, harige poot heftig op zijn rug te krabben.

'Kunt u wat missen?'

Ik maakte mijn blik los van de pup en keek naar de zwerver die, achter hem, onderuitgezakt in een portiek hing. Ik registreerde zijn ondraaglijke stank, de lange, rossige baard, zijn smerige broek vol vlekken en de half openstaande gulp, de opgekropen, gerafelde trui die een deel van zijn blote, vieze buik onbedekt liet en de vettige grijze parka die bijna even grauw was als zijn huid. Hij droeg een paar afgetrapte schoenen met half losse zolen, en zijn tenen, die door de opening naar buiten staken, hadden de meest smerige en lange nagels die ik ooit bij een mens had gezien.

Ik wist dat ik door zou moeten lopen, maar in plaats daarvan ritste ik mijn Mark Jacobs open en pakte mijn portemonnee.

De zwerver duwde een lok van zijn haar naar achteren, waardoor ik zijn vochtige, blauwe ogen te zien kreeg, en een zigzaggend litteken op zijn voorhoofd dat me aan Harry Potter deed denken. Hij was vermoedelijk even oud als ik – vijfendertig – maar zag eruit alsof hij hard op weg was zichzelf naar een vroegtijdige dood te drinken. 'God zegene u,' zei hij, met een dikke tong en een zwaar Iers accent, terwijl hij opnieuw een aantal lokken van zijn lange, vervilte haar, die als gifslangen over zijn schouders kronkelden, naar achteren duwde. Zijn woorden bereikten me op een wolk van zware alcohollucht, die me automatisch een stap naar achteren liet doen.

'Eh, hoe oud is die pup?' vroeg ik. Hij gaf geen antwoord, maar bleef me aandachtig observeren terwijl ik mijn portemonnee openmaakte. 'Hij is veel te jong om nu al bij zijn moeder weg te zijn,' ging ik verder. 'En raakt hij niet uitgedroogd als hij zo in de felle zon zit? Moet u hem niet nog wat water geven?'

Ik pakte een muntje van een pond en bukte me om het in het blikje te doen. Het hondje liet zijn tong uit zijn bek hangen en keek met diezelfde doordringende blik naar me op. Ik zag dat hij in een plasje van zijn eigen urine zat, en hij was zo mager dat zijn ribben en heupbotten door zijn schilferige vel heen staken.

'En zo te zien heeft hij ook honger,' ging ik verder.

De zwerver kneep zijn ogen half dicht. 'Ik heb niet eens geld om eten voor mijzelf te kopen.'

Ik pakte een biljet van vijf pond. 'Als ik u dit geef, belooft u mij dan dat u iets te eten voor hem zult kopen?' Hij trok zijn wenkbrauwen op. 'En natuurlijk ook voor uzelf.'

'God zegene u,' zei hij opnieuw. Maar op het moment dat hij zijn hand uitstak om het geld te pakken, wist ik al dat hij er geen cent van aan die arme hummel zou spenderen. Hij scheen mijn gedachten te hebben gelezen, want hij wist niet hoe snel hij het briefje in de smerige tailleband van zijn nog smeriger broek moest stoppen. 'Hij komt niks tekort,' mompelde hij, terwijl hij het arme dier een harde trap gaf. Hij jammerde.

'Niet schoppen!' riep ik, voordat ik de woorden had kunnen inslikken.

De benevelde ogen vonkten van woede. 'Waar bemoei je je verdomme mee?' schreeuwde de man. Hij keek me uitdagend aan, boog zich naar voren en hing het touwtje van het blikje om de snuit van het hondje. Het dier protesteerde niet en begon alleen maar angstig te trillen. Het blikje was veel te zwaar voor hem, dat zag ik zo. Opnieuw keek het beestje me met die donkere ogen van hem nog even doordringend en smekend aan, en toen sloeg hij ze neer.

'Ik bel de dierenbescherming!' riep ik diep verontwaardigd uit. Ik hoorde zelf hoe ik klonk – ik leek wel een van die bezeten excentrieke vrouwen die hun leven hebben gewijd aan het redden van zwerfhonden in exotische vakantieoorden. 'Het is wreed om een dier zo te behandelen! En hij hoort met deze hitte ook helemaal niet in de zon te zitten!'

'Nou, dan neem ik hem toch mee naar huis. Naar Buckingham Palace.' De zwerver lachte en trakteerde me daarbij op een stinkbom van slechte adem die tussen zijn vergeelde tanden door stroomde.

Op dat moment ging mijn mobiel. Ik viste hem uit mijn tas en zag dat het Clarissa was. 'Ik kom eraan, ik kom eraan!' zei ik.

Haar getier moest tot in de wijde omtrek te horen zijn. 'Waar bén je, verdomme!' klonk haar bekakte stem.

'Om de hoek. Sorry. Over twee minuten ben ik bij je.'

'Iedereen is er al uren,' zei ze verwijtend. 'En Jake ook.'

'Wie?'

'De mán. James' partner. Hij zit in de tuin. Ik probeer hem zoet te houden met Pimms en met smoezen waarom je te laat zou zijn.' Op dat moment begon de zwerver ineens als een bezetene te schelden. 'Wat is daar aan de hand?' vroeg mijn vriendin.

'Dat vertel ik je zo wel.'

'Schiet nu maar op. We hebben hem allemaal al verschrikkelijk zitten en we zijn nog niet eens aan de wijn begonnen.'

Ik wierp een laatste blik op het treurige hoopje hond en haastte me naar het huis van Clarissa en James, een paar straten verder.

Tijdens de lunch in de achtertuin van hun verwaarloosde, victoriaanse rijtjeshuis probeerde ik mijn ontmoeting met de zwerver te vergeten. Maar terwijl ik in de schaduw van de prachtige magnolia aan de Pimms zat en naar Jake – een gescheiden vader van drie kinderen – luisterde die aan één stuk door zat te zeuren over de huizenprijzen, verzorgingsgebieden en de kosten van particulier onderwijs, keerden mijn gedachten keer op keer terug naar het hondje dat dreigde te bezwijken aan uitdroging, honger en dorst.

'Hé, wat heb je toch?' vroeg Clarissa, nadat ze me tussen de varkenskoteletten met tijm, citroen en pesto van Jamie en het toetje van Nigella mee had gesleept naar de keuken.

'Mammie, mag ik een chocoladekoekje?' zeurde de vijfjarige Miranda, de jongste van Clarissa's dochters, die ons naar de keuken was gevolgd.

Clarissa veegde haar handen in een afwezig gebaar af aan haar oude, vormeloze, bedrukte crêpe-de-chine zomerjurk. 'Nee, Miranda, dat mag je niet! Het toetje komt zo.'

Het was onmogelijk om een privégesprek met Clarissa te voeren. Maar inmiddels – twaalf jaar na de geboorte van haar oudste dochter Rachel – was ik eraan gewend dat ik haar met de meisjes moest delen. 'Hoe bedoel je?'

'Ik bedoel dat ze geen koekje mag.'

'Nee, ik bedoel wat je zei over wat ik zou hebben.'

'O, nou, je neemt niet deel aan het gesprek, Annie. Of wel soms?'

'Toe, mammie!'

'Nee! En laat me los!' Clarissa trok Miranda's groezelige armpjes weg, die haar dochtertje om haar slanke, blote knieën had geslagen. 'Echt hoor, Annie, je hebt nog geen woord gezegd, en je hebt Jake ook nog niet één persoonlijke vraag gesteld. Afblijven!'

'Maar ik weet niet wat ik tegen hem zou moeten zeggen! Hij is een beetje saai, vind je niet? Hij zegt helemaal niets grappigs.'

'Had je soms een komiek verwacht? Paul Merton, of zo? Leg die rol neer! Jake is gespecialiseerd in bedrijfsrecht. Hij verdient een vermogen. En hij is vrijgezel. Nou ja, gescheiden. Hij is niet saai, Annie, hij is interessant.'

'Ik bedoel, hij is heel aardig en zo, en ik ben je heel dankbaar dat je aan mij hebt gedacht.'

'Ja, hoor.'

'Het is alleen – '

'Mam! Mam!'

Ik haalde mijn schouders op. 'Maar er is geen vonk.'

'Jezus, Annie, waarom ben je toch zo moeilijk? Geef de man een kans. Je moet verstandig zijn bij het kiezen van een partner. Vergeet niet dat je al vijfendertig bent. En laat mijn jurk los!'

'Maar ik heb honger, mammie!'

'Nou, eet dan nog een paar worstjes. Er zijn er nog genoeg

over. Het klinkt misschien hard, Annie, maar je weet dat ik gelijk heb. Je zult echt een beetje je best moeten doen als je een man
wilt vinden.'

'Wie zegt dat ik een man wil vinden? Jij probeert een man voor
me te vinden.'

Clarissa deed alsof ze me niet hoorde. 'Jake valt reuze mee.
Nou nee, hij is áárdig. Of liever, hij is aardig genoeg. Maar niet
dat hij iets in jou zal zien, zoals je je gedraagt. Het enige waar je
het tot nu toe over hebt gehad, is die smerige oude zwerver.'

Miranda begon hysterisch te huilen. 'Alsjeblieft! Alsjeblieft!
Annie, zorg dat ik een koekje mag!'

Ik tilde haar op, zette haar op mijn heup en gaf haar een zoen.
'Mag ze er eentje?'

'Ja, mammie, eentje maar!'

Clarissa had haar breekpunt bereikt, zoals we alle drie hadden
geweten dat zou gebeuren. 'O, verdorie nog aan toe! Wat kan het
mij ook schelen dat je straks geen tanden meer hebt! Hier, neem
de hele rol maar! En ik wil geen woord meer horen over die walgelijke broek van die zwerver,' vervolgde ze, terwijl ze haar stralende dochter de rol chocoladekoekjes in de hand duwde. 'Ik heb
meteen geen honger meer.' Ze schraapte een deel van de restjes
in de afvalemmer. 'En ik wist trouwens helemaal niet dat je zo'n
dierenliefhebber was, Annie.'

'Dat ben ik ook niet. Maar dat hondje doet me iets. Zoals hij
me aankeek, met die donkere ogen van hem. Het was bijna alsof
hij dwars door me heen keek.'

'Mag ik hem zien?' vroeg Miranda met volle mond. Ik kreeg
een lading kruimels over me heen. 'Ik wil het hondje zien. En de
man met die vieze broek die van zijn billen valt!'

'Néé!' riepen Clarissa en ik in koor. 'Ik wed dat hij vooral in
die mooie handtas van je geïnteresseerd was,' ging mijn vriendin
verder. 'Ik wed dat het Heston Blumenthal – die kok, je weet wel
– was, die zich vermomd had. 'Hij dacht waarschijnlijk dat zo'n
Mark Jacobs na vier dagen koken, een halfuur op ijsschilfers,
dertig seconden flamberen en gegarneerd met een plasje slakken-
pap een lekker maaltje zou zijn.'

66

'Waarom zeg je van die malle dingen, mammie?'

'Ik heb het over Hestor Blumenthal, lieverd. Hij is een kok met heel nieuwe ideeën, zoals ijs van eieren met spek en zo. Moet je horen, Annie, je kunt er niets aan doen. Die puppy is niet jouw probleem. En daarbij, het zou me niet eens verbazen als hij ook niet van die zwerver was.'

'Hoe bedoel je?'

Ze zette een paar glazen in de afwasmachine. 'Er zijn een heleboel bedelaars die honden gebruiken om geld van de mensen los te krijgen. Ze delen zo'n hond met elkaar. Je hebt ze vast wel gezien, in Islington, waar ze 's ochtends, met een hond naast zich, bij de ingang van het metrostation om geld zitten te bedelen. En de volgende dag zie je diezelfde hond met iemand anders. Ze proberen op je gevoel te spelen. In de meeste gevallen zijn die dieren goed verzorgd – beter dan de daklozen zelf. Ik vraag me af of ze wel een vaste baas hebben. Kom, zet dat monster neer en maak jezelf nuttig als je hier toch maar staat te staan.' Miranda gleed van mijn heup en ging er met haar buit vandoor, terwijl haar moeder een stapel vuile borden mijn kant op schoof.

'Hij was uitgehongerd.' Ik pakte een vuil bord en gooide het papieren servetje weg. Er lag een half opgegeten worstje op het bord en een stuk van een varkenskotelet. 'Dat gooi je toch niet weg, hè?'

'Wat anders? Ik kan me niet voorstellen dat iemand een doggybag zou willen hebben om het mee naar huis te nemen,' zei ze, alsof het een grap was.

Maar dat was dus precies wat ik wilde.

Hoofdstuk 7

Gewapend met een fles Evian, een hoeveelheid in aluminium gewikkelde resten vlees van de barbecue en een waarschuwing van Clarissa om geen domme dingen te doen zonder vooraf met haar te bellen, verzon ik een smoes om zo snel mogelijk weg te kunnen en haastte ik me, met wild kloppend hart, terug naar Jamestown Road. Vanuit de verte zag ik het hondje al zitten, op dat plekje in de zon waar ik drie uur eerder afscheid van hem had genomen. En nog altijd zat hij braaf met het touwtje van dat blikje over zijn snuit. Zijn kopje ging gebukt onder het gewicht van het blik en zijn voorpootjes zagen eruit alsof ze loodzwaar waren. Een goedbedoelende persoon had een plastic bakje met water naast hem neergezet, maar aangezien het tot aan de rand vol was, leek het niet alsof hij veel had gedronken – in tegenstelling tot zijn baas, die met een halflege fles goedkope whisky in zijn hand met open mond in de portiek lag te slapen. Het geld dat ik hem had gegeven. Ik moest ze niet allemaal op een rijtje hebben gehad om te denken dat hij er eten van zou kopen, en al helemaal niet voor de hond.

Ik liep naar hem toe, maar deze keer had hij niet eens meer de kracht om zijn blik naar me op te heffen. Mijn spierwitte Armani-broek kon me niets schelen en ik knielde naast hem op de stoep. Hoewel de zon gedraaid was en het dier inmiddels in de schaduw zat, haalde hij hijgend adem en was zijn zwarte teddybeerneusje heet en droog. Elke keer dat hij ademhaalde, waren zijn ribben duidelijk te zien.

'Hier, arm kleintje,' fluisterde ik, terwijl ik het touwtje voorzichtig van zijn snuit haalde. Toen schroefde ik het flesje water open, schonk er wat van in mijn hand en hield die onder zijn kin. Toen hij er niet van wilde drinken, doopte ik de vingers van mijn rechterhand in het water en maakte er zijn snuit mee nat.

En ja hoor, langzaam maar zeker begon hij het vocht van mijn vingers te likken. Toen ze droog waren, schonk ik nog wat water in mijn hand en bood het hem opnieuw aan. Nu begon hij het dorstig op te lebberen, en toen hij genoeg had, hief hij zijn neergeslagen ogen naar me op en keek me aandoenlijk dankbaar aan.

Toen ik het pakje met het vlees openmaakte, bewoog hij zijn neusje, en nog voor ik een stukje van een van de verbrande worstjes had kunnen scheuren, had hij het al met zijn kleine witte tandjes uit mijn vingers geplukt. Hij kauwde er lang op en slikte het toen met moeite door – alsof hij niet gewend was om te eten. Maar het volgende stukje dat ik voor hem afscheurde, verdween twee keer zo snel. En het derde. En het vierde.

Het duurde niet lang voor ik hem niet eens meer bij kon houden. Hij was uitgehongerd. Maar na een poosje begon hij langzamer te eten, en uiteindelijk wilde hij niets meer hebben. Hij had genoeg gehad, begreep ik, toen hij het vet van zijn snuit begon te likken. Hij keek me weer aan, nu vol dankbaarheid. Hij kroop naar me toe en deed onhandige pogingen om bij me op schoot te kruipen, maar omdat hij daar de kracht niet toe had, tilde ik hem op, drukte hem tegen me aan en streelde hem over zijn kop. Hij nestelde zich tegen me aan en sloot zijn oogjes. Nog geen minuut later was hij in slaap gevallen.

Ik weet niet hoe lang ik daar met het hondje in mijn armen op de stoep had gezeten en het regelmatige slaan van zijn hartje had gevoeld, toen het ineens tot me doordrong dat er van onder de vettige slierten twee bloeddoorlopen blauwe ogen naar me zaten te kijken. 'Zet hem neer!' gromde de zwerver. Ik zag nu dat ook zijn lippen onder de zweren zaten.

Nu ik me met hem op ooghoogte bevond, kwam hij veel dreigender op me over dan voorheen, toen ik vanuit de hoogte op hem had neergekeken. 'Ik... ik heb wat eten voor hem meege-bracht,' stamelde ik, en toonde hem de rest van het vlees. Hij griste het pakje uit mijn hand en begon het in zijn mond te prop-pen. Terwijl hij met zijn kin op het hondje wees, beval hij met volle mond: 'Zet hem neer.'

'Hij was uitgehongerd,' ging ik verder. 'En hij had verschrik-kelijke dorst. Ik... ik heb u eerder geld gegeven om iets te eten voor hem te kopen. En voor uzelf. Maar zo te zien hebt u alles aan whisky uitgegeven. Ja toch?' Hij negeerde me, maar ik was nog niet klaar. 'U zou geen hond mogen hebben als u er niet voor kunt zorgen.'

'Lazer op.' De half gekauwde resten van een stuk kotelet vlo-gen uit zijn mond in mijn gezicht. Ik veegde de klodders weg, ging staan en deed een stap naar achteren. Het hondje werd wakker en wriemelde tegen me aan. Ik keek in zijn ogen en her-innerde me wat Clarissa had gezegd over honden die fatsoenlijk behandeld werden door de zwervers die ze met elkaar deelden. In dit geval had ze het mis. 'Moet u horen. Ik weet dat het me niets aangaat, maar deze pup moet dringend naar de dierenarts.'

De zwerver probeerde overeind te krabbelen. Toen hem dat enigermate gelukt was, begon zijn broek – zonder sluiting en met open gulp – van zijn heupen te zakken, en het scheelde een haar of hij was inderdaad van zijn benen gezakt. Onthutst door de glimp van schaamhaar die ik opving, zette ik het hondje voor-zichtig terug op de slaapzak en deed nog een paar stapjes naar achteren, maar mijn nieuwe vriendje kwam me achterna gewag-geld. Hij trok een beetje met zijn dunne staartje alsof hij wilde kwispelen maar daar niet voldoende kracht voor op kon bren-gen. 'Zorgt u alstublieft goed voor hem!' zei ik tegen de dronk-aard toen hij zich weer achterover liet vallen op zijn hoop vod-den. Hij pakte de fles met whisky, zette hem aan zijn lippen en dronk, en toen hij leeg was, slingerde hij hem luid vloekend mijn kant op. Het projectiel scheerde rakelings langs een auto, landde op het wegdek en knalde in duizend scherven uiteen.

Ik moest hier weg. Bevend van de schrik draaide ik me om, veegde wat van het vuil van mijn broek en dwong mezelf om door te lopen. Ik had voor het hondje gedaan wat ik kon, hield ik mezelf voor, terwijl ik maakte dat ik naar Camden High Street kwam. Hoe het het dier verder verging, was niet mijn verantwoordelijkheid en het ging me ook niets aan.

Maar als ík me niet over het hondje ontfermde, wie deed dat dan wel? Kon ik hem, in de wetenschap dat hij bij die zwerver niet lang meer te leven zou hebben, echt zomaar aan zijn lot overlaten?

Vlak voor ik bij de hoek was, beging ik de fout om achterom te kijken. Die treurige hondenogen keken me nog steeds na. Hij kefte kort, als om me terug te roepen. En toen, alsof hij wist dat het toch geen zin had, ging hij weer, met zijn snuit tussen zijn pootjes, op de slaapzak liggen.

Ik bleef staan. En ging terug. Toen ik weer bij hem was gekomen, hief hij zijn kopje op, knipperde en keek me aan met die allesziende ogen van hem – ogen waarin ik een mengeling van hoop en wanhoop bespeurde.

'Wat?'

'Hoeveel wilt u hebben voor dat hondje?'

'Wat?'

'Ik wil hem van u kopen.'

'Wat? Dat?' Hij gaf het dier opnieuw een trap.

'Ja, dat. En houdt u alstublieft op hem te schoppen.'

'Hij is niet te koop,' lalde hij terwijl hij zijn hoofd tegen de deur achter zich liet leunen.

'Alles is te koop voor de juiste prijs,' antwoordde ik. 'Dus zegt u maar hoeveel u voor hem wilt hebben.'

Hij maakte een verwarde indruk, alsof hij te dronken was om te begrijpen wat ik wilde. Maar toen plooiden zijn lippen zich in een honende grijns. 'Honderd pond!'

'Maar dat is bespottelijk!'

Hij lachte. 'Wil je hem hebben? Hij kost honderd pond.'

'Geen sprake van.' Ik zweer dat het hondje ons begreep, want hij liet zijn kopje weer hangen. 'U kunt twintig van me krijgen,' zei ik. De zwerver grinnikte, maar zei niets. 'Vijftig?' Hij haalde de mouw van zijn jasje langs zijn neus en spuugde op de grond.

Toen haalde ik diep adem en hoorde mezelf zeggen: 'Goed, u kunt honderd pond van me krijgen.'

Was ik gek, vroeg ik me af, terwijl ik mijn portemonnee pakte en de krakend nieuwe biljetten uittelde in de opgehouden hand van de zwerver. Dat moest wel. Maar aan de andere kant, hoeveel was het leven van een puppy waard? De man mocht dan dronken zijn, maar ik zag wat hij dacht – dat hij het dubbele had moeten vragen. 'Tien, vijftien, vijfentwintig...' En opeens was mijn portemonnee leeg. Ik zocht op de bodem van mijn tas naar munten, maar ik kwam niet verder dan een paar pond en een handjevol penny's. 'Dertig. Meer heb ik niet. Is dat genoeg?' vroeg ik. 'Uiteindelijk heb ik u eerder ook al geld gegeven.'

Zijn vuist sloot zich rond de contanten. 'We hebben honderd afgesproken.'

'Maar zo veel heb ik niet.'

'Om de hoek is een geldautomaat.'

Kennelijk was hij toch niet zo ver heen als ik gedacht had. Maar aan de andere kant was ik ook niet helemáál gek. 'Goed,' zei ik, 'dan ga ik daar wel heen. Maar dan wil ik wel dat u me eerst teruggeeft wat ik u tot dusver heb gegeven. En dan, wanneer ik terugkom, betaal ik u alles in één keer.' Ik hield mijn hand op voor het geld, maar in plaats van dat hij het aan me teruggaf, stopte hij het in de zak van zijn broek.

'Ik hou het,' zei hij.

'Wat?'

'Als aanbetaling.'

We keken elkaar woedend aan – geen van tweeën bereid om toe te geven. Toen gaf hij het hondje voor de derde keer een schop, en met het gejank in mijn oren rende ik de straat uit. Ik haastte me de hoek van Camden High Street om en elleboogde me een weg door de menigte naar de bank op de hoek van Parkway. Terwijl ik in de lange rij op mijn beurt stond te wachten, bedacht ik dat de zwerver, tegen de tijd dat ik het geld had en terug was, mogelijk vertrokken zou zijn. En dat ik die dertig pond en de puppy nooit terug zou zien.

Maar ik had me vergist.

Hoofdstuk 8

Hij was van mij. Ik had hem gered! Ik haastte me, met het hond-je onder mijn arm geklemd, naar het metrostation van Camden Town, en voelde me uitgelaten – alsof ik zweefde en mijn Mano-lo's de grond nauwelijks raakten.

Maar eenmaal op weg naar huis begon ik me af te vragen wat ik met hem moest doen.

In de Northern Line had ik hem op schoot en plaste hij op mijn witte broek. Toen we bij Angel uitstapten, plaste hij op mijn T-shirt. Hij had diarree toen ik hem voor het Workhouse op straat zette om mijn sleutels te zoeken, en toen ik hem in de woonkamer op het kleed legde gaf hij al het eten over dat ik hem had gegeven, bedekt met een groenig laagje schuim van het soort dat met Michelinsterren onderscheiden chefs urenlang staan op te kloppen om als hors d'oeuvre te presenteren.

Ik sloot hem op in de badkamer terwijl ik op mijn handen en knieën het kleed sopte, boende, schrobde en desinfecteerde – maar, net als bij mijn broek, de vlekken wilden er niet uit. Toen ik de badkamerdeur opendeed om te kijken hoe het met hem ging, wachtte mij een ondraaglijke stank en zag de boel er niet uit. Hij had opnieuw diarree gehad – de granieten vloer zat onder en hij kroop er in kringetjes doorheen.

Nadat ik hem in de badkuip had gezet, waar hij niet uit kon, maakte ik de bende met één hand schoon terwijl ik met de ande-re een in parfum geweekte tissue tegen mijn neus gedrukt hield. Toen ik daarmee klaar was, zette ik de douche aan en waste hem met mijn beste Aveda-shampoo. Hij mocht dan totaal verzwakt zijn, hij verzette zich als een kampioensworstelaar – de waspartij leek hem nieuwe kracht te geven. Maar toen ik hem eruit haalde, ontsnapte hij aan mijn greep, schudde het water uit zijn vacht en doorweekte daarmee mijn resterende droge handdoeken, en voor ik hem had kunnen tegenhouden, glipte hij door de deur de kamer in. Het spoor van natte hondenpoten bracht me bij mijn mooie, roomkleurige bank, waarop hij zich inmiddels zat droog te wrijven. Ik bracht hem terug naar de badkamer, waar hij opnieuw last van diarree had – deze keer op de badmat. Hoe kon zo'n klein lijfje zo veel stront bevatten, vroeg ik me af terwijl ik de badmat met de handdoeken en mijn spijkerbroek in de wasmachine stopte. Hij was nog maar een paar uur van mij en in die korte tijd had hij al een deel van mijn lievelingskleren verpest, elke handdoek die ik bezat gebruikt en mijn onberispelijke, brandschone flat in een openbaar toilet veranderd.

De realiteit sloeg me als een nat, koud washandje in het gezicht. Ik moest de volgende ochtend om halfnegen op mijn werk zijn voor een afspraak met een vroege klant. Wat moest ik beginnen met een dubbel incontinente pup? Er zat maar één ding op – ik zou om zes uur moeten opstaan om hem naar het hondenasiel van Battersea te brengen, in de hoop dat ze een baasje voor hem zouden kunnen vinden dat het niet bezwaarlijk vond om de boel voortdurend achter hem op te moeten dweilen.

Ietwat opgelucht nam ik het hondje mee naar de slaapkamer, zette hem op de grond, hield hem stevig vast en droogde hem met mijn Revlon Tourmaline Ionic-haardroger. Toen ik daarmee klaar was, schudde hij zich overdreven heftig uit, rolde, zich als een gek krabbend, over de vloer, ging toen zitten en keek me aan. Hij was werkelijk allerkoddigst om te zien. Zijn oren wezen elk een andere kant op, zijn staart was veel te lang voor zijn kleine lijfje en zijn harige poten waren bijna even groot als zijn kop. Hoewel hij vel over been was, had de Aveda Pure Abundance hem van een verzopen rat in een zwart-met-witte pompon veranderd.

En half verscholen in die wilde vacht zaten twee grote zwarte ogen die me nu even strak en doordringend aankeken als ze eerder op straat hadden gedaan.

En toen deed hij zijn bekje open en glimlachte hij naar mij. Ik zweer het. Hij glimlachte echt.

Mijn hart smolt. Zoiets aandoenlijks had ik nog nooit gezien. Ik was verliefd. En op dat moment wist ik dat ik hem nooit zou kunnen afstaan.

'Maar, hemel, klein monster, wat moet ik met je doen?' vroeg ik terwijl ik hem optilde en voor me hield. Toen ik aan zijn manier van wriemelen en kronkelen zag dat hij dat niet prettig vond, zette ik hem weer neer. Zonder op een uitnodiging te wachten, klauterde hij op mijn schoot, zette zijn pootjes op mijn borst en probeerde mijn kin te likken. Als dit zijn antwoord op mijn vraag was, dan zei het op zich meer dan voldoende.

Fluffy – want zo noemde ik hem – deelde mijn avondmaal van roereieren. We waren alle twee bekaf van de gebeurtenissen van de afgelopen dag en het duurde niet lang voor we, dicht tegen elkaar aan gekropen, op mijn bed naar een televisieserie lagen te kijken. Ik aaide hem over zijn kopje en voelde me ineens onuitsprekelijk vredig. En volgens mij verging het Fluffy net zo, want nog voor de eerste reclameboodschappen waren begonnen, lag hij, met zijn snuit op mijn borst, diep te slapen. En ruimschoots voor het begin van de tweede reclameonderbreking was ik zelf eveneens vertrokken.

Ik werd heel vroeg wakker. Mijn nachtjapon was vochtig en ik voelde zweetdruppeltjes langs mijn benen en rug omhoog kruipen. En bij het wakker worden had ik heel sterk het gevoel dat ik niet alleen was.

Ineens wist ik het weer. Fluffy.

Ik deed het lampje op het nachtkastje aan. Hij lag niet meer op het dekbed. Ik gooide het van me af en zag hem languit naast me op het onderlaken liggen. Hij hief zijn kopje op, keek me vol aanbidding aan, legde zijn zwarte neusje toen weer tussen zijn in verhouding enorme voorpoten en sliep verder.

Dat wilde ik ook doen, maar toen zag ik de gele vlek onder

hem. Het kleine monster had in mijn bed geplast. En ik lag er middenin.

Ik schopte het dekbed helemaal van me af en zag een bruin vlekje over mijn linkerdij bewegen. Het volgende moment was het achter mijn knie verdwenen. Ik sprong krijsend uit bed en rukte mijn nachtjapon van mijn lijf. Dat waren geen zweetdruppeltjes geweest die ik langs mijn lijf had voelen lopen, maar insecten!

Als een bezetene probeerde ik ze van me af te slaan. Hoeveel waren er wel niet? Vier? Vijf? Zes? Ik zag er eentje op de grond springen en probeerde hem te vermorzelen met een van mijn sandalen, die ik had uitgeschopt toen ik in bed was gestapt. Het kreng had zich volgezogen met mijn bloed en bezweek onder het maken van een zuigend geluid. Wild krabbend rende ik naar de badkamer en sprong onder de douche, maar hoe hard ik ook boende, ik bleef me smerig en vies voelen. Toen ik onder de schuimende Niagara vandaan stapte, wilde ik een handdoek pakken, en herinnerde me toen pas dat er geen schone handdoeken over waren.

Ik schoot mijn badjas aan, maar niet voordat ik een glimp van mijzelf had opgevangen in de grote badkamerspiegel. Mijn bovenlijf, armen en benen zaten onder de enorme, rode bulten. Ik zag eruit alsof ik waterpokken had. Zo kon ik onmogelijk naar mijn werk. Terug in de slaapkamer bleef ik op een afstandje van het bed staan en keek nijdig naar de schuldige, die op het doorweekte laken lag en vrolijk op het bandje van mijn sandaal knaagde.

'Hou daarmee op! Van mijn bed af! Eráf! Eráf!' krijste ik hysterisch.

Het was zinloos. Van het bed af springen moest voor Fluffy net zoiets zijn als van hoge rotsen duiken. En daarbij, hij had geen idee wat ik wilde. Maar de klank van mijn stem moest hem aan het schrikken hebben gemaakt, want hij liet zijn kopje hangen en trilde van angst. 'Het spijt me, het spijt me!' riep ik uit. Hij kon het uiteindelijk ook niet helpen dat hij onder de luizen en de vlooien zat. Ik wist dat ik hem zou moeten aaien, maar de gedachte om hem aan te moeten raken stond me verschrikkelijk tegen. En dus rende ik naar de keuken, trok mijn rubberen handschoenen aan, tilde hem van het bed en droeg hem, terwijl ik hem zo ver mogelijk van me af hield, opnieuw naar het bad. Voorzichtig, alsof de beestjes me zouden kunnen aanvallen, haalde ik de kussens van het bed, drukte en passant nog een luis plat, haalde de slopen van de kussens en het onderlaken van de matras. Fluffy's plas was door de matrasbeschermer heen in de bovenlaag van de matras gelekt. Die kon ik wel weggooien.

Inmiddels was het een paar minuten over vijf. Fluffy, die de badkuip niet uit kon, kefte om aandacht. Ik deed de deur van de badkamer dicht, bracht het vuile beddengoed naar de keuken, stopte er een deel van in de wasmachine en zette de eerste van vier ladingen kookwas aan. Een klein uurtje later kwam mijn benedenbuurvrouw boven om te klagen over het trillen van haar slaapkamerplafond. Om halfzeven belde er een man van verderop op de gang aan mijn deur. Hij beklaagde zich – in zijn korte broek – over het blaffen van Fluffy. Toen hij mijn gezicht vol vlekken en bulten zag, deinsde hij verontschuldigend achteruit en zei dat hij zich niet gerealiseerd had dat ik zo ziek was.

Aangezien het de enige manier was om hem stil te laten zijn, haalde ik Fluffy uit het bad en liet hem loslopen in de woonkamer. Hij plaste op het parket, braakte op de kussens van de bank en viel in slaap op het kleed. Tegen zevenen begon hij opnieuw te keffen. En tegen achten, toen Clarissa me tijdens het naar school brengen van de kinderen vanuit de auto belde, was ik hysterisch.

'Waarom ben je niet op weg naar je werk?' schreeuwde ze in haar mobiele telefoon. Het kostte haar moeite om boven het verkeerslawaai en het gebabbel van haar dochters uit te komen. 'Je klinkt verschrikkelijk.'

'Ik kan het niet aan!' jammerde ik.

'Wat? Emily, hou je mond, of ik zet je hier uit de auto en dan ga je het laatste eind maar lopen. Nee, het kan me niet schelen of je de samenkomst zult missen. Wat is er? Ben je ziek?'

'O, Clarissa, ik heb zoiets stoms gedaan.'

'Wat? Rebecca, niet aan Miranda's paardenstaart trekken – en hou de telefoon eens wat dichter bij mijn oor. Ik kan Annie niet verstaan. Hoe bedoel je, iets stoms? O god! Wat is dat voor een kabaal? Meisjes, stíl! Hoor ik daar keffen op de achtergrond? Annie, nee! Dat meen je niet!'

'Wat is er met Annie? Wat meent ze niet?' riepen de meisjes in koor op de achtergrond toen Rebecca de handsfree aanzette.

'Ja, ik meen het wel.'

'Wat?'

'O, mijn god!'

'Wat? Wat?' riepen de meisjes. 'Wat heeft ze gedaan?'

'O, je bent gek!' riep Clarissa.

'Dat weet ik,' beaamde ik.

'Ik wed dat ze seks heeft gehad!'

'Ik kan gewoon niet geloven dat je zo dom bent geweest!'

'Misschien heeft ze wel onveilige seks gehad!'

'Annie heeft onveilige seks gehad!'

'Mammie, wat is onveilige seks?'

'O, houden jullie nou eens allemaal je mond!'

'Ik kon hem gewoon niet achterlaten bij die walgelijke dronkaard. Hij zou dood zijn gegaan bij die man. En daarom heb ik hem mee naar huis genomen.'

'Wat? Wat heb je mee naar huis genomen? Een schandknaap?'

'Rachel, waar heb je het over? Wat weet jij van schandknapen?'

'Dat staat in de syllabus. Mevrouw Nelson van seksuele voorlichting heeft ons erover verteld.'

Het was tijd om de tussenpersoon uit te schakelen en mijn jonge ondervragers rechtstreeks te woord te staan. 'Het spijt me dat ik jullie teleur moet stellen, jongens, maar het heeft niets met seks of schandknapen te maken,' verklaarde ik.

'O!' Ik kon duidelijk horen hoe teleurgesteld ze waren.

'Ik heb het hondje gekocht waar ik jullie gisteren tijdens de lunch over vertelde.'

Ze kraaiden het uit van de pret. 'O! Een hondje! Wat leuk! Mogen we hem komen bekijken?'

'Gekocht? Wil je daarmee zeggen dat je geld voor hem hebt betaald?' vroeg Clarissa verbaasd. 'Hoeveel?'

'Hij vroeg honderd pond.'

'Ben je gek?'

'Maar weet je, Clarissa, volgens mij is Fluffy niet helemaal gezond.'

'Fluffy? O, hou óp, zeg.'

'Hij moet steeds overgeven. En hij heeft diarree. En ongedierte.'

'Gétver!' sprak het koor, en ditmaal met Clarissa erbovenuit.

'Ik zit onder de beten.'

'Jasses!'

'En hij heeft in bed geplast.'

'Walgelijk! Hoe heb je dat kunnen doen, Annie? Geef hem maar liever zo snel mogelijk weer terug aan die zwerver!' riep Clarissa boven de andere stemmen uit. 'Of breng hem naar het asiel in Battersea en laat de mensen daar een goed tehuis voor hem vinden.'

'Dat kan ze toch niet doen!'

'Dat was ik van plan, maar... Nou, ondanks alles is hij eigenlijk heel lief, Clarissa. Een schatje. Hij glimlacht, heus, dat meen ik. Ik hou van hem. Ik zou hem het liefste willen houden, als dat gaat,' hoorde ik mijzelf zeggen.

'Annie! Gebruik je verstand!' Hoe kun je nou voor zo'n schurftig beest zorgen als je zes dagen per week moet werken?'

Dat was een goede vraag. Voor de eerste keer in al die jaren dat ik er werkte, belde ik naar de zaak om te zeggen dat ik ziek was. Het was iets besmettelijks, zei ik tegen mijn baas, Eileen Grey, en voor de goede orde gaf ik een opsomming van de symptomen waarvan ik wist dat zij en niemand anders op de afdeling personal shopping ze wilde oplopen. Zo noemde ik onder andere misselijkheid, diarree, maagkrampen en – als ergste – een verschrikkelijke uitslag waardoor ik er werkelijk niet uitzag. Dat van de uitslag was waar, behalve dan dat mijn bulten in werkelijkheid beten waren in plaats van een infectie. De misselijkheid en de diarree waren ook echt, alleen was ik niet degene die daaraan leed.

Een uur later zat ik, in plaats van bij mijn klant van die ochtend, een bekende advocate, die hulp nodig had bij het kiezen van de garderobe die ze mee moest nemen naar de Maldiven, bij de plaatselijke dierenarts op mijn beurt te wachten en ervaringen uit te wisselen met een vrouw in een groen joggingpak en haar vijftienjarige blinde kat. Fluffy zat in een handdoek gewikkeld op mijn schoot. Zijn onderlijf was voorzien van een oud plastic tasje van de supermarkt, want ik wilde hoe dan ook voorkomen dat de Diesel-spijkerbroek die ik vandaag aan had eenzelfde lot beschoren zou zijn als mijn Armani van de vorige dag.

'Slim,' zei dokter McClaw, de dierenarts van middelbare leeftijd. Hij onderdrukte een glimlach terwijl hij mij en mijn draagtasje de spreekkamer binnenliet. Ik zette het tasje op de behandeltafel en pakte Fluffy uit. Hij bibberde en beefde terwijl ik opnieuw het verhaal deed van hoe ik hem de vorige dag had gevonden. Ondertussen onderwierp de dierenarts hem aan een grondig onderzoek, met inbegrip van het schijnen met een klein lampje in zijn oortjes tot het prikken van een thermometer in zijn achterste.

'Hij heeft een beetje verhoging,' zei hij terwijl hij een tissue pakte en de thermometer afveegde. 'Maar laat ik er meteen bij zeggen dat dit nog wel het minst erge is. Om te beginnen is hij bijzonder verzwakt en uitgedroogd. Dat kunt u zelf ook zo aan zijn vel voelen. Het is stijf, droog en voelt bijna als crêpepapier. Dat komt natuurlijk voor een deel door de diarree. En verder is hij zwaar ondervoed, zoals aan die uitstekende ribben van hem te zien is.'

'Ik heb hem wat stukjes varkenskotelet en worstjes, en gisteravond ook wat roerei gegeven, maar hij heeft alles uitgespuugd.'

'Dat is veel te vet voor hem. Het is niet ondenkbaar dat hij gastro-enteritis heeft, en hebt u die zweren rond zijn bek gezien?'

'Ik denk dat die het gevolg zijn van het touwtje dat die zwerver aan het blikje voor de gulle giften had zitten, en dat Fluffy om zijn snuit moest houden.'

Hij schudde zijn hoofd. 'Het arme dier. Ja, het is duidelijk dat hij mishandeld is. Ik schat dat hij zo'n tien of elf weken oud is.

Vermoedelijk is hij kort na zijn geboorte door zijn moeder verstoten, of mogelijk hebben zijn baasjes hem ook wel gedumpt. Het zit er dik in dat hij vanaf dat moment amper nog iets te eten heeft gehad. En dat is dan ook de verklaring waarom zijn voorpoten een beetje krom zijn. Hier – ziet u wel? Het is mogelijk dat hij rachitis heeft, dat wordt veroorzaakt door een tekort aan vitamine D en fosfor. Maar gelukkig zijn zijn botten nog aan het groeien, dus we hebben tijd om dat probleem aan te pakken. Daarvoor zal hij een heleboel liefde nodig hebben, en een speciaal dieet.'

'En dat is alles?'

Dokter McClaw keek me toegeeflijk glimlachend aan. 'Ja, afgezien van dat hij mogelijk ook schurft heeft, zoals u aan die kale plekjes op zijn buik en zijn rug kunt zien. O ja, en dan natuurlijk niet te vergeten de andere parasieten.'

'Parasieten? In meervoud?'

'Ik vrees van wel. Ik zie dat u al de nodige ervaring met de luizen hebt opgedaan,' zei hij, met een blik op mijn gezicht vol bulten. Hij duwde Fluffy's haar met zijn vingers vaneen en haalde er een metalen vlooienkammetje doorheen. 'En ziet u die donkere korreltjes? Dat is het teken dat hij vlooien heeft. Ik adviseer u om, bij thuiskomst, uw hele flat te ontsmetten. En hij heeft ook oormijt – kijkt u maar – en zo goed als zeker wurmen.'

'Wurmen?' vroeg ik geschokt.

'Nou, als u onder hem kijkt – hier – ziet u dat hij een nogal bol buikje heeft, ondanks dat hij zo ondervoed is. Dat is in de meeste gevallen een symptoom van *toxocara canis*, oftewel rondworm. Hebt u daar niet iets van in het braaksel waargenomen?'

'Ik kan niet zeggen dat ik daar zo aandachtig naar heb gekeken.'

'Ze zijn behoorlijk lang en doen een beetje denken aan strengen krioelende spaghetti. Nee? Ik heb ooit eens een teefje iets van vijftien centimeter zien overgeven. In het ergste geval worden de darmen erdoor geblokkeerd. Ze zijn onvoorstelbaar productief. Een volwassen vrouwtje legt al snel tienduizenden eitjes per dag die dan, samen met de ontlasting, het lichaam van de gastheer verlaten.' Ik hád het ondertussen al bijna niet meer. 'Ik moet u ervoor waarschuwen dat ze, als ze per ongeluk op mensen worden overgebracht – onder vuile nagels, bijvoorbeeld – een ernstige infectie tot gevolg kunnen hebben die *larva migrans* wordt genoemd en die, in het ergste geval, tot blindheid en zelfs hersenletsel kan leiden.' Ik keek zo onopvallend mogelijk onder mijn nagels. Gelukkig had ik, sinds ik in mijn doorweekte bed wakker was geworden, een obsessie voor boenen en schrobben ontwikkeld en had ik mijn handen die dag al zeker twaalf keer gewassen. 'En verder kan hij natuurlijk ook lintworm en mijnworm hebben.'

Ik probeerde niet in paniek te raken. 'Meneer McClaw, ik ben ook bang dat Fluffy dubbel incontinent is.'

'Nee, nee, hij is niet incontinent, lieve mevrouw. Hij is gewoon nog niet zindelijk. We kunnen denk ik wel stellen dat hij is grootgebracht als een *enfant sauvage*, zoals de Fransen dat noemen. Daarbij is hij nog te jong om zijn blaas en darmen te kunnen beheersen. Dat zal in ieder geval niet lang meer duren, al moet hij dat natuurlijk wel leren. Maar om te beginnen zullen we hem beter moeten maken, de kleine schat. Ik kan u geen wonderen beloven, maar ik doe mijn best. Ik zal hem nu een algemeen ontwormingsmiddel geven en daarmee moet hij van dat ongedierte in zijn ingewanden af komen. En zodra hij wat dikker is geworden, zullen we hem chippen en hem inenten tegen de meest voorkomende ziektes zoals hondenziekte en kennelhoest. U kunt hem zolang maar beter binnenhouden en ervoor zorgen dat hij niet in de buurt van andere honden komt. Ik zal u wat antibiotica voor zijn maag geven, een goedje om twee keer per dag in zijn oren te spuiten en speciaal puppyvoer voor zieke jonge hondjes waarvan u hem een week lang dagelijks om de vier tot vijf uur een kleine portie moet geven. 's Nachts geeft u hem alleen maar eten als hij erom vraagt. U hebt een pak speciale vervangende puppymelk nodig en, natuurlijk, een kattenbak met kattengrit. Hier hebt u een voedingsschema en een boekje waarin van alles over zindelijkheidstraining staat te lezen. En dit hebt u misschien ook wel nodig – het adres van het dichtstbijzijnde puppytrainingsklasje. Vraagt u de receptioniste om insecten-spray voor hem. En ook voor uw bed en de rest van uw huis. We kunnen dat probleem het beste maar meteen in de kiem smoren. En dan een tandenborstel en tandpasta, want ik wed dat het in zijn bekje krioelt van de bacteriën. Laat u zich niet door hem likken. U moet een halsband en een riem voor hem kopen, en begint u maar meteen hem daaraan te laten wennen. Voor de goede orde adviseer ik u een speciale schimmeldodende shampoo. Als u hem daar de eerste twee weken drie keer per week mee wast en het elke keer tien minuten laat inwerken alvorens het uit te spoelen, doet dat goed zijn werk. U hebt een hele taak op uw schouders genomen. Weet u zeker dat u het aankunt?'

'Ik geloof van wel. Fluffy heeft zo'n verschrikkelijke start gehad in het leven. Ik zou hem niet graag laten vallen.'

'Heel bewonderenswaardig.' Hij gaf me een klopje op de schouder. 'Nou, mocht het toch te veel zijn, laat u mij dat dan weten. We kunnen altijd aan een van die organisaties van dieren-liefhebbers vragen of ze een ander tehuis voor hem willen zoeken, als dat nodig mocht zijn. Hebt u ook al gedacht aan wat u met hem doet wanneer u moet werken?'

'Misschien dat ik hem in het begin wel mee kan nemen. Dat wil zeggen, ik moet eerst aan mijn baas vragen of het mag. Fluffy zou in mijn handtas onder mijn bureau kunnen zitten.'

McClaw keek me aan alsof ik gek was. 'In uw handtas?'

'Nou, zo groot is hij niet.'

Hij onderdrukte een glimlach. 'Hij groeit snel genoeg. En te oordelen naar het formaat van die poten van hem – en, neemt u mij niet kwalijk, zijn forse testikels – wordt hij nog een heel stuk groter. En puppy's en honden zitten niet stil. Ze rennen rond. Ze spelen. Ze kauwen op van alles en nog wat. Ze hebben veel beweging nodig. Ik kan me niet zo heel goed voorstellen dat het een haalbare optie is om hem mee te nemen naar uw werk – tenzij u een heel begripvolle baas hebt, natuurlijk. Maar zodra hij gevaccineerd is, kunt u natuurlijk een officiële hondenuitlater inhuren om hem voor u uit te laten.'

'Echt?'

'O, ja. Ik heb heel wat cliënten die er eentje hebben. De receptioniste kan u een lijstje van hondenuitlaters in de buurt geven. Er zijn er een paar die erg populair zijn – met name eentje, op wie vooral onze vrouwelijke cliënten bijzonder gesteld zijn. Vraagt u het maar aan de receptioniste, ze zal u uitgebreid informeren.'

Hoofdstuk 9

En zo kwam Mark Curtis, de zaterdagmiddag daarop, op zijn dooie gemak mijn leven binnengewandeld. Hij kwam om drie uur en dat was een uur later dan we hadden afgesproken.

Achteraf bezien realiseerde ik me dat ik hieruit had moeten opmaken dat Mark iemand was die iedereen tevreden wilde stellen en dat hij daarom doorgaans meer beloofde dan hij waar kon maken. Maar wat heeft het voor zin om dit soort dingen achteraf vast te stellen, afgezien dan van je het gevoel te geven dat je dom bent geweest?

Toen ik de deur voor Mark opendeed, droeg hij de canvas sandalen en de kaki bermuda die hij naar mijn idee sindsdien nooit meer heeft uitgetrokken. Die dag droeg hij er een verwassen wit T-shirt op met de tekst: *Wag the Dog Walks,* de naam van zijn hondenuitlaatbedrijfje.

Alhoewel, bedrijfje is mogelijk een beetje te veel gezegd. Bij die term denk je al snel aan een kantoor, een bankrekening, werknemers en een winst- en verliesrekening. In werkelijkheid bestond *Wag the Dog Walks* uit Mark, zijn roestige VW-busje en de oude prepaid Nokia waarop ik hem eerder die week had gebeld.

'Annie?' Mark kamde zijn vingers door zijn wilde, donkere haar dat op een aantrekkelijke manier over zijn voorhoofd viel, zijn verweerde gezicht omlijstte en over zijn indrukwekkend brede schouders streek. 'Sorry dat ik laat ben,' zei hij. 'Ik had verwacht op tijd te zullen zijn, maar het verkeer was een ramp.'

Toen hij me glimlachend aankeek, was het alsof ik iets langs mijn rug voelde kruipen. En aangezien ik Fluffy die week drie keer royaal met vlooienspray had ingespoten, wist ik dat het geen ongedierte kon zijn. 'Het geeft niet,' hoorde ik mijzelf zeggen, hoewel ik het afgelopen halfuur bezig was geweest hem in gedachten de huid vol te schelden. Ik bedoel, wat kon je nu verwachten van de betrouwbaarheid van een hondenuitlater als hij op zijn kennismakingsbezoek al veel te laat was? 'Kom erin.'

'Dank je. Zal ik deze eerst even uittrekken?' Hij tilde een van zijn enorme voeten op en bekeek de zool van zijn nogal stoffige sandaal. 'Ik vermoed dat ik de halve hei van Hampstead mee naar binnen breng.'

'O, nou, doe geen moeite. Met Fluffy hier denk ik niet dat de vloer nog veel vuiler zou kunnen worden dan hij al is.'

Ik deed een stapje opzij en hij liep doodgemoedereerd langs me heen, het entreehalletje door en de dubbelhoge woonkamer in. Ik wachtte op het moment dat hij een opmerking over het interieur zou maken. Dat deed namelijk iedereen. En ja hoor, hij bleef net iets over de drempel staan, stak zijn handen in zijn zakken en floot zacht en bewonderend. 'Wow,' zei hij, 'wat een schitterende ruimte!'

'Dank je.'

Hij liep door tot in het midden van de kamer en keek omhoog naar het plafond. 'Ik wed dat de akoestiek hier fantastisch is.'

'Dat kan best,' zei ik, naar zijn gespierde, behaarde kuiten turend. Jezus, waar was ik mee bezig? Stel je voor, alsof ik een hondenuitlater zou begeren! 'Weet je dan iets van akoestiek?' vroeg ik met een onnozel glimlachje.

Hij knikte. 'Ik ben musicus. Basgitarist.'

'O! Speel je in een band?'

'Nou, nee.' Hij draaide zich naar me om en grinnikte. God, hij was wel knap hoor, wanneer hij zo glimlachte! Om op te vreten, eigenlijk. 'Op het moment niet,' ging hij verder. 'De laatste tijd heb ik het nogal druk met de hondenbusiness.'

'Echt?' Ik realiseerde me dat ik stom stond terug te grijnzen en ik moest echt mijn best doen om mijn mondhoeken omlaag te krijgen.

'Hoe lang woon je al hier?' vroeg hij.

'O, iets van vier jaar.'

'Enne, huur je het?' vroeg hij.

'Nou, ik heb het een paar jaar geleden gekocht.'

Ik keek, een tikje beschaamd bijna, naar hoe hij om zijn eigen as draaide en zijn blik aandachtig over de vrijstaande openhaard met zijn stalen schoorsteenpijp, de zespersoonsbank en de roestvrijstalen keuken liet gaan. 'Geweldige keuken,' zei hij, erheen lopend om hem nader te bewonderen. 'Mooi, dat dubbele fornuis. Het moet een genot zijn om daarop te koken.'

'O ja, het is het einde!' Dit was niet het moment om hem te bekennen dat ik mijn ultramoderne keuken alleen maar gebruikte om de kant-en-klaarmaaltijden waar ik van leefde in de magnetron te stoppen. 'Hou je van koken?'

'Ja, daar ben ik gek op.' Mark haalde zijn hand over het smetteloze granieten aanrecht. Hoewel hij er nogal slonzig en onverzorgd uitzag, had hij mooie handen met lange slanke vingers, zag ik, en prachtig glanzende nagels. 'Ik ben er zo'n beetje mee opgegroeid. Mijn ouders hebben een pub even buiten Norwich. Zo'n echt ouderwetse tent nog – je weet wel, met houten balken, paardenspullen, openhaarden en gemakkelijke stoelen.'

'O, wat leuk.'

'Ja, dat is het zeker. Hoe dan ook, toen ik iets van elf was, hebben ze een deel ervan in een echt restaurant veranderd. We woonden erboven, dus mijn oudere zussen en ik moesten, wanneer mijn ouders personeel tekortkwamen, altijd meehelpen in de keuken. Ze serveren er niet van dat peperdure pubvoer wat je tegenwoordig in die chique zogenaamde pubs in Londen krijgt.'

'Je bedoelt dat ze niet deden aan fusion-garnalen-en-aspergemousse met chili- en pindadipsaus? Of lamsschenkel met gember en ahornsiroop, omringd door een lagune van watermeloenjus en puree?'

Mark lachte. 'Ik zie dat we in dezelfde tenten eten. Nee, bij hen krijg je zuiver traditionele kost, maar van ontzettend goede kwaliteit. Je weet wel, gebraden kip met alles erop en eraan. Echte slagersworstjes, kool en zelfgemaakte puree. Boerenlunches met originele cheddarkaas, fatsoenlijke ham, tomaten uit de moestuin van mijn vader en zelfingelegd zuur. Alles maken ze zelf, ook het brood. Dus ik leerde al vroeg hoe je een voortreffelijke pastei met rundvlees en niertjes moest maken – met een lekkere korst en al. En mijn kruimeltaart van appel en bramen kan er ook heel best mee door. Maar mijn specialiteit is fazant uit de oven. Met appels en calvadossaus, kool, kastanjevulling en gepofte aardappels met knoflook.'

Inmiddels liep het water me in de mond, al kon ik niet zeggen of dat door al het heerlijks kwam dat hij had opgenoemd, of door hemzelf. Ik wist een vaag 'mmm, ik ben onder de indruk,' uit te brengen, en daarvan was geen woord gelogen.

Mark was een stuk. Zijn stem – een volle, hese bariton met een licht accent van Norfolk – kwam uit een zinnelijke mond in het doorleefde gezicht van een Franse filmster uit de jaren zestig – het soort dat altijd een Gauloise tussen de lippen had geklemd. Verder had hij de slaperige oogopslag van een man die de hele voorgaande nacht de liefde had bedreven en nog maar net uit bed was. En waarschijnlijk wás hij ook nog maar net uit bed, dacht ik – waar hij zich met de een of andere sexy vriendin vermaakt had. Dat was vermoedelijk ook de reden waarom hij een uur te laat was. Maar dat had ik nog niet bedacht, of ik werd knalrood. 'O, lieve help, heb jij ook zo'n last van deze hittegolf?' riep ik, terwijl ik me naar een van de ramen haastte en het opendeed.

'En, hoe oud is je baby?' vroeg hij.

Ik draaide me met een ruk om. 'Mijn báby?'

'Ja.' Hij wees op de box vol pluchen beesten die bij de openhaard stond. 'Ik ben dol op kinderen. Mijn jongste zus heeft er een en mijn oudste zus heeft er drie. Baby's ruiken zo lekker, vind je ook niet?'

'Nou, dat is de box voor de hond,' bekende ik. Hij grinnikte en liep naar de cirkelvormige netbox die ik drie dagen tevoren bij Argos had gekocht, leunde over de rand en viste er een van de pluchen beesten uit die ik had aangeschaft om Fluffy gezelschap te houden. 'Je vindt me vast volledig geschift,' zei ik, toen hij de armpjes van Mickey Mouse begon te bewegen, 'maar die box is voor Fluffy, om in te slapen. En voor wanneer ik even niet wil dat hij iets vernielt. Ik bedoel, wat doe je met een pup die zichzelf niet kan beheersen wanneer je, ik noem maar wat, in bad wilt of zo?'

Ik had het nog niet gezegd of ik had al spijt van mijn woorden. Want toen Mark zich naar me toe draaide en me glimlachend aankeek, voelde ik me even naakt alsof ik op het punt stond onder de douche te stappen.

Mark knikte. 'Dus dan heb je geen kinderen?' vroeg hij.

'Help, nee!' zei ik. Hij keek me op een vreemde manier aan. 'Jij dan wel?' reageerde ik na een korte stilte.

'Ik ben nog niet zo ver.'

Ik vroeg Mark of hij wilde gaan zitten, dus hij nam plaats op het puntje van het ene uiteinde van de lage zespersoonsbank, terwijl ik het me aan het andere uiteinde gemakkelijk maakte.

'En waar is het kereltje?' vroeg hij nadat we alle twee even niets hadden gezegd.

'Fluffy? O, ik heb hem een paar minuten geleden in de badkamer opgesloten. Ik probeer hem aan zijn kattenbak te wennen. Maar ik vermoed dat hij zich aan het amuseren is met het kapotknagen van mijn andere Manolo. Hij heeft er al een geruïneerd.'

Marks frons stond hem uitstekend. 'Wat is een manolo?'

'Blahnik?' opperde ik, maar aan zijn gezicht te zien zei hem dat nog steeds niets. 'Het is een schoenenmerk, een beroemd schoenenmerk, om precies te zijn. Manolo Blahnik is de naam van de ontwerper. Zijn moeder was Spaanse en zijn vader Tsjech – en dat verklaart die prachtige naam van hem. Hij is een echte kunstenaar. Hij is, in de jaren zeventig, begonnen met het ontwerpen van schoenen voor Ossie Clark, en sindsdien ontwerpt hij voor iedereen, variërend van John Galliano tot Issac Mizrahi en Carolina Herrera.'

Mark schudde zijn hoofd. 'Ik ben bang dat alles wat je daar zegt Chinees voor me is.'

'Het zijn allemaal modeontwerpers.'

'Ah, goed. Mode is niet mijn sterkste punt, zoals je misschien ook wel hebt gezien,' voegde hij eraan toe, terwijl hij aan zijn oude T-shirt trok. 'Maar jij schijnt er heel wat van af te weten.'

'Nou, het is waar ik mijn brood mee verdien,' legde ik uit. 'Ik ben een make-overdeskundige en ik werk bij Haines en Hampton op de afdeling personal shopping.' Hij keek me nog steeds met nietszeggende ogen aan. 'Dat is een kledingzaak voor dure merken in Chelsea. Dé kledingzaak, om precies te zijn. Haines is voor King's Road wat Harvey Nichols voor Knightsbridge en South voor Molton Street is.' Maar ook die namen leken hem niets te zeggen. 'We verkopen er alles, van designerhandtassen tot designeronderbroeken.'

Hij trok zijn wenkbrauwen op. 'O, interessant, designeronderbroeken.' Ik giechelde. 'En als je designer zegt, dan bedoel je waarschijnlijk dat alles er heel erg duur is.'

'Ja, dat kun je wel stellen.'

'En wat is "personal shopping"?'

'Nou, dat is een speciaal soort service die we geven. We helpen mensen bij het kopen. Hé, wil je misschien iets drinken? Thee? Koffie? Een kruidenthee?'

'Nou lekker, ja. Koffie, graag. Vertel me eens wat meer over dat personal shopping?' Hij volgde me naar de keuken. Ik ving een glimp van mezelf op in het chroom. God, ik zag er niet uit! Het was geen moment in me opgekomen om me op te tutten voor het kennismakingsgesprekje met mijn hondenuitlater, maar daar had ik nu spijt van. Ik kamde mijn vingers door mijn uitgezakte haren om het eruit te laten zien alsof de wind er doorheen had gespeeld en draaide me naar hem om. 'Nou, we krijgen alle mogelijke soorten mensen die er beter uit willen zien dan ze doen, of die gewoon eens iets anders willen, of meer trendy, zoals wij dat noemen, maar die zelf niet weten hoe ze die nieuwe look voor elkaar moeten krijgen. Het is mijn werk – en dat van mijn collega's – om met ze door de winkel te lopen, of om dat námens hen te doen, en iets uit te zoeken wat bij hen past en wat ze kunnen betalen.'

'Aha, dus dan ben je eigenlijk gewoon verkoopster?' zei Mark.

'Nou ja, goed, dat zou je kunnen zeggen.' Ik ging op het aanrecht zitten om hem beter te kunnen zien – lang, slank, lekker bruin en iets van midden dertig. Hij zag er, op die speciale non-chalante en onverzorgde stijl die me een beetje aan Heathcliff deed denken, werkelijk uit om op te vreten. 'Maar ik doe meer dan alleen maar verkopen,' kletste ik verder. 'De mensen die bij ons komen – en dat zijn voornamelijk vrouwen – doen dat om verschillende redenen. Je hebt erbij die steenrijk zijn, zoals vrouwen die een vermogen hebben geërfd, of van die jonge, bloedmooie prijswijven met bodemloze Chanel-portemonnees. George – de eigenaar van de zaak, George Haines – is stapel op die categorie, want bij elk bezoek spenderen ze een vermogen. Je kunt je niet voorstellen hoeveel geld ze uitgeven – wel tienduizenden ponden per keer.'

Mark was stomverbaasd. 'Aan kleren?'

Ik knikte. 'Kleren, make-up, schoonheidsartikelen en, vooral, accessoires. En zo moeilijk is dat niet in zo'n winkel als de onze. Ik bedoel, een echte fashionista is al snel bereid om zo'n zes- of zevenhonderd pond uit te geven voor beetje handtas. Echt hoor, dat is heus niet veel voor iets bijzonders! En ondanks die enorm hoge prijzen zijn er wachtlijsten voor.'

'Wachtlijsten voor handtassen? Voor díe prijzen? Dat meen je niet!'

Ik knikte. 'Ja, heus. Zelfs voor de Hermès Birkin, waarvoor je meer dan duizend pond op tafel moet leggen. Dus ga maar na, als een vrouw een geheel nieuwe outfit wil – tas, schoenen, een pakje, accessoires – en je hebt erbij die dat elke week willen, dan loopt de rekening aardig snel op. Ik had laatst nog een klant die ruim vijfentwintigduizend pond uitgaf aan iets wat ze voor een liefdadigheidsbal wilde aantrekken. Ze had dat geld veel beter meteen aan dat goede doel kunnen geven!'

'Dat is waanzin!'

Ik lachte. 'Ja, je hebt gelijk. Maar als klant is dat soort vrouwen niet echt interessant voor ons.'

'Waarom niet?'

Ik haalde mijn schouders op. 'Ze kunnen verschrikkelijk veeleisend zijn en in de meeste gevallen bezitten ze al veel meer kleren dan ze ooit kunnen dragen. Ze komen binnen met het idee van meer van hetzelfde of, in ieder geval, het nieuwste van het nieuwste van de een of andere ontwerper dat je móét hebben, en in die gevallen wordt er natuurlijk niet gekeken naar of het bij hen past of aansluit bij hun leeftijd.' Het water kookte, dus ik sprong van het aanrecht, trok een kastje open en haalde er mijn potje instantkoffie uit. 'Zwart of met melk?' vroeg ik. 'Ik geloof dat ik nog wel wat melk heb.'

'Eh...' Mark maakte een onzekere indruk. 'Eh, neem me niet kwalijk dat ik het vraag, maar heb je geen behoorlijke koffie?'

'Je bedoelt echte koffie? God, nee. Dat zetten is me veel te veel werk. Doe jij dat dan wel?'

Hij knikte. 'Het stelt niets voor. Waarom koop je geen cafetière? Of zo'n elektrisch espressoapparaat.' Hij glimlachte verontschuldigend. 'Sorry. Het gaat me niets aan. Instant is best. Vertel me nog maar wat meer over die klanten van jullie.'

Terwijl ik me een beetje schaamde voor die gemakzucht van mij, schepte ik een lepel bruine korrels in een mok en schonk er kokend water op. 'Nou, de vrouwen die ik echt graag heb, zijn carrièrevrouwen met een niet al te royaal budget, zoals docenten, advocaten of actrices, of vrouwen die op een bank werken, of desnoods in een dure winkel. Of die zelf een bedrijf hebben. Een van mijn klanten is een minister – ik mag natuurlijk niet zeggen wie. Onze service is honderd procent vertrouwelijk en we zijn er trots op dat we zo discreet zijn. Hoe dan ook, deze vrouw moet naar een bijzondere bijeenkomst, maar ze heeft geen idee wat ze aan moet trekken. Of je hebt erbij die net zestig zijn geworden en die ineens al hun zelfvertrouwen kwijt zijn. Of anderen, wier huwelijk op de klippen is gelopen, of die bang zijn dát het op de klippen zal lopen, of dat ze ontslagen zullen worden. Maar net zo goed kan het iemand zijn die aan een nieuwe baan gaat beginnen en graag een goede indruk op haar nieuwe collega's wil maken. Wat we proberen te doen, is te begrijpen wat zo'n vrouw wil, en dan helpen we haar dat te realiseren voor een bedrag dat ze zich kan veroorloven. We brengen haar goede kanten naar voren zodat ze zich zelfverzekerd kan voelen.'

Mark keek me ongelovig aan met die mooie ogen van hem. 'En dat doe je door haar zulke schandalig dure kleren te verkopen?'

'Nou, ik weet dat het gek klinkt, maar ja. Je hebt vast wel eens gehoord van troostshoppen. Soms is daar niet meer voor nodig dan iemand helpen bij het uitzoeken van een prachtige tas of ceintuur die haar hele garderobe in één klap weer actueel maakt. Maar er zijn net zo goed keren dat ik iemand niets verkoop, maar dat ik haar naar de kapper stuur voor een nieuw, modern kapsel, of naar de parfumerie waar de visagistes haar een andere manier leren om zich op te maken. Als je dat voor iemand doet, dan geven ze misschien niet zo veel geld uit – of misschien zelfs helemaal niets – maar ze zijn je verschrikkelijk dankbaar. En dan kun je er iets om verwedden dat ze, zodra ze wat geld te besteden hebben, weer bij je terugkomen.'

'Dus dan ben je zoiets als een shoptherapeut?'

Ik lachte. 'Ja, zo zou je het ook kunnen zeggen!'

O, Mark was aardig die dag. Hij was echt, heel, heel erg aardig, en hij was helemaal niet zoals ik verwacht had dat een eigenaar van een hondenuitlaatbedrijf zou zijn. Intussen begon ik het gevoel te krijgen dat ik veel te lang aan het woord was geweest, maar ik had het zo naar mijn zin dat ik aanvankelijk niet goed begreep wat hij bedoelde toen hij vroeg: 'Maar, zeg, stel je hem eigenlijk nog aan me voor?' Waar had hij het over? Ik was even helemaal vergeten wat hij hier kwam doen.

Nadat ik hem had gezegd dat hij weer op de bank moest gaan zitten, ging ik naar mijn slaapkamer waar ik, met de nodige schroom, voorzichtig de deur van de badkamer openmaakte. Een week geleden nog maar was het mijn eigen privéspa geweest, een vreedzame oase van rust en orde, voorzien van stapels smetteloos witte handdoeken en op kleur gerangschikte dure bodyscrubs, douchegels en lotions die ik bij Haines had gekocht. Het rook er heerlijk naar de Chanel Allure waar ik aan verslaafd was, met een ondertoon van het grapefruitluchtje van de geurkaars die Norma, de verloofde van mijn vader, me voor mijn laatste verjaardag had gegeven. ('Een vlam van een vlam,' had ze er heel lief bij gezegd.) Maar nu stond de plank boven de stijlvolle, ronde Philippe Starck-wastafel vol met een chaotisch mengelmoesje van grote blauwe flessen bleekwater, felgekleurde verpakkingen vlekkenverwijderaar en flessen crème-de-menthekleurig ontsmettingsmiddel. Ondanks de tornado's industriële luchtververser – het soort dat bedoeld is om stank te vernietigen in plaats van te maskeren – rook het in mijn badkamer naar een kruising tussen het trappenhuis van een parkeergarage en een latrine van het Glastonbury Festival.

Fluffy had weer eens op de granitovloer geplast, zag ik, en hij lag, half weggedoken onder mijn badhanddoek, die hij van het glanzende, roestvrijstalen droogrek had weten te trekken, prinsheerlijk te slapen op het kurkdroge grit van de kattenbak. Ik pakte hem op. Hij deed zijn ogen open, keek me slaperig aan, geeuwde en rekte zich uit terwijl ik het grit van zijn vacht sloeg en hem naar de kamer droeg. Toen ik de deur door ging zag ik nog net hoe Mark, heel onopvallend, zijn koffie in de gootsteen kiepte.

Ik schraapte mijn keel. 'Daar is-ie dan.' Ik ging, met Fluffy op schoot, op de bank zitten.

Mark kwam naast me zitten. 'Hé, hallo, jongen.' Hij kroelde Fluffy onder zijn kin. Fluffy ging op zijn rug liggen, keek met glimmende oogjes naar hem op, deed zijn bek open en begon op een van Marks vingers te knagen. 'Je bent een echt schatje, hè?'

'Vind je?' Ik nam Fluffy kritisch op. De eerste paar dagen was hij erg ziek geweest, met hoge koorts. Maar het puppyvoer voor zieke hondjes had, samen met de vervangende puppymelk die ik hem 's nachts om de vier uur had gegeven, plus zo nu en dan een restje van mijn bij M&S gekochte kant-en-klaarmaaltijden, een klein wondertje tot gevolg gehad, zag ik nu. Zijn droge, schurftige huid was zachter en soepeler, zijn ogen stonden een stuk helderder en hij scheen ook veel meer energie te hebben om te spelen. Maar ikzelf zag er, na zes gebroken nachten, eerder uit als een van mijn vele gebleekte spijkerbroeken.

'Au!' zei Mark, toen Fluffy wat te hard in zijn duim beet.

'Fluffy, stop!'

'Het geeft niet. Ik kan wel tegen een stootje. Hoe oud is hij?'

'Dat weet ik niet precies.'

Ik vertelde Mark hoe ik Fluffy de vorige zondag in Camden Town had gered. 'Nou, ik vind het fantastisch van je dat je hem wilt nemen,' zei hij, toen ik klaar was met mijn verhaal, 'maar hoe wil je het doen? Hoe had je gedacht de hond te combineren met al dat personal shopping?'

Diezelfde vraag had Clarissa me maandagochtend ook al gesteld. En de dierenarts ook. En pap en Norma, toen ik ze op dinsdag te eten had gevraagd om mijn nieuwe aanwinst te komen bewonderen – ofschoon mijn vader nogal bot was geweest in zijn bewoordingen. 'Je moet wel hartstikke geschift zijn om al dat geld te betalen voor zo'n schurftig scharminkel!' had hij gesnauwd, nadat hij met een afkeurend gezicht op de bank was gaan zitten. 'Hoe wil je verdomme nog aan toe voor hem zorgen?'

'O, Bob, doe toch niet zo negatief! Hij is beeldig!' had Norma geroepen terwijl ze, met haar kniehoge zwartleren laarzen, nauwsluitende heupspijkerbroek en fuchsiarode T-shirt dat als een tweede huid aan haar weelderige welvingen plakte, over het kleed had gekropen. In plaats van dat mijn vaders vriendinnen met de jaren ouder en rijper werden, werden ze alleen maar jonger en mooier. Norma was met haar achtendertig jaar maar drie jaar ouder dan ikzelf. Hoewel ze een ongehuwde moeder van twee jongens in de tienerleeftijd was – Jason en Shane – en een succesvol cateringbedrijfje runde van mooi opgemaakte schalen bonbons en chocolaatjes, kleedde ze zich en oogde ze als een vrouw van twintig. En buiten haar werk en uit de buurt van haar zoons gedroeg ze zich ook zo. 'Je bent een plaatje,' ging ze verder terwijl ze Fluffy oppakte en tegen zich aan drukte. 'Weet je, Bob, ik vind dat wij er ook zo eentje moeten nemen.'

'Wij?' Pap was ontzet. 'Waar komt dat "wij" opeens zo vandaan? Hou op, Norma. En als ik jou was, zou ik dat beest maar heel snel weer op de grond zetten voor hij je helemaal onderplast!'

'Die vader van jou,' riep Norma uit, 'kan toch zo ontzettend lollig zijn, af en toe.' Ze lachte echt en liet zich achterover vallen

op het kleed. Toen riep ze: 'O god! En hij heeft nog gelijk ook!'
'Smerig beest!'

Ik rende met hem naar de badkamer in de vergeefse hoop dat
hij zou leren om de kattenbak met plassen te associëren, en toen
ik even later weer binnen was gekomen, had pap opnieuw gevraagd: 'Nou, en wat ga je met hem doen wanneer je moet werken? Annie? Heb je daar al aan gedacht? En nu we het daar toch
over hebben, jongedame, waarom was je niet op je werk vandaag? Ik heb je tijdens de lunchpauze geprobeerd te bereiken.'

'Ik ben ziek, deze week.'

'Ja hoor,' had mijn vader gegromd. 'Ziek in je kop, zul je bedoelen. Hondsdol, zullen we maar zeggen!'

De vraag wat ik tijdens mijn werk met Fluffy zou moeten
doen, had me al vanaf de allereerste dag uit mijn slaap gehouden. Ik werkte zes dagen per week, van negen uur 's ochtends
– en soms nog vroeger, als een klant dat wilde – tot zes, zeven uur
's avonds. Donderdag was koopavond en dan waren we tot negen
uur open. Ondanks het feit dat ik onderdirecteur van de afdeling
was – mijn bazin, Eileen Grey, zou binnenkort met pensioen
gaan – wist ik dat ik Fluffy niet mee naar de winkel zou kunnen
nemen. Net bij als de meeste grote winkels in Londen waren
honden ook bij Haines and Hampton ten strengste verboden,
met uitzondering dan van blindengeleidehonden en hulphonden
voor gehandicapten. Daarbij wilde ik nog niet eens denken aan
wat Fluffy's plassen en ontlasting zouden aanrichten op de fluweelzachte, smetteloos witte vloerbedekking die onlangs in de
wachtruimte en paskamers van de personal-shoppingafdeling
was gelegd.

Maar inmiddels zag het ernaar uit dat mijn gebeden verhoord
waren in de vorm van *Wag the Dog Walks*. Al moest ik er dan
bij zeggen dat deze oplossing, net als het geval was met designer-
mode, weliswaar volmaakt, maar niet goedkoop was.

'Ik doe twee keer per dag een wandeling van een uur,' vertelde
Mark. 'Om negen uur 's ochtends, en dan in de middag. Je kunt
dus kiezen welke jou het beste uitkomt. Maar als je wilt, kan ik
hem natuurlijk ook twee keer per dag doen. Als je de hele dag

moet werken, is het voor Fluffy waarschijnlijk het beste dat ik hem rond het middaguur doe, want dat breekt zijn dag een beetje. Ik haal hem hier op en breng hem na afloop weer thuis.'

'Dat klinkt geweldig. Mag ik je vragen wat je daarvoor rekent?'

Hij keek beschaamd. 'Tien pond per wandeling. Ik weet dat het veel geld is, maar dat is de markt van tegenwoordig. En in tegenstelling tot andere hondenuitlaters die ik ken, en die met twaalf honden tegelijk op pad gaan, doe ik er maximaal vier per keer omdat ik duidelijk voel dat ik meer niet goed aankan. Hoe dan ook, ik vind het ook niet eerlijk naar de honden toe om met zo veel te gaan lopen, want dan komen ze aandacht tekort. Maar jij, Fluffyfluff, bent nog te klein voor dat soort lange wandelingen, hè?' besloot hij, terwijl hij zijn blauwe ogen van mij op Fluffy richtte, die op zijn schoot was gekropen om beter op de opvallend lange, puntige nagels van zijn rechterhand te kunnen knagen.

'Dat klopt. Hij heeft zijn injecties nog niet gehad en hij slikt nog medicijnen. Hij mag de eerstkomende maand nog niet met andere honden in contact komen. En ik moet je eerlijk bekennen dat ik er geen idee van heb wat ik zolang met hem moet doen.'

'Nou, ik zou bij hem kunnen komen oppassen tot hij oud genoeg is om mee te kunnen gaan wandelen,' stelde Mark voor.

'Oppassen?'

'Ik kan twee keer per dag langskomen en hem voeren, of hem de pillen geven die hij moet hebben, en dan speel ik ook een beetje met hem. Voornamelijk eigenlijk om te zien of alles goed met hem is.'

Mark was inderdaad een hemels geschenk. 'Echt?' vroeg ik ademloos. 'Dat zou meer dan geweldig zijn. Maar... wordt dat niet onbetaalbaar duur?'

Het hemelse geschenk haalde zijn indrukwekkende schouders op. 'Nou, ik heb het op het moment niet zo heel erg druk, dus ik weet zeker dat we het wel eens kunnen worden. Ik bedoel, het is uiteindelijk maar voor maximaal een maand, niet? Tegen die tijd kan hij gewoon meewandelen. Hoe dan ook, ik ben redelijk flexibel ten aanzien van geld – je zou me altijd nog, als deel van de betaling, aandelen kunnen geven in een handtas van een duur merk.' Hij glimlachte. 'En daarbij, het is ook niet zo heel veel moeite, want ik woon redelijk in de buurt – in Finsbury Park om precies te zijn. En jij woont zo goed als op mijn route naar Hampstead, waar ik twee keer per dag op de hei ga wandelen. Vind je vijftien pond per dag voor twee huisbezoeken en een poosje oppassen te veel? Want als dat zo is, dan kunnen we er-over praten. En als ik dan toch hier ben, zou ik ook kunnen hel-pen Fluffy te trainen, als je dat wilt.'

'Je bedoelt dat je hem zindelijk zou willen maken?' vroeg ik gretig.

'Dat ook, en daarnaast kan ik hem de nodige basisdingen bij-brengen zoals zitten, blijven, liggen, je weet wel. Ik ben goed met honden. Dat komt waarschijnlijk omdat ik op het land ben op-gegroeid, te midden van labradors en retrievers.'

Ik zuchtte. 'Zo te horen heb je een idyllische jeugd gehad.'

'Ja, dat kun je waarschijnlijk wel zeggen,' zei Mark op drome-rige toon. 'Jij dan niet?'

Ik begon eigenlijk het gevoel te krijgen dat ik voor een dag al meer dan genoeg over mezelf had verteld, dus ik volstond met te zeggen: 'Niet echt.'

'Het probleem met zo'n fijne jeugd is alleen dat niemand je van tevoren vertelt dat volwassen zijn een stuk moeilijker is,' ging Mark verder. Hij klonk bijna spijtig. Toen keek hij op zijn hor-loge. 'Verdorie, het is al vijf uur! Ik moet gaan. Dus, Annie, wil je dat ik bij Fluffy kom oppassen?'

Ik keek naar mijn pup en maakte snel een rekensommetje. Het zou me een klein vermogen kosten om Mark een maand lang bij mij thuis op Fluffy te laten oppassen, maar ik kon het me net veroorloven – als ik Fluffy wilde houden, was dit de enige op-lossing. 'Ja, graag, Mark. Het zou een enorme opluchting voor me zijn.'

'Geweldig.' Hij zette Fluffy voorzichtig op de vloer en stond op. 'Dan begin ik maandag, als je dat goed vindt. Zondag is hei-lig – dan slaap ik uit tot drie uur. Het enige wat ik van je nodig heb is een stel sleutels, en daarmee is de deal dan rond.'

'Sleutels?'

'Om mee naar binnen te kunnen om op Fluffy te passen wanneer jij op je werk bent. En als je bang bent voor diefstal of zo, kun je altijd naar mijn andere klanten bellen en om referenties vragen.'

'Dat zal niet nodig zijn. Ik weet zeker dat ik je kan vertrouwen.'

Hoofdstuk 10

En zo gebeurde het dat ik, die altijd was teruggeschrokken voor enige vorm van verplichting, de sleutels van mijn flat overhandigde aan Mark Curtis, een volslagen vreemde, en hem onbelemmerd toegang verschafte tot mijn leven. Aangezien ik de hele dag op mijn werk was, had ik er geen idee van hoe vaak zijn oude, gammele en gedeukte VW, met de handgeschilderde pootafdrukken en de naam van *Wag the Dog Walks* erop, op de parkeerplaats naast de glimmende Audi's en Porsches een plekje zocht. (Ik had de dagportier gezegd dat hij Mark binnen moest laten.)

Wat ik ook niet wist, was hoe lang Mark binnen was bij Fluffy, of wat hij uitspookte wanneer hij daar was. Zo af en toe stuurde hij me een sms'je om te melden dat alles in orde was. De dagen waarop ik niets van hem hoorde, zat ik de hele middag in angst dat hij niet was verschenen, en dan wist ik na afloop van mijn werk niet hoe snel ik, totaal uitgeput van de zenuwen, naar huis moest komen. Maar wanneer ik dan, met een schuldgevoel omdat ik Fluffy zo lang alleen had gelaten, de voordeur opendeed, was het geld dat ik voor Mark had neergelegd altijd weg en lag Fluffy zoals gewoonlijk heerlijk, tevreden en met een rond buikje in zijn box te slapen, en popelde hij om met mij te spelen.

Mark bleek een schat. Hij scheen precies te weten wat Fluffy nodig had en haalde het altijd zonder eerst met mij te overleggen. Zo gebeurde het bijvoorbeeld dat, toen ik tegen het einde van de tweede week 's avonds thuiskwam, er een groene rubberen bal in de box lag die ik nog nooit eerder had gezien. Toen ik hem naar de andere kant van de kamer gooide, schoot Fluffy er achteraan alsof hij dat zo geleerd had. Ik moest lachen om de komische wijze waarop hij met die pootjes van hem uitgleed op het gladde parket. Een andere keer kwam ik thuis en lag hij op een kluifvormig, plastic speeltje met uitsteeksels te knagen. 'Dit designer bijtspeeltje is afkomstig van de dierenzaak op de Queen's Crescent Market,' stond er op een nagenoeg onleesbaar, met balpen geschreven briefje dat hij op de salontafel had gelegd. 'Nu hoeft hij niet meer op mijn vingers, en op jouw Manolo blahblah's te knagen. Hoop dat je geen bezwaar hebt tegen de enorme onkosten van twee pond vijftig.' Het briefje was ondertekend met: 'Van Fluffy's Personal Shopper.'

De volgende ochtend legde ik extra geld neer voor Mark, met een briefje erbij waarin ik hem bedankte voor het genomen initiatief. Twee dagen later, toen ik in de kleedkamers bezig was met een Amerikaanse producer die moest kiezen tussen de groene avondjurk van Vera Wang waar ze voor de Londense première van haar nieuwe film haar zinnen op had gezet, en de bedrukte, nauwsluitende japon van Issa die haar veel beter stond, ontving ik een sms op mijn Nokia: 'Nieuw initiatief: heb kattenbak van de badkamer naar de gang verplaatst in de hoop dat Fluffy er tijdig bij kan zijn om hem te gebruiken. Oké?' Hoewel het in principe vreemd voelde dat Mark zomaar door mijn slaapkamer liep, haastte ik me dat gevoel van me af te zetten, en die avond, toen Fluffy en ik samen op de bank televisie zaten te kijken, sprong hij opeens op de grond, liep naar de gang, klauterde in zijn bak en deed er, tot mijn stomme verbazing, een plas.

Toen Clarissa vanuit Cornwall belde, waar zij en James een huisje huurden, kon ik haar naar waarheid uiterst voldaan vertellen dat Fluffy het uitstekend maakte en dat alles op rolletjes liep, dankzij Mark. Die hondenoppas bleek meer en meer een gouden greep te zijn geweest. Op een dag stuurde hij me een tekst waarin hij aanbood om Fluffy voor zijn controle naar de dierenarts te brengen zodat ik geen vrij hoefde te nemen om dat te doen. Een ander keertje belde hij vanuit Sainsbury's, waar hij zijn boodschappen deed, en vroeg of ik misschien ook iets nodig had. Toen ik zei van niet, vertelde hij me dat de melk in mijn koelkast zuur was en dat ik bijna door mijn waspoeder heen was – want dat was hem toevallig opgevallen toen hij onder het aanrecht naar iets zocht om Fluffy's laatste ongelukje mee op te dweilen. Toen ik thuiskwam lag er een pak wasmiddel op het aanrecht, stond er een liter verse melk in de koelkast en lag er ook nog een pakje hondenkauwsticks op het werkblad met een briefje ernaast waarop stond: 'Een cadeautje voor het jochie.'

'Hmmm, als je het mij vraagt klinkt hij een beetje als een stalker,' merkte Clarissa op, op die gebruikelijke wrange manier van haar. 'Volgens mij heeft hij het op je voorzien. Het is toch niet normaal dat hij zo in je koelkast gluurt en aan je melk snuffelt. Ik vind het eng.'

'Hij wilde waarschijnlijk een kopje thee voor zichzelf zetten,' nam ik het voor Mark op terwijl ik me op het kleed naast Fluffy liet vallen, die daar opgerold diep lag te slapen.

Op de achtergrond hoorde ik een vogel fluiten en toen hoorde ik hoe Clarissa een slok nam van de wijn die ze, volgens haar eerdere zeggen, aan het drinken was. 'Nou, ik heb zo mijn twijfels,' zei ze achterdochtig. 'Volgens mij heeft die hondenuitlater een oogje op je.'

Omdat ik zelf ook al een oogje op de hondenuitlater had, maakte mijn hart een sprongetje toen ze dat zei. Maar ik wist dat het te mooi was om waar te kunnen zijn. 'Onzin!' riep ik terwijl ik mijn eigen glas Pinot Grigio oppakte, dat gevaarlijk op het randje van de openhaard stond te wiebelen. 'Mark en ik zien elkaar nooit.'

'Misschien is hij daarom wel zo gek op je. Of anders voelt hij zich misschien wel tot je aangetrokken omdat je een teef bent!' Ze schaterde het uit.

Clarissa deed altijd wonderen voor mijn zelfvertrouwen. 'Nou hoor, Clarissa, je wordt weer reuze bedankt, joh. Hoe dan ook, mijn relatie met Mark is zuiver professioneel en we communiceren alleen maar per telefoon of per sms.'

Ik hoorde haar treurig zuchten. 'Klinkt perfect. Misschien

102

moest ik dat ook maar eens aan James voorstellen. Godzijdank is hij vanavond met de meisjes weg. Ze zijn op zoek gegaan naar de dichtstbijzijnde snackbar. Verslaafd als ze zijn aan de e-nummers, hielden ze het niet langer uit zonder die troep. Dus nu ben ik tenminste voor één avond niet gedwongen om voor Godin van het Huishouden te spelen en het meest fabuleuze voedsel op tafel te toveren, of om James te onderhouden met interessante conversatie.'

'Daar draai je toch zeker je hand niet meer voor om? Hoe lang zijn jullie nu al niet getrouwd?'

'Dat bedoel ik. Weet je, we zijn het gewoon niet meer gewend om zoveel tijd samen door te brengen. Wanneer we thuis zijn, communiceren we alleen nog maar via de kinderen. Op weg hier naartoe – een helse tocht, dat kan ik je wel zeggen – hadden we elkaar na een halfuurtje of zo al niets meer te vertellen. Stel je voor, vijf uur van snoepgoed, plasstops en krijsende ruzies over waar we naar moesten luisteren. *Harry Potter* versus *Horrid Henry* versus Kylie, of Danny Kaye die "Tubby the Tuba" zingt.'

'Geef mij Danny Kaye maar. En hou op over James te klagen – je weet best dat je stapel op hem bent.'

'Ach ja, dat is ook wel zo,' gaf Clarissa ietwat aarzelend toe. 'Zoals je stapel kunt zijn op je jongere broertje – van het soort dat je dagelijks zou willen wurgen. En ja, natuurlijk hou ik van hem. Ik wou alleen dat hij niet zo... nou, zo ontzettend energiek was! Hij heeft zo ontzettend veel energie – voor alles behalve seks. Een beetje van dattum zou niet gek zijn, laat ik je dat wel zeggen. Nee, bij hem is het van: "Kom op jongens, laten we een potje slagbal spelen!" Of: "Wie heeft er zin in Monopoly?" Of: "Gaan jullie mee naar het plaatselijke kaboutermuseum?" Of: "Ik heb een geweldig idee. Laten we een zandkasteel bouwen in de vorm van de Old Bailey!"' Haar imitatie van James was zó perfect dat ik erom moest lachen. 'Echt hoor, hij is net zo'n hyperactieve padvinder die een groepje moet leiden. Ik word geacht met vakantie te zijn, om uit te rusten en verwend te worden, maar ik zweer je dat ik hier nog minder tijd voor mezelf heb dan wanneer ik moet werken. Maar wanneer James en de meisjes even de deur uit zijn, zoals nu, dan is het zo heerlijk vredig. Wil je wel geloven dat dit het eerste moment is dat ik voor mezelf heb sinds we hier een week geleden zijn aangekomen? Op dit moment zit ik buiten, in de tuin, in een hangmat, te genieten van een gezond avondmaal van chardonnay en chips. Volmaakt.' Ik hoorde een luid kraken toen ze in een chipje hapte. 'En hoe is hij eigenlijk?'

'Wie?'

'De hondenuitlater.'

'O...' Ik nam een slok wijn. Om de een of andere reden wilde ik Clarissa niet al te veel over Mark vertellen – waarschijnlijk om me haar kritiek te besparen. 'Ik weet niet. Ik heb hem maar één keer gezien.'

'En?' drong ze aan op die gebruikelijke nieuwsgierige manier van haar.

'Wat kan ik zeggen? Hij is erg aardig. Lang, donker – '

'En onvoorstelbaar knap?' viel ze me giechelend in de rede. Opnieuw gekraak.

'Ja, zoiets.'

Ze verslikte zich in haar chips en ik verwachtte dat ze ook uit de hangmat zou vallen. 'Echt?' vroeg ze, toen ze was uitgehoest. 'Is hij vrijgezel?'

'Hoe moet ik dat nou weten?'

'Heb je hem dat dan niet gevraagd?'

'Nee, dat heb ik hem niet gevraagd. Hoe had je je dat voorgesteld? Iets van: "O, Hallo, Mark, hoe laat kom je Fluffy vandaag halen, en woon je soms met iemand samen?" Ik neem aan dat hij getrouwd is of dat hij op zijn minst een vaste relatie heeft. Hoe dan ook, wat maakt het uit? Hij is maar een hondenuitlater. Ik heb er niet echt aan gedacht.'

In werkelijkheid had ik er wél aan gedacht, zelfs vaker dan ik tegenover mijzelf wilde toegeven. Kon het werkelijk zijn dat Mark, zoals Clarissa beweerde, een oogje op me had? En was dat wederzijds? Hoewel ons gesprek na onze kennismaking nooit verder was gegaan dan Fluffy, genoot ik altijd van onze korte, wat flirterige telefoongesprekjes en de sms'jes die ik op mijn werk van Mark ontving. En toen ik eenmaal over de schok heen was van het feit dat hij, zonder iets te vragen, de kattenbak van de badkamer naar de gang had verplaatst, begon ik de gedachte dat hij tijdens mijn afwezigheid in mijn flat rondsnuffelde steeds geruststellender te vinden. En toen Mark me eind augustus op mijn werk belde en vroeg of ik er bezwaar tegen had dat hij van tijd tot tijd zijn gitaar meebracht om er tijdens het oppassen wat op te oefenen omdat hij thuis het verzoek had gehad het daar niet meer te doen, antwoordde ik dat ik best vond zolang de buren maar geen last van hem zouden hebben.

Toen ik die avond thuiskwam, lag er bedankbriefje voor me op de keukentafel, met daarnaast een bosje bloemen dat hij, volgens zijn zeggen, op de hei van Hampstead had geplukt. Het vaasje dat hij ervoor had uitgezocht, was een van mijn lievelingsvaasjes – een kannetje van roze porselein dat ik had meegenomen uit de flat van mijn oma toen ze drie jaar tevoren was overleden. Omdat ik het maar hoogstzelden gebruikte, was het achter in een van de hoogste keukenkastjes terechtgekomen. Hij moest echt moeite hebben gedaan om het te vinden – sterker nog, om bij dat kastje te kunnen komen, had je het trapje nodig dat ik in de gangkast had staan. En dat betekende dat hij de boel grondig doorzocht moest hebben.

De volgende dag bracht Mark zijn elektrische gitaar mee. Een week later zei hij dat het hem zinloos leek om dat ding elke avond mee naar huis te nemen om het de volgende ochtend weer mee terug te brengen, en dus zei ik dat hij hem rustig kon laten staan. Vanaf dat moment werd zijn gitaar op de zwartmetalen standaard een vaste bewoner van de hoek van de woonkamer. Afgezien van de gitaar zelf behoorden ook een aantal elektrische kabels, een grote subwoofer en een oud tabaksblik met een verzameling plectrums tot de uitrusting. 's Avonds liep Fluffy er wel eens heen en snuffelde eraan. Volgens een sms die ik in die tijd van Mark ontving, was mijn pup dol op muziek.

Inmiddels was het begin september en leek Fluffy in de verste verte niet meer op het treurige, zieke en uitgemergelde hoopje hond dat ik die fatale zondag in juli uit Camden Town mee naar huis had genomen. De kale plekken in zijn vacht waren bedekt met een laagje dons, zijn diarree was verleden tijd en de zweren van zijn bek, veroorzaakt door het touwtje aan het blikje van de bedelaar, waren volledig genezen. Doordat hij zo veel mogelijk in de zon op het balkon had geslapen en dagelijks zijn portie levertraan door zijn eten gemengd had gekregen, was zijn vacht prachtig gaan glanzen en waren zijn botten een stuk sterker geworden – het nadeel was alleen dat zijn adem er verschrikkelijk van ging stinken. Zijn poten waren ook rechter en langer geworden en hij liet zijn kopje ook al niet meer zo heel erg laag hangen – in plaats van tot mijn enkels kwam het nu tot halverwege mijn kuiten. Hij groeide als kool. Wanneer hij, zoals hij altijd deed wanneer hij opgetild wilde worden, aan mijn benen krabde, maakten zijn nagels schaafplekken tot aan mijn knieën. Toen de dierenarts hem voor het eerst had gewogen was hij een kilo geweest – inmiddels woog hij er vier.

Het meest bevredigende van alles was nog wel dat zijn staart nooit ophield met kwispelen en dat hij zijn bekje altijd half open hield waardoor het leek alsof hij voortdurend grijnsde.

'Het is net alsof hij zich realiseert dat hij onvoorstelbaar geboft heeft,' merkte dokter McClaw op toen ik bij hem was voor Fluffy's laatste vaccinatie. 'Hij is werkelijk onherkenbaar, vergeleken met een paar weken geleden. Gefeliciteerd.'

Ik kreeg een kleur van trots. Ik kon eigenlijk wel zeggen dat Fluffy mijn grootste make-oversucces tot nu toe was. Ondanks zijn malle, alle kanten op groeiende grijs en witte haar, waarvan de conditie per dag vooruitging, en zijn grote behaarde oren waarvan er eentje altijd recht overeind stond en de andere slap omlaag hing, bewoog hij zich met een onmiskenbare sierlijkheid en stijl. Zijn snuit was bijna even spits als die van een vos en zijn staart werd niet alleen langer, maar ook behaarder. Speels, vitaal en levenslustig sprong hij als een gazelle door de flat. Wanneer ik 's avonds thuiskwam, sprong hij zo blij tegen me op dat het wel leek alsof we jarenlang gescheiden waren geweest. Op zondag, wanneer ik de hele dag thuis was, deden we het samen heerlijk rustig aan – hij volgde me van kamer naar kamer en knaagde

op de kranten die ik uit had, en het leek wel alsof hij mijn voorkeur voor de modepagina's met me deelde.

Fluffy was nog niet honderd procent zindelijk, maar het begon erop te lijken. Hij had inmiddels begrepen wat de bedoeling
van zijn kattenbak was en hij maakte er dan ook vrijwel altijd
gebruik van. Het enige probleem was dat hij er een beetje te
groot voor was geworden en dat hij niet altijd even zorgvuldig
richtte. Hoewel ik de bak wanneer ik thuis was op het balkon
zette en hem altijd schoonmaakte wanneer hij vies was, hing er
voortdurend een onaangename geur in de flat en waren er ook
de nodige ongelukjes. Eigenlijk gebeurden er meer ongelukjes
dan ik bereid was toe te geven en, mogelijk omdat hij nog altijd
zo vaak te eten kreeg, moest Fluffy drie tot vier keer per dag
poepen. Mijn vader noemde hem de poepchinees.

Nu Fluffy al zijn prikken had gehad mocht hij naar buiten,
hetgeen, naar ik hoopte, het einde van de kattenbak zou betekenen. Het betekende ook het einde van het oppassen van Mark.
En dat was maar goed ook, want alles bij elkaar kostte me dat
– hoewel hij werkelijk niet duur was en hij heel wat uurtjes bij
Fluffy doorbracht – negentig pond per week. Als ik een tweede
slaapkamer had gehad, zou ik voor minder een inwonende au-
pair hebben kunnen hebben die dag en nacht voor Fluffy beschikbaar zou zijn geweest. Dus die zondag, weer thuis van mijn
bezoek aan de dierenarts, belde ik Mark om nieuwe afspraken te
maken. Hoewel het drie uur in de middag was, klonk hij alsof hij
nog maar net wakker was.

'Heb ik je gewekt?' vroeg ik, een tikje nerveus.

'Nee, nee.' Hij geeuwde. 'Ik ben al ruim een uur bij mijn posi-
tieven, maar ik lig nog in bed.'

Ik vroeg me af wat hij daar zo lang deed. 'Neem me niet kwalijk als ik je stoor.'

'Je stoort me niet. Ik doe niets. Of liever, ik ben bezig met het
ontspannen van mijn hamstrings, want zondag is mijn vrije dag.
Ik had je ook al willen bellen om een nieuwe afspraak met je te
maken.'

'Precies. Daar bel ik voor.'

'Nou, weet je, ik had gedacht dat het, hoewel Fluffy nu wel naar buiten mag en zo, misschien toch geen goed idee is om hem meteen al met de grote honden mee naar de hei te nemen. Het lijkt me beter om het niet te overhaasten, maar om hem beetje bij beetje aan het buitengebeuren te laten wennen. In die zin had ik gedacht om, zoals ik tot nu toe heb gedaan, bij je langs te blijven komen, en hem dan alleen uit te laten.'

'O ja?'

'Ja, om hem gedurende een weekje of zo aan het lopen aan de lijn te laten wennen. Een lange wandeling op de hei zou nog wel eens te veel voor hem kunnen zijn.'

'Ja, dat is waarschijnlijk wel zo. Hij is natuurlijk nog steeds een pup, niet?'

'En misschien is hij ook wel een beetje bang voor die grote honden. Je moet namelijk weten dat ik drie keer per week een rottweiler mee uit neem en op vrijdag een enorme mastiff.'

'Ja, ik snap wat je bedoelt.'

'Maisie, de rottweiler, is in feite een schatje – ze is echt ontzettend lief, en laf is ze ook. Vorige week, op Parliament Hill, is ze zich nog wild geschrokken van een teckel.' Ik lachte. 'Maar toch zou ik me voor kunnen stellen dat Fluffy bang voor haar is omdat ze zo groot is.'

'Mmm, dat zou kunnen. En, hoe dan ook, je hebt natuurlijk gelijk – een uur lang lopen zou nog wel eens te veel voor hem kunnen zijn,' zei ik. 'Nou, als je er geen bezwaar tegen hebt om nog een poosje langer op te komen passen...'

'Helemaal niet. Ik doe het graag.'

'Het enige is...'

'Ja?'

'Nou, na alles wat ik je al heb moeten betalen, zal Fluffy het nu met maar één wandeling per dag moeten doen.'

'O.'

'Ja, het is...' Ik haalde diep adem. 'Ik zeg niet dat je duur zou zijn, Mark. Integendeel, ik vind juist dat je tarieven ontzettend redelijk zijn voor wat je doet, en zonder jou zou ik het nooit hebben gered. Maar ik kan het me niet veroorloven om je datzelfde bedrag per week te blijven betalen, niet *ad infinitum*, alleen maar opdat Fluffy niet zo lang alleen is. Ik vind het geen prettige gedachte om hem zo lang achtereen alleen thuis te moeten laten, maar... ik dacht, als ik hem 's ochtends vroeg mee uitnam voor een lange wandeling, en jij hem dan rond het middaguur zou kunnen nemen... denk je dat dat voldoende is? Ik bedoel, als iets om naartoe te werken nu hij al wat ouder is?'

Het bleef lange tijd stil aan de andere kant van de lijn. 'Nou, weet je,' zei Mark ten slotte, 'ik ben eigenlijk heel graag bij dat kleine monster.'

'Hij is echt een schatje, niet?'

'Ja, en bovendien...'

'Ja?'

'Nou, dan is er ook nog die kwestie van mijn muziek.'

'Wat is daarmee?'

'De akoestiek in die grote woonkamer van jou is fantastisch. Ik vind het ontzettend stimulerend om daar te kunnen spelen – bij jou thuis ben ik veel creatiever dan ik in lange tijd ben geweest, zullen we maar zeggen. En ik ben op dit moment halverwege de compositie van een nieuw nummer.'

'Ja?'

'Mmm. Een beetje jazzy, bluesachtig nummer met een pop-ondertoon – denk maar aan een kruising van Oscar Peterson van circa 1959 met Kylie Minogues *Can't Get You Out Of My Head*.'

'Dat klinkt geweldig!'

'Ja, nou, ik wil niet verwaand zijn of zo, maar ik denk echt dat dit wel eens een grote, commerciële hit zou kunnen worden. Maar ik moet er nog veel aan schaven.'

'Aha.' Het lag op het puntje van mijn tong om te zeggen dat ik hem toch onmogelijk zou kunnen aanhouden als hondenoppas alleen om hem aan zijn compositie verder te laten werken, toen hij zelf met een suggestie kwam:

'Dus... eens denken... Wat zou je ervan zeggen om me te betalen voor het uitlaten in de ochtend, maar dat ik dan toch 's middags naar je huis kom? Zonder je dat in rekening te brengen, bedoel ik.'

'Wat? Je bedoelt dat je daar dan niets voor wilt hebben?'

'Fluffy zou niet al die tijd alleen hoeven zijn en in ruil daarvoor, voor dat ik hem af en toe uitlaat en zo, kan ik dan bij jou werken.'

Ik had even nodig om zijn voorstel te verwerken. 'Dus je bedoelt dat je mijn huis als een soort studio wilt gebruiken?'

'Ja. Zoals ik dat de afgelopen weken ook heb gedaan. Als een ruil, snap je?'

'Ja, ja. De ene gunst voor de andere.'

'Precies. Het gebruik van je flat in ruil voor het uitlaten van Fluffy. Ik kan me de huur van een studio niet veroorloven en jij kunt het je niet veroorloven om me zo veel te blijven betalen, dus dan is dit alleen maar een logische oplossing, vind je niet? En je bent toch de hele dag weg, dus je hebt geen last van het feit dat ik er ben, toch? En als je om de een of andere reden wel thuis zou zijn en je je flat voor je alleen zou willen hebben, kun je me gewoon wegsturen. En dan ga ik natuurlijk ook. Lijkt je dat wat?'

Er rinkelden meerdere alarmbelletjes in mijn hoofd, maar ik negeerde ze. 'Een interessant idee, moet ik zeggen.'

'Ja, dat is het ook. Plus...'

'Ja?'

'Ik zou me altijd nog op andere manieren nuttig kunnen maken.'

Ik realiseerde me dat ik glimlachte. 'Zoals?'

'Nou, ik zou boodschappen voor je kunnen doen. Ik zou de boel kunnen vegen. Die grote yucca in de woonkamer kunnen afstoffen. Boekenplanken op kunnen hangen.'

Ik werd ernstig. 'Nou, bedankt, maar ik heb al genoeg boekenplanken.'

'Dat is zo. Nou, in dat geval zal ik je gloeilampen verwisselen als ze kapotgaan.'

'Grappig genoeg is dat zo ongeveer het enige doe-het-zelven dat ik kan.'

Nu moesten we alle twee lachen. 'Moet je horen,' ging hij verder, 'als het niet bevalt, dan houden we er toch gewoon mee op. Zo simpel als wat.'

Ik haalde diep adem. 'Goed, dan.'

'Góéd?' Mark klonk geschrokken. 'Bedoel je dat je ermee akkoord gaat, of bedoel je dat je het niet wilt?'

'Nou, eigenlijk bedoel ik alle twee.'

'Geweldig! Hartstikke fantastisch, Annie!' Mark klonk extatisch. En toen voegde hij er profetisch aan toe: 'Ik beloof je dat je hier geen spijt van zult krijgen.'

Dat had hij me zwart op wit moeten geven.

Hoofdstuk 11

Ongeveer zes maanden later, op een woensdagmiddag in de tweede week van oktober, lag ik, met mijn schoenen uit en mijn benen omhoog, op de bank van de besloten receptie van mijn afdeling een glas champagne te drinken. Voor onze beste klanten hadden we altijd een fles Bollinger in de koeler klaarstaan – dat beschouwden ze, samen met in driehoekjes gesneden vers gemaakte sandwiches, als een vast onderdeel van onze service. Maar sinds ik tien jaar eerder als assistente op de personal shopping-afdeling van Haines was komen werken, had ik er een gewoonte van gemaakt om nooit te drinken tijdens het werk.

Die dag echter was een uitzondering. Ik was net klaar met een potentieel belangrijke klant met wie ik sinds elf uur die ochtend bezig was geweest, en ik had dringend behoefte aan een borrel. Tiffany George was de tweeëntwintig jaar oude vrouw van Ralph, een gevierde voetballer die onlangs door Arsenal was gecontracteerd. *Hello!* wijdde een artikel aan het nieuwe huis dat het stel in Mill Hill had gekocht, en Tiffany was bij me gekomen om kleren uit te zoeken voor tijdens de fotosessie.

Tiffany was, in haar lycra spijkerbroek en een strakker dan strak roze T-shirt van Stella McCartney, twee uur te laat op haar afspraak verschenen, samen met haar slecht opgevoede zoontje van drie, een oververmoeide baby en een onhandig en onaantrekkelijk kindermeisje – het was duidelijk dat ze niet van plan was haar man kwijt te raken aan de een of andere volupteuze au pair.

Eileen Grey bracht haar de ruime suite binnen waar ik op haar zat te wachten, en het ontging me niet dat het glimlachje van mijn bazin nogal geforceerd was. Eileen, een slanke, elegante vrouw die haar lange grijze haren in een chignon droeg en, net als haar grote voorbeeld Jean Muir, altijd minimalistische zwarte kleren aanhad, werkte al ruim dertig jaar bij Haines – eerst als inkoopster en daarna als cheffin van de personal shopping-afdeling die door haar was gestart. In de loop van die tijd was Haines binnen het high-fashioncircuit uitgegroeid tot de belangrijkste modezaak van Londen. Toen ik er was komen werken, had ze me onder haar vleugels genomen en me alles geleerd wat ik moest weten van stijl en kleding.

'Tiffany, dit is mijn assistente, Annie,' zei ze. 'Ik draag je aan haar over omdat ik er zeker van ben dat ze de perfecte kleren voor je zal kunnen vinden.'

Tiffany plooide haar opgeblazen siliconenlippen in een pruilmondje en liet haar Louis Vuitton Murakami-tas op een stoel vallen. 'O, best,' zei ze op een verveeld toontje.

Eileen glimlachte ijzig. 'Annie, ik weet dat je je best zult doen voor mevrouw George. Het woord is aan jou.' En terwijl ze de deur achter zich dichttrok vormde ze – achter Tiffany's rug en alleen voor mij zichtbaar – met haar lippen het woord: 'Kreng!'

Hoewel Tiffany van nature een schoonheid was – een klein neusje, grote blauwe ogen, een lichaam om een moord voor te plegen en lang, zijdezacht blond haar – gaven haar oranje huid, gouden hakken van acryl en verblindende overdaad aan dure accessoires haar een hard en ordinair voorkomen. Haar zure gezicht en verwaande gedrag maakten haar er nog onsympathieker op. Terwijl Acapulco, haar zoontje van drie (dat verwekt was tijdens haar verblijf in een vijfsterrenhotel in Mexico) het witte kleed onder de chocola smeerde en op de meest negatieve manier om aandacht vroeg en de gedeprimeerde nanny haar best deed om de huilende Croydon (verwekt tijdens een logeerpartij bij Tiffany's ouders) stil te krijgen, werkte ze zich chagrijnig door de twee rekken prachtige kleren die ik eerder die dag voor haar had geselecteerd. Al die tijd bleef ze de koptelefoon van haar iPod, hét modeaccessoire van dat seizoen, op houden. Ze wilde dat we haar de kleren zouden lenen, en toen ik haar beleefd vertelde dat de zaak dat nooit deed, verlangde ze vijftig procent korting. Toen ik haar nóg beleefder zei dat we dat ook nooit deden, deugde er ineens niets meer.

'Wat een klotetroep!' riep ze bij herhaling uit terwijl ze zich, meekronkelend op de ritmische klanken die we uit haar koptelefoon konden horen, uit jurken van Vivienne Westwood, blouses van Burberry, pantalons van Dries Van Noten en jasjes van Pringle wurmde en alles als oud vuil op de grond liet vallen. Acapulco, die ongestoord zijn gang kon gaan omdat zijn moeder totaal niet op hem lette, dook er voordat we dat konden voorkomen prompt bovenop en rukte en trok eraan met die smerige chocoladevingers van hem. Toen Tiffany een halve fles Bollinger soldaat had gemaakt en het beleg van de sandwiches had gegeten zonder er iets van aan haar zoontje of het kindermeisje aan te bieden, stapte ze op zonder iets te kopen, en dat na verklaard te hebben dat ze naar Harvey Nichols zou gaan om echt stijlvolle kleren te zien.

Toen het onthutste kindermeisje de Mexicaan bij de pols greep en de kinderwagen achter haar aan de suite uit duwde, stopte ik haar een grote zak make-upmonsters toe. 'Hier, voor jou,' fluisterde ik. Ze keek zó dankbaar dat ik heel even dacht dat ze in tranen uit zou barsten.

'Hé, wat zit er in die zak?' hoorde ik Tiffany vragen toen ze op de lift stonden te wachten.

'O, een vieze luier,' stamelde het arme kind. Mooi zo, dacht ik, en voor het eerst die dag glimlachte ik.

'En, hoe ging het met Cartier hoe-heet-ze-ook-alweer?' vroeg George Haines, de eigenaar van de zaak, gretig toen hij van zijn kantoor naar mijn afdeling belde.

'Ze heet Tiffany, meneer Haines. Hoewel Ratner een veel betere naam voor haar zou zijn – zeg maar Rat. Laat ik u zeggen dat ik van nu af aan nooit meer mijn zilveren Tiffany-oorbellen zal dragen. Als die trut hier ooit nog eens binnenkomt, zult ú haar moeten helpen.'

'Kom, kom, Annie, zo praat je toch niet over onze klanten.' George, een milde gentleman van de oude stempel, klonk geschokt.

'U hebt helemaal gelijk. Alleen het woordje "klant" impliceert dat iemand ook daadwerkelijk iets bij ons koopt, en dat geldt dus niet voor Tiffany.'

'Wat? Heeft ze dan niets gekocht?'

'Nee. Niets.'

'Hemeltje, hemeltje, Annie,' zei hij bezorgd. 'Ik had nog wel zo gehoopt dat we haar zouden kunnen strikken, want waar de echtgenote van één overmatig betaalde voetballer haar bevallige voetje zet, zouden er wel eens meer kunnen volgen, niet?'

'Een groot aantal van hen koopt al op onze afdeling en ze zijn allemaal even aardig. Maar zo iemand als Tiffany – neemt u nu maar rustig van mij aan dat u niet zou willen dat zo iemand onze kleren droeg.'

Toen ik had opgehangen besloot ik de rest van de champagne op te drinken voor de volgende klant zou komen. Ik was er bijna doorheen toen mijn Nokia ging. 'Ik zit met een probleem,' zei Mark, met de deur in huis vallend.

Ik zette mijn glas op de lage tafel. 'Is er iets met Fluffy?'

'Nee, maar jij bent de enige die me kan helpen.'

Inmiddels stelde ik me alle denkbare rampen in huis voor. 'Wat is er dan, Mark?'

'Is Fluorescerend Groen het Nieuwe Zwart?'

'Pardón?'

'Of Fluorescerend Groen deze winter het Nieuwe Zwart wordt. Dat moet ik weten, want ik sta hier op de markt van Chapel Street en ik ben nieuwe sportschoenen aan het kopen en in mijn maat hebben ze alleen maar fluorescerend groen.' Ik begon te lachen, terwijl hij volkomen serieus vervolgde: 'De verkoper hier beweert dat fluorescerende kleuren het weer helemaal gaan maken.'

'Ik kan me niet herinneren dat ze ooit echt in waren. Dat wil zeggen niet sinds de disco chic van 1970.'

'Betekent dat dat je vindt dat ik ze niet zou moeten kopen?'

'Zeg nou zelf, denk je dat ze leuk zullen kleuren bij het gras van Hampstead Heath?'

'Hé, ja, daar zeg je zo wat. En verder,' ging hij verder, 'heb ik Fluffy hier bij me, en we vroegen ons af of je iets nodig had voor het avondeten.'

'Zeg maar dat ik dat reuze lief van hem vind.' Sinds we eind augustus met onze nieuwe regeling waren begonnen, hadden Mark en ik een ontspannen, luchtige en vrolijke telefoon- en sms-relatie ontwikkeld waarvan de hond – het enige wat we met elkaar gemeen hadden – het middelpunt vormde. Daarnaast had Mark zichzelf meer en meer onmisbaar gemaakt – niet alleen als hondenuitlater en hondenoppas, maar ook in mijn huis, dat, nu hij er ook zijn elektronische keyboard, computer en een tweede gitaar had neergezet, steeds meer op een muziekstudio begon te lijken. Maar al die apparatuur in de hoek van de kamer was de moeite van het beetje overlast ruimschoots waard, want Mark in huis was als een inwonende huishoudster. Niet alleen werd er tijdens mijn afwezigheid voor Fluffy gezorgd, maar wanneer ik 's avonds terugkwam van mijn werk was het huis schoner dan ik het in de ochtend had achtergelaten. De vloer was geveegd, mijn vuile mueslikom was afgewassen en in plaats van dat de theedoeken over de kranen hingen, waren ze keurig netjes opgevouwen. En nu deed Mark ook al de boodschappen.

'Nou, eigenlijk kan ik best een nieuwe zak Hill's Science Diet gebruiken,' zei ik. 'De konijn-met-rijst-smaak.'

'Ik dacht dat Fluffy dat at. Eet jij het ook?'

Ik moest altijd lachen om die droge humor van hem. 'Ja, nou, ik wil dolgraag een glanzender vacht, en ik probeer een staart te krijgen.'

Hij grinnikte. 'Even serieus, Annie. Wat wil je eten vanavond? Je hebt alleen maar een beschimmeld stuk Cheddar, twee oude eieren, een bakje hummus waarvan de datum is verstreken en een verschrompelde citroen in de koelkast liggen.'

'Je wilt me toch niet vertellen dat je de hele dag met je hoofd in de koelkast hebt gezeten, wel? Ik dacht dat je aan dat nummer van je werkte.'

'Dat doe ik ook. Dat deed ik ook. Maar tijdens mijn pauze kon ik niet helpen dat me opviel dat ik je koelkast nog nooit zó leeg heb gezien.'

'Maak je geen zorgen. Ik ga op weg naar huis wel even bij M&S langs.'

'Waarom zou je?' zei hij. 'Ik sta voor een echte slager. Sterker nog, Fluffy trekt hard aan zijn riem om me mee naar binnen te krijgen. *Hé, mallerd, hou je eens even in!* Ik kan zó naar binnen en iets voor je halen. Het is echt belangrijk om bij buurtwinkels te blijven kopen, weet je, anders is Engeland straks één grote supermarkt. Wat denk je van een paar lekkere braadworsten? Of koteletten? Er ligt ook een mooie lendenbiefstuk in de vitrine – mooi doorregen en zo.'

'Doorregen? Wat bedoel je daarmee?'

'Je weet wel, dat er vet doorheen loopt.'

'Dat klinkt walgelijk.'

'Maar dat is het niet. Vet houdt het vlees mals door te smelten, en door het, onder het bereiden, van binnenuit met vet te overgieten. Echt hoor, Annie, heeft je moeder je dan helemaal niets van koken geleerd?'

'Ik had geen moeder,' zei ik. Het was eruit voordat ik het in had kunnen slikken.

Even was het stil en op de achtergrond hoorde ik de geluiden van de markt van Chapel Street. 'Wat?' vroeg Mark ten slotte.

Zelf aarzelde ik ook. 'Ik bedoel, ik had natuurlijk wel een moeder, maar ze was niet echt een moeder, als je snapt wat ik bedoel. Toen ik acht was, heeft ze mij en mijn vader laten zitten.'

Toen Mark opnieuw niets zei, begreep ik dat hij zich schaamde. Maar toen vervolgde hij, alsof ik niets had gezegd: 'Er liggen ook een paar mooie fazanten in de vitrine.'

'Bedankt, maar ik zou niet weten wat ik daarmee moest doen, afgezien dan van er een veer van op mijn hoed zetten.'

'Het stelt niets voor. Je hoeft ze alleen maar in de oven te doen met een beetje boter in hun poeperd, en – '

'Laat maar, Mark. Moet je horen, ik moet weer aan het werk.

Maak je over mij maar geen zorgen. Zoals ik al zei, ik haal zelf wel wat.'

Om zeven uur die avond was ik terug in Islington. Tussen de voedselschappen van de M&S tegenover het metrostation wemelde het zoals gewoonlijk van de bewoners van het Workhouse die, net als ikzelf, op weg van hun werk naar huis iets te eten kochten. Ik herkende een vrouw die op de parterre woonde en de man van verderop in de gang die, op de eerste ochtend nadat ik Fluffy mee naar huis had genomen, was komen klagen. We groetten elkaar met een strak gezicht en een knikje zoals we ook altijd deden wanneer we elkaar in hal van de flat tegenkwamen en liepen door met onze blik op de koeling, op zoek naar iets wat na drieënhalve minuut in de magnetron eetbaar zou zijn. Een gezonde portie bloemkool met kaassaus, gemaakt met echte boeren-Cheddar uit de West Country, sappige kip-tikka met saffraankleurige pilav-rijst, lasagne van de Italiaanse chef, smakelijke zalm met waterkerssaus – dit waren geen gewone kant-en-klaarmaaltijden die we kochten, het was volwaardig, sexy eten dat speciaal bedacht en gemaakt was voor ongehuwde, hardwerkende lieden zoals wij. Ineens bedacht ik dat het eigenlijk wel erg triest was, zoals we daar als jonge deskundigen, elk in zijn of haar eentje op de dure bank in zijn of haar prachtige flat, voor onze prijzige flatscreen-tv's of de huwelijksadvertenties doorkijkend onze opgewarmde hap zaten te eten. Wat het gebouw nodig had, was een gemeenschappelijke keuken, of desnoods een restaurant waar de alleenstaande bewoners bij elkaar konden komen, en samen konden eten en praten over hun eenzame bestaan – een soort kruising tussen Central Park en het Leger des Heils.

Anders dan in vriendschappen was ik nooit goed geweest in relaties. Sinds ik als meisje van zestien na twee weken gedumpt was door mijn grote liefde Melvyn, die in Hampstead Garden Suburb bij ons om de hoek woonde, had ik besloten om er nooit meer aan te beginnen. Ik had natuurlijk wel eens een minnaar – tot op heden waren dat er vier geweest en dat was volgens moderne maatstaven echt een bescheiden aantal voor een vrouw van mijn leeftijd – maar telkens wanneer de boel ook maar een beetje serieus dreigde te worden, had ik er zo snel mogelijk een punt achter gezet.

Intussen was ik eraan gewend om alleen te zijn – ik stond er eigenlijk amper bij stil. Volgens Clarissa – die, als maatschappelijk werkster, vol zat van dit soort psychologisch gewauwel – was dat omdat ik onbewust bang was om me aan iemand te hechten, en daarom wilde ik er niets van weten. Sinds mijn moeder me in de steek had gelaten, zei ze, weigerde ik onbewust mijzelf opnieuw in een vergelijkbare kwetsbare positie te plaatsen.

Onzin, had ik tegen haar gezegd. Alles bij elkaar had ik het volmaakt naar mijn zin in mijn eentje.

Dat nam echter niet weg dat er ook momenten waren waarop ik me eenzaam voelde en tot voor kort had daar ook het alleen thuiskomen toe behoord. Maar dat was intussen wel anders. Ik was niet langer een van de vele bewoners van het Workhouse die op weg naar een lege flat, precies voldoende eten voor zichzelf kochten, om de simpele reden dat mijn flat niet langer leeg was. En het was ook niet meer zomaar een flat – het voelde als een echt thuis. Fluffy was er en ik popelde om hem te zien. De laatste tijd leek hij altijd precies te weten wanneer ik thuiskwam. Zodra ik de trap op kwam of de lift uit stapte, hoorde ik hem onder de kier van de voordeur door snuffelen, en als ik dan even later voor mijn deur stond en in mijn tas naar mijn sleutels zocht, begon hij te blaffen en aan de deur te krabbelen. En op het moment dat ik de deur opendeed, besprong hij me met van vreugde glanzende ogen en zijn tong uit zijn bek – hij deed alsof we elkaar jaren niet hadden gezien.

Maar vanavond hoorde ik geen gesnuffel toen ik uit de lift stapte. In de gang weergalmde rockmuziek en het geluid kwam uit mijn flat. Aarzelend drukte ik mijn oor tegen de deur en luisterde. Ik hoorde ook een vals zingende mannenstem. Toen ik de deur langzaam openduwde, kwam mij een verrukkelijke geur tegemoet. Op de vloer in de hal lagen een stel modderige canvas sandalen, een enorme sleutelbos en een gestreept plastic tasje met een stel monsterlijke groene sportschoenen erin.

Ik liep op mijn tenen door naar de woonkamer en bleef op de drempel staan. Mark stond zingend achter het roestvrijstalen aanrecht op professionele wijze wat selderie te snijden. Naast hem zag ik een open fles wijn en een halfvol glas en achter hem, op het fornuis, stonden een steelpan en een braadpan waarin iets lag te braden. Fluffy zat met gespitste oren voor het kookeiland strak naar Mark te kijken. Na een poosje gooide Mark een stukje vlees vanaf de snijplank naar hem op dat hij, zonder van zijn plaats te komen, keurig opving in zijn bek.

'Dat is het laatste stukje dat je krijgt, kleine vreetzak,' zei Mark tegen hem. 'Nu zul je op je eigen eten moeten wachten.' Hij pakte de gesneden selderie met beide handen van de snijplank en gooide het in de braadpan.

Fluffy was de eerste die me opmerkte toen ik binnenkwam. Maar in plaats van zich naar me toe te haasten, volstond hij ermee zijn kop naar me toe te draaien en even te kwispelen, en toen draaide hij zich weer naar Mark, die de braadpan inmiddels van het vuur had getild en, uit volle borst zingend, als een beroepskok de groenten heen en weer bewoog.

'Mark?'

Met een ontzettend kabaal liet hij de pan terugvallen op het fornuis en draaide zich naar me om. 'Verdomme! Ik heb je helemaal niet binnen horen komen.'

Terwijl hij naar de cd-speler liep om het geluid wat zachter te zetten, liep ik naar het aanrecht en aaide Fluffy in het voorbijgaan even over zijn kop. Ik zette mijn boodschappen van M&S neer en keek naar een paar stukken vlees die in een kom lagen te marineren. 'Wat is dit?'

Mark kwam op zijn blote voeten teruggelopen naar de keuken, pakte een vork en draaide een stuk om. 'De fazant. Van de slager. Hij was zo spotgoedkoop dat ik hem niet kon laten liggen. Maar omdat je zei dat je geen idee had hoe je hem klaar moest maken, besloot ik het voor je te doen.'

'Dat is erg aardig van je.'

Er verscheen een rimpel op zijn voorhoofd. 'Ik hoop dat je geen andere plannen hebt voor vanavond? Ja? Verdomme, daar heb ik geen moment aan gedacht!'

'Ja, ik had inderdaad andere plannen.' Er gleed een schaduw over zijn gezicht. 'Ik had met mijn benen omhoog willen zitten en dit willen eten.' Ik haalde mijn eenpersoonsportie pasta uit het tasje en zette die op het aanrecht.

'Wat heb je daar?' Mark pakte het op. 'Spaghetti carbonara?' Hij keek naar de ingrediënten en huiverde. 'Het is een misdaad om dat soort voedsel te kopen, Annie. Heb je er enig idee van hoe snel en gemakkelijk het is – om nog maar over goedkoop te zwijgen – om dit zelf te maken?' Ik schudde mijn hoofd. 'Nou, dan zal ik je dat moeten leren.'

'Maar koken is zo ingewikkeld. Ik bedoel, ik kan koteletjes maken en zo. En ik kan bonen warm maken en restjes opbakken. Ik heb in mijn jeugd voor mijn vader moeten koken, weet je, nadat mijn moeder was weggegaan. Maar dit soort ingewikkeld eten hadden we nooit. Later pas, maar dan in restaurants.' Ik keek naar alles wat hij op het aanrecht had klaargelegd – appels, groenten, kleingesneden plakjes bacon, olijfolie en een plastic pakje met bollige bruine dingen. 'Wat zijn dát?'

'Vacuüm verpakte kastanjes. Voor bij de kool. Het is een beetje oneerlijk om ze zo te kopen, maar het is niet het seizoen voor verse.'

'Je hebt hier nogal wat eten voor één persoon.'

'Nou, ik had gehoopt dat je het met de kok zou willen delen.' Met de rug van zijn pols streek Mark zijn lange krullen van zijn voorhoofd. Sinds de enige keer dat we elkaar – drie maanden eerder – persoonlijk hadden gezien, was ik vergeten hoe knap hij was. Zoals hij daar achter het fornuis stond in zijn witte *Wag the Dog Walks* T-shirt, zijn kaki bermuda en met de theedoek om zijn middel geknoopt, het licht van de halogeenspotjes dat op zijn armen scheen en zijn haartjes deed glanzen, en met dat sterk doorgroefde gelaat van hem in een brede grijns, zag hij eruit om op te vreten.

'Dat klinkt geweldig,' zei ik. 'Dank je.'

'Dat hoort allemaal bij de service.'

Ik zag hem regelrecht naar de kast lopen waar ik de wijngla-zen had staan en hij haalde er eentje uit die hij vol schonk en aan me gaf. Hij leek zich volkomen thuis te voelen in mijn keuken – eigenlijk meer nog dan ik zelf. 'Geef je al je klanten deze ser-vice?' vroeg ik. 'Een soort van hondendinerservice?'

'Nou, als ik niet snel verder ga, wordt het inderdaad een hon-dendiner. Dus, neem me niet kwalijk...' Hij boog zich over de sis-sende pan. 'Ik hoop dat je honger hebt.'

'Nou, om je de waarheid te zeggen, ik rammel. En ik ben bekaf. Ik heb echt een verschrikkelijke dag achter de rug.'

'Ga dan maar lekker even douchen – of wat vrouwen dan ook plegen te doen – en dan staat dit over een halfuurtje op tafel. En neem Fluffy alsjeblieft mee. Ik heb de fout gemaakt om hem een paar stukjes te geven en nu blíjft hij maar zeuren.'

Anderhalf uur later – ik zou ontdekken dat Marks timing al-tijd aan de optimistische kant was – gingen we aan tafel en ge-noten we van een van de meest verrukkelijke thuis bereide maal-tijden die ik ooit heb gegeten: fazant uit de oven met selderie en ui, geflambeerd in het restje cognac dat ik al sinds ik in mijn flat was komen wonen achter in de kast had staan. Het werd geser-veerd met kool die gesauteerd was met de kastanjes en de bacon en er zaten appels uit de oven bij. Voor we begonnen te eten, hadden we Fluffy een extra bak van zijn konijn-met-rijstbrokjes gegeven in de hoop dat hij niet zou bedelen aan tafel. Maar de heerlijke geuren die van onze borden kwamen waren te onweer-staanbaar voor hem, en nadat Mark en ik tegenover elkaar wa-ren gaan zitten, koos Fluffy voor een plekje halverwege onze benen, terwijl hij zachtjes jankte en ons om beurten aan onze knieën krabde.

Misschien kwam het wel door alle wijn die we hadden gedron-ken in afwachting van het moment waarop we aan tafel konden, maar ons gesprek verliep even vloeiend als onze sms'jes dat doorgaans deden. Ik besefte dat het praten met Mark bijna even gemakkelijk was als het praten met Clarissa. Het leek wel alsof we elkaar al jaren kenden.

'Ik zie dat je uiteindelijk toch voor het fluorescerend groen hebt gekozen,' merkte ik op terwijl ik aan mijn tweede portie fazant begon.

'Je bedoelt mijn nieuwe gympies?'

'Wat? O, je gympies. Zo noemde mijn vader zijn sportschoenen vroeger ook. Dat was in de tijd dat hij ze nog droeg – in de tijd voordat hij grof geld verdiende en spullen van Gucci begon te kopen.'

'En hoe noemt hij ze nu?'

'Nou, "mijn Gucci's" natuurlijk. Hij is een aanhanger van de theorie "wie het breed heeft laat het breed hangen".'

Mark lachte. 'Nou, ik heb het niet breed en ik kan me ook niet voorstellen dat ik het ooit breed zal hebben. Maar met die groene gympies val ik beslist op. Denk je dat ze ermee door zullen kunnen bij die nieuwe fascisten van tegenwoordig, de fashionista fascisten?'

'Geen idee, maar ze zijn ongetwijfeld origineel, ironisch komisch en flitsend, hetgeen, binnen de modewereld, synoniem is voor wansmaak. Hé, stoute hond, hou daarmee op!'

'Wat doet hij daar beneden?'

'Hij krabt aan mijn knieën. Maar als je ze op de London Fashion Week droeg, zou je er zeker diepe indruk mee maken. Wie weet zou het wel eens het begin van een nieuwe trend kunnen zijn. En tussen haakjes, ik dacht dat je niets van mode af wist.'

'Dat doe ik ook niet.'

'Hoe kom je dan aan termen als "fashionista" en "het nieuwe zwart"?'

Mark glimlachte een beetje beschaamd en haalde zijn schouders op. 'Nou ja, je weet wel...'

'Nee, ik weet het niet. *Fluffy! Hou op! Zit!*' Fluffy kwam onder de tafel uit, ging liggen, legde zijn snuit tussen zijn poten en keek mokkend en verwijtend naar me op.

'Nou,' ging Mark verder, 'soms, wanneer ik 's middags hier ben om te werken, maak ik ook wel eens een kopje thee voor mezelf.' Hij zweeg.

'Ja, en?' drong ik aan.

'En... als ik dan wacht tot het water kookt, dan eh, ga ik wel eens een poosje op de bank zitten.'

'En?' drong ik nog eens aan.

'En... nou... soms doe ik dan helemaal niks en hang ik alleen maar wat, maar andere keren...'

'Ja?'

'Nou, andere keren kijk ik wel eens in die dingen daar.' Hij wees met zijn kin op de enorme stapel modebladen die op een van mijn bijzettafeltjes lag – bladen die ik voor mijn werk moest lezen.

Ik was stomverbaasd. 'Echt?'

'Is daar iets mis mee?' vroeg hij, nogal defensief.

'Nee, helemaal niet. Het verbaast me alleen maar dat je daarin geïnteresseerd bent.'

Hij haalde zijn schouders op. 'Sommige ervan vallen best mee. *Tatler*, *Marie Claire*, *Cosmopolitan* en *Style* zijn best aardig. *Wallpaper* vind ik het beste. Dat is een redelijk gaaf blad. En dan natuurlijk al die *Vogues* – de Amerikaanse, de Italiaanse, de *Vogue for Men*, de Engelse, de Engelse *Vogue for the Stylistically Challenged*. Ik wed dat er ook een *Vogue* voor honden bestaat, denk je niet? Die zou je dan voor Fluffy moeten kopen. Dan is hij een paar uurtjes zoet met knagen. Het zijn niet de foto's van de modellen die ik er het leukste aan vind – ze zijn me een beetje te mager, en sommige foto's zijn zo raar dat je niet eens goed kunt zien wat ze aanhebben. Nee, wat ik er het leukste aan vind...' Hij zweeg opnieuw.

'Ja?'

'Ach, laat maar zitten.'

'O, toe nou. Nu wil ik het ook weten.'

'Nou...' Hij haalde diep adem. 'Wat ik zo leuk vind, dat zijn die gratis monstertjes die bij sommige advertenties op de pagina zitten geplakt. Je weet wel, die zakjes met crème en shampoo en zo. Zo te zien gebruik jij die nooit. Ik vind het een lekker gevoel om ze van de bladzijden te trekken en er dan de lijm af te pulken. En sommige van die crèmes zijn nog lekker ook. Ik had er laatst een die vol zat met adenoïden.'

Ik deed mijn best om niet in schaterlachen uit te barsten. 'Je bedoelt retinoïden?'

'O ja, dat was het. Mijn handen werden er heerlijk zacht en glad van. Maar mijn echt, échte favorieten, dat zijn die advertenties waarvan je een deel van de bladzijde moet openvouwen – de geuradvertenties die zo lekker ruiken als je er overheen wrijft.' Het idee van macho-Mark die daar op mijn bank de gratis monsters en luchtjes zat uit te proberen was zo onverenigbaar dat ik inmiddels al dubbel lag over mijn bord. 'Ik wist wel dat je me uit zou lachen als ik het vertelde,' zei hij terwijl hij knalrood werd.

'Het spijt me! Maar je bent ontzettend komisch.'

'Nou, daar had mijn ex-vriendin een ander woord voor. Als ik me goed herinner noemde zij me een lul.'

'Misschien begreep ze je gevoel voor humor wel niet.'

'Volgens haar hád ik helemaal geen gevoel voor humor. Maar, lieve help, zelf was ze ook niet bepaald een vrolijk type. En nu ik erover nadenk kan ik me eigenlijk niet herinneren dat we ooit samen ergens lol over hebben gehad.'

'Dat moet een geweldige relatie zijn geweest. Hoe lang heeft hij geduurd?'

'Alles bij elkaar zo'n jaar of vijf.' Onze blikken vonden elkaar. 'En jij?'

'Ik?'

'Waarom is er geen meneer Annie Osborne in jouw leven?'

Ik voelde dat ik langzaam maar zeker knalrood werd. 'Hoe weet je dat die er niet is?'

Mark streek een lok haar uit zijn ogen. 'Nou, laten we zeggen dat ik geen sporen van hem heb gevonden.' De warmte sloeg van mijn wangen. 'Ik bedoel,' ging hij verder, 'dat er geen knoedel stinkende zwarte sokken onder het bed ligt te rotten. En in de badkamer is geen scheercrème te vinden. 's Ochtends staat er maar één lege koffiemok op het aanrecht. Er is maar één tandenborstel. En de dop van de tube tandpasta zit er altijd stevig op gedraaid.'

'Tja, dat zou overtuigend bewijs moeten zijn.' Maar inmiddels was mijn verlegenheid aan het omslaan in woede. Ik herinnerde me wat Clarissa had gezegd over Mark – dat hij een stalker was. 'Nou moet je me toch eens vertellen. Wat doe je eigenlijk als je hier bent? Zit je in al mijn spullen te snuffelen? Bespioneer je mij?'

Hij keek ontzet. 'Ik, jou bespioneren?'

'Ja, De koelkast. Het kastje van mijn badkamer. De ruimte onder mijn bed.'

'Ik heb onder je bed gekeken omdat ik Fluffy er onderuit probeerde te krijgen,' zei hij beteuterd. 'Hij zat eronder op iets te kauwen en wilde er niet uit komen.'

Op de voet gevolgd door de puppy in kwestie, die op hetzelfde moment opsprong als ik dat deed, pakte ik de vuile borden van tafel, liep ermee naar de keuken en liet ze in de gootsteen vallen. Er viel een lange stilte. Ten slotte vroeg Mark: 'Ben je boos op mij?'

'Het maakt niet uit,' snauwde ik. Ik trok de vaatwasser open en begon, terwijl Fluffy in de hoop op restjes om me heen draaide, het bestek in het mandje te doen.

Mark observeerde me zonder iets te zeggen. Na enkele minuten haalde hij diep adem. 'Ik heb je niet bespioneerd. Het zijn alleen maar dingen die me, zonder dat ik daar op uit was, zijn opgevallen.' Hij zuchtte. 'Maar dat geloof je niet, hè?' Ik gaf geen antwoord. 'O, verdomme. En nu heb ik het verknald, hè?'

'Wát heb je precies verknald, als ik vragen mag?'

'Hét. Mijn kans.'

'Wat voor kans?'

'Nou, ik dacht dat ik misschien een kansje maakte. Want weet je, Annie, ik vind het echt heerlijk om met je te praten. Je weet wel, door de telefoon. En ik had eigenlijk gehoopt dat er een soort van plekje voor me beschikbaar zou zijn.'

Ik draaide de kraan open en begon als een gek de borden te spoelen. 'Ik snap niet wat je bedoelt.'

'Een plekje. Je weet wel. Een vacature.'

'O, hou toch eens op met de dingen zo ingewikkeld te zeggen. Waar héb je het over?'

'Nou, je weet wel, die contactadvertenties in de krant. "Gezocht, partner voor LR. NR. GvH. HUGMFG".'

De vloer onder mijn voeten leek te kantelen en ik voelde een glimlach doorbreken op mijn boze gezicht. Ik ging met mijn rug naar hem toe staan en laadde de borden in de vaatwasser. 'Dat van Liefdevolle Relatie, dat weet ik. Niet Rokend. Gevoel voor Humor. Maar waar staat dan andere voor, dat HU-weet ik veel?'

'HUGMFG? Nou, voor Honden Uitlatende Gitarist Met Fluorescerende Gympies, natuurlijk.'

Mijn schouders schokten van de lach. Het duurde even voor ik mijn stem weer onder controle had, maar toen zei ik: 'Dus dan heb je niet alleen de *Vogues* zitten lezen, maar ook de contactadvertenties! Componeer je eigenlijk wel eens wat wanneer je hier bent?'

'Ja, hoor. Maar ik verveel me altijd vrij snel. Er zijn veel leukere dingen te doen.'

'Zoals het tellen van de tandenborstels, of het gebrek daaraan?'

'Ja, daar ben ik een paar dagen mee zoet geweest. En met de vraag of ik je ooit nog weer eens in levenden lijve zou zien, in plaats van altijd maar telefonisch contact met je te hebben.' Mark stond op van tafel, kwam naar me toe en sloeg zijn armen van achteren om me heen. Ze voelden sterk en veilig en ik verzette me niet toen hij me tegen zich aan trok.

'En wat als ik op zoek was naar een hondenuitlatende gitarist met fluorescerende gympies?' vroeg ik zacht.

Hij blies de haren uit mijn nek. 'Nou,' antwoordde hij, terwijl hij me daar een kusje gaf, 'dan zou ik wel willen solliciteren.'

Ik draaide me naar hem toe. En voor ik het wist waren we elkaar hartstochtelijk aan het zoenen.

Het volgende moment begon Fluffy als een gek te blaffen. Hij sprong tegen ons op en probeerde ons, gek van de jaloezie, van elkaar te scheiden. Mark en ik haalden onze lippen van elkaar en zeiden in koor: 'O, Fluffy, hou je kóp!'

Hoofdstuk 12

'Je hebt verkering met een gozer die wát doet?' riep mijn vader uit, toen ik hem zes weken later onder de zondagse lunch van rosbief en Yorkshirepudding bij Simpson's-in-the-Strand vertelde van mijn relatie met Mark.

'Hij is hondenuitlater. Ik bedoel, hij heeft een bedrijfje dat zich bezighoudt met het uitlaten van honden.'

'En hij heeft zeker een heleboel mensen in dienst, niet?'

'Nou, ik weet niet hoe veel.' Mijn vader keek me aan en kneep zijn ogen half dicht. 'Goed dan, hij doet het alleen,' gaf ik toe. 'Maar hij is echt ontzettend aardig, pap. Hij is een geweldig mens.'

Hij stopte een vork vol Yorkshire-pudding in zijn mond en spoelde het weg met een slok Beaujolais. 'Hij moet wel ontzettend ambitieus zijn om zulk werk te doen.'

Ik legde mijn hand op de zijne. 'Je hoeft heus niet zo sarcastisch te doen. Mark doet die honden alleen maar als bijbaantje. Hij is een getalenteerd musicus.'

Nu leek mijn vader pas echt goed van streek. 'Wat voor soort musicus?' vroeg hij achterdochtig.

'Nou, eh... rockmuziek,' zei ik, zo achteloos als ik maar kon. Pap verstijfde. 'Zit hij in een groep?'

Nu was het mijn beurt om de wijn te pakken. 'Nou, dat zát hij. Maar sinds de afgelopen paar weken probeert hij het in zijn eentje te maken.'

'Dat probéért hij, zeg je? Bedoel je daarmee dat hij geen werk heeft?'

'Nee!' Ik nam nog een slok. 'Hij is eigen baas.'

'Met andere woorden, werkeloos.' Wanhopig schudde hij zijn hoofd. 'Nou, liever, je hebt een echte winnaar gekozen. Helemaal het soort man dat ik altijd voor mijn enige dochter had zien zitten – een werkeloze rockmuzikant die honden uitlaat voor de kost! Had je niet iemand kunnen vinden die meer van jouw niveau is, Annie? En dat met al die dure scholen die je hebt gehad, en je studie bedrijfskunde!'

'Moet je horen, pap. Ik weet niet waarom je zo moeilijk doet over Mark,' zei ik defensief. 'Hij komt uit een heel aardige familie, en bovendien heb je hem nog niet eens ontmoet.'

'Dat hoef ik ook niet,' zei mijn vader koppig. 'Ik heb genoeg gehoord. Een rockster, verdomme. Een róckster!'

'Hij is geen ster.'

'O, en daar moet ik blij om zijn? Hij gebruikt zeker ook drugs, hè?'

'Nee, dat doet hij niet!'

'Hou toch op, Annie. Alle rockmuzikanten gebruiken drugs. Kijk maar naar de Beatles. En dan die gozer die getrouwd is met hoe-heet-ze-ook-alweer.'

Ik legde mijn bestek neer en liet mijn rosbief koud worden. Dat was jammer, want hij was werkelijk verrukkelijk. Maar door die negatieve houding van mijn vader had ik ineens geen honger meer. Ik wou dat ik tot na het toetje had gewacht om hem over Mark te vertellen – ik had appelkruimeltaart met custard op de kaart zien staan, maar daar had ik nu geen zin meer in. 'Wie is hoe-heet-ze-ook-alweer?'

Hij prikte zijn vork in zijn ovenaardappel en zwaaide ermee in mijn richting. 'Je weet wel, die van de tv met dat korte zwarte haar en dat mooie koppie.'

'Daar zijn er zo veel van, pap.'

'Je weet best wie ik bedoel! Ze hebben hun eigen show! En hij draagt een zonnebril.'

'Bedoel je The Osbournes?'

Maar mijn vader had al geen interesse meer in rocksterren die drugs gebruikten – hij ging liever door met mij uithoren. 'Vertel me eens, waarom wil een beeldschone jonge vrouw als jij haar leven vergooien aan zo'n slappe nietsnut als deze gozer?'

Het had geen enkele zin om mijn vader erop te wijzen dat ik, hoewel ik wist hoe ik het beste kon maken van mijn aardige figuur en vierkante gezicht, niet bepaald beeldschoon was en dat ik, met mijn vijfendertig jaar, ook zeker al niet jong meer was. Dus ik zei alleen maar, nogal boos bovendien: 'Mark is geen nietsnut. Hij is een fantastische componist. En hij is op dit moment toevallig een grote hit aan het schrijven.'

'Ha! En wie zegt dat, jongedame?'

'En verder vergooi ik me ook niet aan hem. Alsof ik met hem zou trouwen of zo! We hebben alleen maar een relatie, net als jij en Norma.'

Ik vertelde hem niet hoe innig onze relatie wel niet was. Ongeveer een maand na onze eerste kus was Mark bij mij ingetrokken. Het was geen ingrijpende beslissing geweest, het was gewoon gebeurd. Het leek zinloos om hem 's avonds naar huis te laten gaan als hij de volgende ochtend om halfnegen toch weer bij mij moest zijn om Fluffy voor zijn ochtendwandeling te halen. En daarbij was het koud en nat buiten. Het werd pas zo rond acht uur licht en om vijf uur was het alweer donker. De nachten leken eindeloos en aangezien we het grootste gedeelte ervan in bed doorbrachten – de liefde bedrijvend, of met het eten van alle zaligheden die Mark had gekookt, of lekker dicht tegen elkaar aan om naar dvd's met oude zwart-witfilms te kijken – kwam ons dat uitstekend van pas.

Clarissa wist ook al van onze relatie. Ik had haar erover verteld toen we op een avond na het werk samen snel iets hadden gedronken in een tapasbar in Upper Street. Ook haar reactie was ongewoon sceptisch geweest. Sterker nog, ze was duidelijk bezorgd geweest toen ik haar alles had verteld. Ze nam een grote slok van haar Sauvignon Blanc. 'Lieverd, dat is geweldig, maar...'

Mijn hand met een gevulde olijf verstijfde halverwege mijn mond. 'Maar wat?'

'Is het niet een beetje te snel, om Mark nu al bij je in te laten trekken?' vroeg ze.

'Te snél?'

'Nou, lieverd, jullie gaan nog maar een paar weken met elkaar om.'

Ik legde de olijf terug op het schoteltje. 'Clarissa, we kennen elkaar al eeuwen!'

'Mmm... niet echt. Nee.' Ze stak een cocktailprikkertje in een inktvisring. 'Jullie kennen elkaar nog maar nauwelijks – en zeker niet lang genoeg om nu al te kunnen weten dat je je leven met elkaar wilt delen.'

'Nou, dat weet ik wel. En Mark weet het ook. We houden van elkaar.'

Tijdens het kauwen had Clarissa me schattend opgenomen. 'Annie, jij en Mark weten zo goed als niets van elkaar.'

'Dat is niet waar!' protesteerde ik. 'We kennen elkaar al sinds juli, weet je nog? En daarbij woont hij eigenlijk al min of meer bij mij sinds de eerste keer dat we met elkaar naar bed zijn geweest. Ik bedoel, voor die tijd paste hij al op Fluffy en werkte hij bij mij thuis, en zijn gitaren stonden er al, en zijn keyboard en zijn computer. En aangezien we elkaar afgezien van 's zondags alleen 's avonds konden zien, bleef hij toch al elke avond slapen. Het enige verschil is dat hij nu officieel bij me woont. Én hij heeft een elektrische espressomachine voor me gekocht! Is dat niet geweldig? O, Clarissa, ik ben zo onbeschrijfelijk gelukkig!' besloot ik, waarna ik die olijf ten slotte in mijn mond stopte.

'Dat is heerlijk voor je, lieverd.' Haar glimlach was niet overtuigend, en even later begon ze opnieuw met: 'Maar...'

Ik zuchtte. 'Maar wat?'

'Moet je horen, ik ben blij voor je dat je het zo naar je zin hebt met Mark. Echt, dat meen ik. Maar waarom heb je zo'n haast? Het lijkt me echt niet zo verstandig dat hij nu al zijn flat opgeeft en bij je intrekt.'

'Nou, we hebben het gedaan, dus dat is nu niet relevant meer. En daarbij, we willen zo veel mogelijk samen zijn. Het leek ook zonde van het geld als hij zijn huur moet blijven betalen wanneer hij toch nooit thuis is. Om nog maar te zwijgen over al het geld dat hij met dat heen en weer rijden aan benzine kwijt zou zijn.'

Met een geïrriteerd gevoel dronk ik mijn glas leeg en gebaarde de kelner dat ik de rekening wilde hebben. 'Luister, ik moet weg. Mark heeft het eten vast al klaar en ik weet zeker dat hij zich afvraagt waar ik zo lang blijf.'

Wat hadden Clarissa en mijn vader toch? Ze zeurden me al sinds jaren aan het hoofd dat ik niet zo pietluttig moest zijn en gewoon een aardige partner moest zoeken. In die tijd had ik zo goed als niemand ontmoet die ik aardig vond. En nu ik uiteindelijk verliefd was geworden op een ongelooflijk aardige man – nu Mark mijn saaie, grauwe en eenzame bestaan was binnengewandeld en het als bij toverslag had veranderd in een heerlijk, flonkerend, blij en met heerlijk voedsel gevuld wintersprookjesland – hielden ze maar niet op me te zeggen dat ik toch vooral voorzichtig moest zijn.

Voorzichtig zijn was wel het laatste waar ik in die eerste paar bedwelmende maanden aan wilde denken. Ik kon mijn geluk gewoon niet op. Het ene moment was ik single en het volgende speelden Mark en Fluffy een rol in mijn leven. En tegen Kerstmis had ik het gevoel dat we voor eeuwig een gezinnetje zouden zijn en was ik ervan overtuigd dat mijn leven het hoogtepunt van geluk had bereikt. Maar Mark had een verrassing voor mij.

Dat jaar was pap met Norma en haar twee zoons voor de feestdagen naar Parijs gegaan. Hij had natuurlijk gevraagd of ik mee wilde, maar ik bleef liever bij Mark. We hadden achtenveertig uur helemaal voor onszelf en op kerstochtend stonden we laat op, maakten onze cadeautjes open, deelden onze porties fazant met Fluffy en reden toen met het busje van *Wag the Dog* naar Hampstead Heath voor wat, vanaf die dag, onze traditionele kerstwandeling zou worden.

De loodgrijze hemel voorspelde regen en er stond een ijzige oostenwind. Toen we Fluffy loslieten, dook hij een bosje achter Parliament Hill in, en hoe we hem ook riepen, hij kwam niet terug. Tegen de tijd dat we hem ten slotte, onder de modder en met zijn kop in een vossenhol, vonden, was het al bijna donker. Ik bibberde zo erg dat ik ervan klappertandde en mijn handen waren ijsklompjes in de Miu Miu-handschoenen waar Mark zijn volledige maandsalaris aan had uitgegeven.

'Je hebt het koud omdat je geen behoorlijke kleren aanhebt,' zei hij, terwijl hij me de handschoenen uittrok en mijn bevroren vingers warm blies.

Ik moest lachen. 'Je klinkt net als mijn juf van school, vroeger. Ze zei altijd: "Koud weer bestaat niet, het is gewoon een kwestie van verkeerde kleren."'

'Nou, ze had helemaal gelijk. Wat jij nodig hebt, is thermo-ondergoed – mmm, sexy! – en een behoorlijk jack, in plaats van dat miezerige jasje dat je nu aanhebt.'

'Het is helemaal geen miezerig jasje! Het is een MaxMara!'

'Dat kan wel zijn, maar het is veel te kort,' zei Mark. 'Het laat je middel bloot. Geen wonder dat je zo staat te rillen. Kom op, wie het eerste boven op Parliament Hill is. Daar zul je wel weer lekker warm van worden.'

Ik deed mijn best om het van hem te winnen, de steile helling op, op mijn zwart suède enkellaarsjes met een klein hakje, maar ik zakte weg in de modder en hij en Fluffy waren veel sneller dan ik. Ik hijgde en pufte de laatste meters achter hen aan. Mark, die op het hoogste punt was aangekomen – zijn gestalte stak af tegen het bijna donkere panorama van de stad en zijn wilde haren wapperden in de wind – bleef met gespreide armen op me staan wachten. Toen ik bij hem was gekomen, trok hij me tegen zich aan en sloeg de voorpanden van zijn anorak om me heen. Fluffy rende, tegen de wind in blaffend, als een gek in kringetjes om ons heen.

'Dit is een heerlijke manier om Kerstmis te vieren,' zei Mark, terwijl hij een kusje op het puntje van mijn ijskoude neus drukte.

'Volmaakt,' was ik het met hem eens, en ik nestelde me tegen hem aan.

'Ik ben zo gelukkig met jou, Annie,' fluisterde hij.

'Echt?'

'Nee, ik lieg. Weet je,' vervolgde hij op dromerige toon, 'ik wil echt dat we voor altijd samen blijven.'

'Ja?'

'Ja.' En na enkele seconden voegde hij eraan toe: 'Voor altijd.'

'Dat is een lange tijd.'

'Niet als je het naar je zin hebt. En we hebben het naar onze zin, of niet soms?' Ik knikte. Toen zei Mark: 'Ik zou samen met jou oud willen worden, Annie. We zouden samen puppy's kunnen krijgen. En misschien ook wel baby's.'

'Puppy's ja. Maar baby's? Daar moet ik eerst nog eens even over denken!' zei ik luchtig en ik kuste hem op de mond.

Hij keek op me neer. 'Ik weet best dat ik niet echt de hoofdprijs ben voor iemand zoals jij, maar...' Hij aarzelde. 'Zou je... Ik bedoel, ik zou echt willen dat dit een succes werd, weet je. Dus... Wil je met me trouwen, Annie Osborne?'

En dat was een vraag waar ik maar één antwoord op kon geven.

Hoofdstuk 13

De volgende ochtend schudde mijn kersverse verloofde me heel vroeg wakker. 'Tijd om op te staan, liefste.'

Met moeite deed ik mijn ogen open, deed ze meteen weer dicht en trok de deken over mijn hoofd, maar niet voordat Mark snel een teder kusje op mijn naakte schouder had gedrukt. 'Liefste?' Hij tilde het laken op en drukte nog zo'n kusje op mijn oor.

'Ja?'

'Ik heb een cappuccino voor je gemaakt.'

In een explosie van vreugde herinnerde ik me dat dit de eerste ochtend van onze verloving was. Vervolgens drong het tot me door dat dit tweede kerstdag was – een dag waarop ik bij wijze van uitzondering een beetje uit kon slapen. Ik ging op mijn rug liggen en keek naar hem op. 'Hoe laat is het?'

'Iets van halfacht of zo,' antwoordde hij ontwijkend.

Dit was bepaald niet de eerste keer dat Mark me op een onmogelijk vroeg tijdstip gewekt had, maar meestal lag hij dan zelf ook nog in bed – naast me, of half boven op me – en wilde hij een wip. Maar vanochtend was hij al aangekleed, zijn haar was nog nat van de douche en Fluffy, die achter hem zat, likte zijn lippen alsof hij al had gegeten. Was dit een voorproefje van hoe ons huwelijksleven eruit zou komen te zien, vroeg ik me af – een en al huishoudelijkheid en geen seks?

Ik hees mezelf overeind, leunde in de kussens en liet me door Mark een reusachtige kop koffie aanreiken. 'Kijk, ik heb hem precies zo gemaakt als je hem lekker vindt,' zei hij zacht. 'Vijfennegentig procent schuim.'

Ik lepelde wat van het met cacao bestrooide schuim in mijn mond en voelde me meteen een stukje beter. 'Mark, liefste, waarom ben je zo vroeg op? Of liever, waarom moet ík zo vroeg opstaan?'

'Nou, ik had gedacht dat het leuk zou zijn om tweede kerstdag buiten door te brengen,' antwoordde hij vrolijk.

Ik keek naar buiten. 'Maar het is nog donker!'

'Dat is waar, maar dat blijft het niet – tegen de tijd dat we er zijn is het allang licht, of niet?' legde mijn nieuwe verloofde geduldig uit. 'En als we later op weg gaan, nou, de dagen zijn zo kort in deze tijd van het jaar, dat het al donker is tegen de tijd dat we er zijn.' Hij boog zich over me heen en kuste me. 'Kom op, Annie! Alsjeblieft! Fluffy wil eruit. Ja toch, ouwe rakker? Hij zal het heerlijk vinden, Annie. Hij zal al die buitendingen kunnen doen, zoals fazanten schieten, op vossen jagen en schapen naaien.'

'Maar...' Ik probeerde wanhopig een smoes te bedenken om mijn lekkere warme bed niet te hoeven verruilen voor de koude, vochtige wereld. 'Mark, ik heb helemaal geen kleren om buiten mee rond te wandelen!'

Hij schoot in de lach. 'Annie, ik ken niemand die zo veel kleren heeft als jij! Je hebt kasten vol! Hoe dan ook, we gaan naar buiten. Het maakt niet uit wat je draagt, zolang het maar warm is. En daarbij,' vervolgde hij, de deken van me af trekkend, 'je weet toch dat ik je het liefst heb zónder kleren aan.'

Mark wist precies hoe hij zijn zin moest krijgen. Ruim een uur later zat ik, gekleed in twee nogal vormeloze truien, een van zijn fleecejacks, mijn oudste en meest sjofele Levi's en een paar roomkleurige Uggs waarvan Mark zei dat ze precies op de sloffen van zijn oma leken naast hem in zijn roestige *Wag the Dog*-busje de onmiskenbare hondenlucht in te ademen. We reden over de mistige M11 Londen uit. Fluffy lag met zijn snuit omhoog en zijn oren gespitst op mijn schoot nieuwsgierig naar buiten te kijken en Mark zat vrolijk achter het stuur een nieuw

136

deuntje te neuriën dat hij al een paar weken in zijn hoofd had. Het leven was volmaakt.

'Weet je eigenlijk wel waar we naartoe gaan?' riep ik om boven het geratel van de slecht werkende verwarming uit te komen.

'Natuurlijk,' mompelde hij.

'Is er in de buurt een gelegenheid om te lunchen?'

Hij grijnsde. 'Ja hoor, die is er.'

'Hoe lang is het rijden?'

'Mmm...' Hij dacht na. 'Nou, als de mist optrekt... en met deze oude rammelkast... Ik schat dat het iets van vier uur rijden is.'

'Wat?' riep ik onthutst uit. 'Mark, waar gaan we in vredesnaam naartoe?'

Hij schonk me een jongensachtige grijns. 'Norfolk. Het leek me een leuk idee om het goede nieuws aan mijn ouders te vertellen.'

Ik keek totaal ongelovig naar zijn zelfingenomen grijnzende profiel. Maar toen kon ik mijn verontwaardiging ineens niet meer de baas. 'Waarom heb je me dat niet verteld, verdomme?'

Hij fronste zijn voorhoofd. 'Dat weet ik niet. Ik denk dat ik je wilde verrassen, liefste. En daarbij,' bekende hij, 'als ik het van tevoren had gezegd, zou je nu nog steeds voor de spiegel hebben gestaan om te beslissen wat je het beste aan zou kunnen trekken.'

'Nou, ik zou in ieder geval niet zó naar ze toe zijn gegaan!' Ik plukte aan mijn gescheurde spijkerbroek. 'En ik zou mijn haren hebben gewassen, en me hebben opgemaakt! Zo ga ik niet naar ze toe. Ik wil dat je omkeert.'

'Dat meen je niet!'

'Ja, dat meen ik wel!' riep ik uit. 'Ik vertik het om in deze kleren met je ouders kennis te maken!'

Hij keek me opnieuw aan, glimlachte en schudde zijn hoofd. 'Rustig nou maar, Annie. Mam en pap zullen stapel op je zijn. Kleren en uiterlijkheden kunnen hen geen barst schelen.'

De pub van zijn ouders, de Dog and Fox, lag aan de rand van Minhampton, een schilderachtig dorpje even buiten Norwich. Het was een langgerekt, twee verdiepingen tellend, uit plaatselijke natuursteen opgetrokken gebouw met rieten dak en rokende schoorstenen, en aan de ene kant een ruime parkeerplaats. Aan de houten poort hing een schoolbord waarop met krijt was geschreven: 'Uit Eigen Keuken: Kalkoen en Fazant uit de Oven, Kruidige Appelkruimeltaart.' Op een ander bord, dat langs de weg tegen een grote steen aan leunde, werd reclame gemaakt voor 'Real Ale' – echt bier – en 'Open Haardvuur'. Ik was bloednerveus voor mijn kennismaking met Jackie en Dennis Curtis, maar ik popelde om naar binnen te gaan. Niet alleen moest ik heel dringend plassen na die rit van vier uur, maar bovendien had de verwarming bij Cambridge de geest gegeven. Weliswaar had ik Fluffy bij wijze van kruik tegen mijn buik gedrukt gehouden, maar intussen had ik geen gevoel meer in mijn vingers en waren mijn voeten in twee klompjes ijs veranderd.

Mark reed de parkeerplaats op die vol stond met terreinwagens, glimmende Mercedessen en oude auto's. Hij stopte in het midden, boog zich voor me langs en deed het portier open. 'Stap maar vast uit. Ik rij achterom en zet de auto in het laantje achter.'

'Nee,' zei ik. 'Ik ga met jou mee. Ik ga hier niet zonder jou naar binnen!'

'Kom, het is maar een pub, Annie! Het is echt niet het hol van de leeuw,' zei hij. 'Mijn ouders bijten niet, liefste. En daarbij is het laantje achter in deze tijd van het jaar altijd een enorme modderpoel, daar wil je niet doorheen met je laarzen.'

Dat gaf voor mij de doorslag. 'Goed. Maar ik blijf hier buiten op je wachten,' hield ik vol.

Ik sprong uit de VW en liet Fluffy bij Mark, die zei dat de hond, na uren in de auto te hebben gezeten, waarschijnlijk dringend even een loopje nodig had. Onder het uitstoten van dikke wolken zwart uitlaatgas reed het busje achteruit de parkeerplaats af en de weg weer op, en was even later uit het zicht verdwenen. In afwachting van Mark en Fluffy's terugkeer liep ik stampend op en neer in de koude, vochtige lucht, en sloeg mijn handen tegen mijn dijen om de bloedsomloop weer op gang te krijgen.

De minuten verstreken, maar ze kwamen niet terug. Ik hupte een paar keer en keek met kinderlijk genot hoe mijn adem witte wolkjes vormde. Door de raampjes van de pub kon ik de mensen binnen zien glimlachen en drinken. Ik hoorde hun lach en het gerinkel van de glazen. Ik keek op mijn horloge – intussen stond ik hier al zeven minuten te wachten. Mark moest toch intussen allang geparkeerd hebben. Was er misschien iets gebeurd? Of was hij mij vergeten?

Ik wachtte nog eens vijf minuten. En toen, omdat ik het echt niet langer uithield in de kou, ging ik met tegenzin naar binnen. Het interieur van de Dog and Fox was precies zoals Mark het had beschreven: een ouderwetse, gezellige mengelmoes van glanzend gepoetst koper, donkere, eikenhouten vloeren, kleine ronde tafeltjes en versleten maar comfortabele leunstoelen. Het lage, witgekalkte plafond had oude balken en aan weerszijden van de langgerekte gelagkamer was een openhaard waarin een lekker vuur brandde. De ruimte geurde naar brandend hout en kerstbomen. De openhaarden en de balken van het plafond waren versierd met slingers van dennentakken, ballen en dennenappels met rood-met-gouden linten. Verder hing er de onmiskenbare geur van gebraden vlees. Mark had me verteld dat het kleine restaurant van de pub was ondergebracht in een apart zijvertrek.

Achter de bar – een glanzend gewreven houten blad met ouderwetse bierpompen, rijen glazen erboven, talloze flessen likeur en sterkedrank tegen de achterwand – stond een klein, vogelachtig vrouwtje met een bleke huid, kort grijs haar en een onvriendelijk gezicht. Ik nam aan dat ze Marks moeder was en wist niet goed of ik me aan haar moest voorstellen. Maar toen ze een biertje voor een klant tapte, zag ze me. Verschrikkelijk zenuwachtig – ik had mezelf nog nooit eerder aan een toekomstige schoonmoeder hoeven voorstellen, en ik wist dan ook niet goed hoe je dat deed – ging ik naar haar toe. 'Neemt u mij niet kwalijk, maar bent u mevrouw Curtis?'

'Ah,' zei ze, in het zangerige, plaatselijke accent waarvan Mark had verteld dat het Broad Norfolk heette. 'Ik weet wie je bent! Eindelijk! Dat werd hoog tijd.'

'O, ik...' stamelde ik. 'Ik wist niet dat u ons verwachtte.'

'Nou, eigenlijk hadden we al een uur geleden afgesproken.'

'Het was een verschrikkelijk eind rijden.'

Ze knikte. 'Toch fijn dat je komt helpen.' Voor ik verder nog iets kon zeggen, wendde ze zich tot de oudere man in een Barbour die aan de bar stond te wachten en gaf hem zijn bier. 'Alsjeblieft, Michael.'

'Dank je, Jackie,' zei hij. 'Zet maar op de rekening.'

'Het is Kerstmis, je krijgt hem van het huis,' zei ze, met een glimlach die haar hele gezicht deed stralen.

'Proost! En neem er strakjes maar eentje van mij!'

Nu wendde Jackie zich weer tot mij en ik vond eigenlijk dat ze best wat aardiger tegen me kon zijn. 'Dennis is al begonnen met het opdienen van de lunches, dus zou je alsjeblieft rechtstreeks naar hem toe willen gaan om hem een handje te helpen?'

Ik vermoedde dat het van een toekomstige schoondochter verwacht werd dat ze mee zou helpen in de zaak, dus ik zei: 'Goed. Natuurlijk. Waar moet ik precies zijn?'

'Kom maar achter de bar en dan neem je die deur. Je vindt hem in de keuken. Laat dat jasje maar hier onder de bar. Hemel,' zei ze, terwijl ik Marks fleece uittrok, 'je bent wel erg sportief gekleed voor Kerstmis. Heeft hij dan niet tegen je gezegd dat je je een beetje leuk moest aankleden? Nou ja, zo belangrijk is het ook niet. Waar het om gaat zijn helpende handen. Kijk, die deur daar.'

Inmiddels voelde ik me ronduit ellendig. Deze kennismaking met mijn toekomstige schoonouders dreigde op een ramp uit te lopen. En Mark maar zeggen dat zijn ouders niet om iemands uiterlijk gaven – Jackie was duidelijk niet blij geweest met mijn oude, kapotte spijkerbroek. En waar blééf Mark eigenlijk, verdomme? Ik begon aardig boos te worden. Was hem iets overkomen? Ik voelde me regelrecht in het diepe gegooid! Hij had toch op zijn minst even binnen kunnen komen om me aan zijn ouders voor te stellen.

Jackie deed de deur achter de bar voor me open. Die gaf rechtstreeks toegang tot een ouderwetse maar glimmend schone restaurantkeuken waar een jongeman plakken van een enorme kalkoen stond te snijden en ze op borden schikte, terwijl een lange man met een wit koksjasje voor het roestvrijstalen fornuis vol steelpannen stond. Hij roerde in een van de pannen en gebruikte zijn andere hand om een grote koekenpan te schudden. 'Dennis, hier is ze dan eindelijk!' riep Jackie. 'Oké, meisje, ga je gang,' zei ze tegen mij, waarna ze terugkeerde naar de bar.

Dennis – Marks vader – stond nog steeds met zijn rug naar me toe, maar zelfs van achteren kon ik zien dat ze op elkaar leken. Ze hadden dezelfde brede schouders, dezelfde vorm hoofd en hetzelfde krullende haar, hoewel dat van Dennis korter en grijzer was en op zijn kruin begon te kalen. 'De schorten liggen daar, kind.' Hij wees met zijn kin op een kast. Niet echt een hartelijke begroeting, dacht ik. Het was duidelijk dat de Curtissen behoorlijk informeel waren.

Ik deed de kast open, haalde er een opgevouwen groot wit schort uit en trok het aan. En toen, met het voornemen om wat assertiever te zijn, liep ik naar Dennis, ging naast hem staan en stak mijn hand naar hem uit. 'Hallo, ik ben Annie,' zei ik.

Hij keek me heel even aan, schonk me Marks glimlach en concentreerde zich weer op het koken. 'Aha, Annie,' mompelde hij, terwijl hij het stuk vlees in de pan – het zag eruit als een biefstuk – heen en weer schoof. 'Ik dacht dat je zei dat je Juliette heette.'

En wie was Juliette, verdomme? Zodra Mark zich vertoonde zou ik hem dat meteen vragen. Het volgende moment kwam een lange vrouw van in de dertig door de klapdeuren de keuken in. Ze hield een enorme stapel vuile borden tegen haar indrukwekkende boezem gedrukt. 'Twee kalkoen met garnituur, een fazant en een salade gerookte paling voor tafel vier, pap,' zei ze. 'En waar zijn de fazant en de biefstuk voor tafel tien?'

'Komt eraan, Lizzie.' Enkele seconden later had Dennis twee prachtig gegarneerde borden tevoorschijn getoverd.

Lizzie – Marks zuster – zette de vuile borden op het aanrecht en wendde zich tot mij. 'Breng je ze voor me naar binnen, alsjeblieft? Tafel tien is helemaal achteraan. Mijn likdoorns doen ontzettend pijn en ik moet echt even zitten, want ik hou het niet meer uit.'

Voor ik besefte wat er gebeurde, had ik de twee warme borden in mijn hand gedrukt gekregen, was ik de klapdeurtjes door en stond ik in een klein, mooi restaurant met een twaalftal tafels die allemaal bezet waren. Met brandende vingers liep ik net zo ver door tot ik bij een tafel kwam waar maar twee mensen aan zaten.

'Biefstuk?' vroeg ik aan de vrouw. 'Fazant?'

'Nee, dank je, schat,' zei een van hen. 'Wij hebben het hoofdgerecht al gehad en we wachten op het toetje.'

'Ik denk dat die voor ons zijn,' zei een man aan het tafeltje ernaast. Ik zette de borden voor hem en zijn vrouw neer en haastte me terug naar de keuken terwijl ik onderweg nog een paar lege, vuile borden van een andere tafel meenam. Net toen ik de keuken weer binnen wilde gaan, werd ik geroepen door een andere klant. 'Mevrouw? Zouden we nog wat water kunnen krijgen? En nog zo'n fles?'

Ik keek naar het etiket van de wijnfles en dook de keuken weer in. 'Nog een fles Côtes du Rhône zus-of-zo van 2006 voor de tafel bij het raam,' riep ik voordat ik een nieuw stel borden in mijn hand kreeg geduwd en ik het restaurant weer in liep.

Toen ik de keuken weer in kwam, kwam Mark juist door de deur van de bar naar binnen. 'Heeft iemand een – o, dáár ben je, Annie!' riep hij uit. 'Ik heb je overal lopen zoeken!' Zijn blik ging over mijn schort, de stapel vuile borden in mijn hand en mijn stomverbaasde gezicht. 'Wat dóé je daar, in vredesnaam?' vroeg hij. 'Pap? Lizzie? Wat is hier aan de hand?'

'Hoe bedoel je?' vroeg Dennis. 'Ken jij Annie dan? Je moeder en ik dachten dat ze het meisje uit Norwich was dat ons vandaag een handje zou komen helpen!'

Mark schoot in de lach.

'Bedoel je dan dat ze dat níét is?'

'Nee, pap. Dit is Annie, mijn vriendin uit Londen. Of liever,' vervolgde hij, terwijl hij bezitterig een arm om mijn schouders sloeg, 'ze ís mijn vriendin al niet meer, ze is mijn toekomstige vrouw. Pap, Annie en ik gaan trouwen!'

Vanaf dat moment liep de bediening van de gasten van de Dog and Fox behoorlijk uit de hand, maar niemand scheen het erg te vinden. Mark ging trouwen, kregen ze van een stralende Dennis te horen, en iedereen kreeg een drankje van het huis. Zelfs in de keuken vloeide de champagne. Nadat ik mijn schort af had gedaan, werd ik samen met Fluffy naast een van de openhaarden op een ereplaatsje gezet en stond ik in het middelpunt van de belangstelling. Allemaal wilden ze me leren kennen, met inbegrip van Marks andere twee zussen, Katie en Emma, die met hun echtgenoten en kinderen in andere dorpen in de omgeving woonden, maar die waren gekomen om kennis met mij te maken. Van mijn zenuwen voor de kennismaking met Marks familie was al snel niets meer over, vooral omdat we voortdurend weer dubbel lagen over het feit dat ik per vergissing voor de serveerster – de echte Juliette was gelukkig even na Mark gearriveerd – was aangezien.

En waar was Mark geweest toen ik mijn serveerstersdebuut had gemaakt? Het bleek dat hij, toen hij had willen parkeren, had gezien dat hij nog maar weinig benzine had. De dichtstbijzijnde pomp was in het volgende dorp, dus hij was er zo snel mogelijk heen gereden uit angst dat de pomp al vroeg zou sluiten.

Toen Jackie eenmaal te horen had gekregen wie ik was, putte ze zich uit in verontschuldigingen – vooral ten aanzien van haar opmerking over mijn kleren. Ik mocht haar. Ze was eenvoudig gekleed en had geen spoortje make-up op haar gezicht, maar ze straalde een ongelooflijke warmte en rust uit. Ze was heerlijk oprecht en open. Haar bleke huid leek bijna doorschijnend en je kon zó aan haar zien dat ze een enorm goed hart had en volkomen eerlijk was.

Dennis en Jackie, die opgetogen waren dat hun zoon, de eeuwige vrijgezel, eindelijk wilde trouwen, namen me onmiddellijk op in hun gezin, en ik werd net zo behandeld als hun eigen dochters. Aan het einde van de dag was ik zó thuis in het tappen van pilsjes en het opscheppen van porties kruimeltaart dat het, toen Mark en ik ten slotte weg moesten, vreemd voelde om op te stappen, want ik voelde me volkomen thuis. Toen Jackie me op de parkeerplaats omhelsde en zei: 'Voor mij voel je al helemaal als een lid van het gezin, Annie,' wist ik precies wat ze bedoelde.

En wat speet het me dat mijn vader niet net zo over Mark dacht, als deze mensen hier over mij.

Hoofdstuk 14

Eind april trouwden we. De bruid droeg een roomkleurige, lange, mouwloze, schuin geknipte, nauwsluitende, zijden japon van Vivienne Westwood met daaronder een paar naaldhakken van kakikleurige zijde van Giuseppe Zanotti. De bruidegom droeg zijn oude Levi's – die hij voor de gelegenheid gewassen en gestreken had – met een gloednieuw, lichtblauw shirt van Gap, zijn felgroene gympen en een veel te groot roomkleurig smokingjasje dat hij bij de Oxfam-zaak in de buurt van ons huis op de kop had getikt. 'Aardig van hem, om er zo veel moeite voor te doen,' had mijn vader droog opgemerkt toen we elkaar voor de burgerlijke stand ontmoetten. Maar ik wist dat van ons beiden Mark er het meest modieus uitzag.

Na langdurig onderhandelen met de gemeente Islington die, net als Haines and Hampton, alleen maar blindengeleide- en hulphonden in zijn gebouwen toeliet, kregen we uiteindelijk toch toestemming om Fluffy – met een grote satijnen strik in plaats van zijn gebruikelijke halsband – de zogenaamde plechtigheid bij te laten wonen. Zijn enige moment van wangedrag die dag was toen hij het been van de vrouwelijke ambtenaar van burgerlijke stand probeerde te berijden terwijl Mark en ik elkaar onze gelofte voorlazen. Het was zijn laatste kans op seks voor het huwelijk, zei Mark tegen haar, waarna hij haar geld voor de stomerij gaf.

Mijn vader had een bescheiden etentje voor ons geregeld in een privézaaltje van de Ivy. Dit was niet mijn grootse bruiloft

144

waar hij altijd van had gedroomd, en waarvoor hij een kerkelijke inzegening had willen organiseren in een kerk van het bescheiden kaliber van bij voorkeur Saint Paul's Cathedral, hetgeen dan gevolgd zou moeten worden door een prijzig diner-dansant in een duur hotel. Maar Mark en ik hadden op een eenvoudige bruiloft gestaan. En dat was eigenlijk maar goed ook, want hoewel pap het nooit met zoveel woorden zei, liet hij doorschemeren dat een lunch voor dertig personen (weliswaar in een van Londens meest trendy restaurants) meer dan goed genoeg voor mij was, gezien het feit dat ik erop stond te trouwen met een man die, volgens hem, totaal geen ambitie had en die waarschijnlijk van zijn leven niet in staat zou zijn om op een fatsoenlijke manier de kost te verdienen.

Met tranen in zijn ogen en een glaasje champagne te veel in zijn hand, ging hij staan, keek de tafel rond – onder de gasten bevonden zich Norma, George Haines, Eileen Grey, Clarissa, James en de meisjes en, natuurlijk, Marks familie – en bracht een heildronk uit op de bruid en de bruidegom. Hij deed echt zijn best om even enthousiast over zijn nieuwe schoonzoon te doen als Dennis en Jackie over hun schoondochter, maar ik en Norma konden duidelijk horen dat hij niet meende wat hij zei. Mark was uniek, zei pap, hij wás me d'r eentje, en hoewel hij niet echt de schoonzoon was die hij voor zijn geweldige dochter in gedachten had gehad, leek hij best een aardige knul die, naar het scheen, haar gelukkig maakte – al kon pap dan niet goed begrijpen wat ik in hem zag (een opmerking waar Marks familie hartelijk om moest lachen). Desondanks, ging pap verder, had hij altijd gedroomd van een schoonzoon die een goede kans zou maken op het kampioenschap knokige knieën dat bij Butlins werd gehouden, en aangezien Mark vrijwel altijd in een korte broek liep, zou hij wel eens de aangewezen kandidaat kunnen zijn. Pap ging verder met te zeggen dat het een reuze slimme zet van mij was geweest om met mijn hondenuitlater te trouwen, want op die manier hoefde ik hem niet langer te betalen om een straatje om te gaan met dat domme mormel van mij (daar werd ook om gelachen).

Hij ging verder met een lofzang op mijn geweldige kwaliteiten – mijn vriendelijkheid, mijn moed, mijn schoonheid, enzovoort, om nog maar te zwijgen over mijn grote hart en mijn neiging om alle mogelijke zwerfdieren op te nemen (dit met een zijdelingse blik op Mark) zonder van tevoren bij de gevolgen daarvan stil te staan. Maar wat pap vooral in mij bewonderde, vervolgde hij, was het arbeidsethos waarmee ik het binnen mijn werkkring – personal shopping – zo ver had geschopt. Dit was natuurlijk mede dankzij het feit dat hij een dure opleiding voor me had betaald ('Dat klopt!' riep Clarissa). Ik zou mijn talent voor make-overs ook eens op mijn echtgenoot moeten uitproberen, voegde mijn vader eraan toe. Want hij kon wel een beetje opfrunniken gebruiken. (Hier laste hij een pauze in om zijn uitspraak bevestigd te krijgen). Kortom, besloot pap, zijn nieuwe schoonzoon had een enorme mazzel dat hij zo'n juweel van een vrouw aan de haak had geslagen, en als hij me ooit teleur zou stellen of me slecht zou behandelen, zou hij hem persoonlijk met een bezoek vereren om hem de strot om te draaien.

Daar werd enthousiast om geklapt, want iedereen beschouwde het als een grapje. Alleen Norma en ik wisten dat hij het werkelijk meende. Van alle aanwezigen was mijn vader de enige die er rekening mee hield dat ons huwelijk wel eens een vergissing zou kunnen zijn. Zelfs Clarissa, die aanvankelijk, toen Mark bij me was ingetrokken, getwijfeld had, had inmiddels ingezien dat Mark en ik voor elkaar geschapen waren. 'Wat een bofferd ben je toch. Je verdient hem helemaal niet,' zei ze toen we terug waren van ons weekje huwelijksreis naar Sussex in het enige luxehotel dat we hadden kunnen vinden waar honden naar binnen mochten, en ik haar met onze foto's verveelde: Mark, Fluffy en ik in een middeleeuws hemelbed. Fluffy en ik op een bankje. Mark en Fluffy op een pier. Ik en Mark die in de tuin aan het kussen waren – die foto hadden we zelf gemaakt door de camera van ons af te houden.

'Echt,' zei ik, 'als ik van tevoren had geweten hoe heerlijk het is om getrouwd te zijn, zou ik het al jaren geleden hebben gedaan.' We zaten aan Clarissa's keukentafel – ze had ons uitgenodigd voor de lunch – en nadat we hadden gegeten, waren Mark en James met de kinderen een wandeling op Primrose Hill gaan maken.

'Je moet er het beste van maken,' zei Clarissa op een ongewoon bitter toontje. 'Want neem maar rustig van mij aan dat het niet altijd zo zal blijven.' Ze dronk haar glas leeg, pakte de wijnfles, zag dat hij leeg was en pakte James' glas. En dronk dat leeg.

Toen barstte ze in tranen uit.

Ik keek haar stomverbaasd aan. In al die jaren dat ik haar kende, had ik mijn beste vriendin nog maar één keer zien huilen, en dat was toen ze twaalf was en haar enkel had gebroken tijdens de sprint op de sportdag van school. En toen had ze alleen maar gehuild omdat ze had willen winnen, niet omdat het pijn deed. 'Clarissa, wat is er?'

Ze sloeg haar handen voor haar gezicht. Haar vingers, zag ik, zaten onder een soort allergische uitslag. 'Het spijt me,' zei ze. 'Ik wil geen spelbreker zijn. Het is alleen dat jij zo gelukkig bent, en ik... Nou, weet je, ik ben gewoon ontzettend jaloers!' Ze lachte door haar tranen heen. 'Zou je alsjeblieft willen ophouden steeds maar te zeggen hoe geweldig alles is?'

Het bleek dat terwijl Mark en ik de grootste lol en de fijnste seks hadden – in de douche, op het strand van Sussex en een keertje zelfs ook achter in het busje – James en Clarissa geen van beide hadden. De combinatie van twee banen, vier dochters van nog geen twaalf, James' moeder die Alzheimer had, boodschappen doen, koken en schoonmaken, had hun libido ernstig ondermijnd.

'Tegen de tijd dat we 's avonds in bed vallen, zijn we alle twee doodmoe.' Clarissa snoot haar neus in de verkreukelde tissue die ze uit de mouw van haar vest had gehaald. 'En als een van ons zin heeft in seks, heeft de ander dat niet, en die zeldzame keren dat we er op hetzelfde moment behoefte aan hebben, kun je er zeker van zijn dat een van de kinderen wakker wordt en ons komt storen. Meestal is dat Miranda. Soms denk ik dat ze een ingebouwde anti-seksradar heeft. James en ik hoeven alleen maar elkaars onderbroekenelastiek te laten knallen of ze wordt krijsend wakker uit een nachtmerrie, komt onze kamer in gerend en kruipt bij ons in bed. En niet gewoon bij ons in bed, maar tussen ons in. Het ideale voorbehoedsmiddel, zullen we maar zeggen. Volgens mij wil ze zich ervan verzekeren dat ze altijd het jongste kind zal blijven.' Ze zuchtte. 'En doe me een plezier, lieverd, zeg hier niets van tegen Mark – James vermoordt me als hij erachter komt dat ik je dit allemaal heb verteld, maar ik kan me de laatste keer dat hij en ik echt goed gevrijd hebben niet eens meer herinneren. En de laatste keer dat we het überhaupt hebben gedaan, was met Oud en Nieuw – en dat is alweer vijf maanden geleden. En ik weet bijna zeker dat we het toen alleen maar hebben gedaan omdat we alle twee het gevoel hadden dat het van ons verwacht werd. Is dat treurig, of niet?'

'Behoorlijk,' beaamde ik.

'Maar het ergste van alles,' zei ze, me met haar roodbetraande ogen aankijkend, 'is nog wel dat ik mijn zelfvertrouwen kwijt ben. Als vrouw, bedoel ik dan.'

'In plaats van je zelfvertrouwen kwijt te zijn als een buitenaards wezen? Of als vaatwasser?' Daarmee lukte het me net haar een beetje aan het lachen te krijgen.

'Afwassen is het enige waar ik tegenwoordig nog goed in ben,' zei ze. 'Ik bedoel, moet je me zien!'

Doorgaans was het Clarissa die op de professionele toer ging om me over mijn problemen heen te helpen, maar nu was het mijn beurt. Ik probeerde haar totaal objectief te bekijken, alsof ze een klant van me was. Ze droeg haar typische Clarissa-kloffie: een verschoten roze met blauwe bloemetjesjurk, met daarop een oud, uitgelubberd zwart vest met nagenoeg doorgesleten ellebogen, dat eruitzag als een afdankertje van haar moeder en dat waarschijnlijk ook was. In plaats van dat ze er in haar Assepoesterkleren slank en chic uitzag zoals ze anders deed, maakte ze nu een uitgemergelde indruk, alsof ze zich te lang voor anderen had uitgesloofd en helemaal niets voor zichzelf had gedaan. Haar lange blonde, naar grijs neigende haren moesten dringend gewassen, geknipt en gespoeld worden. Maar het ergste was nog wel dat haar anders zo prachtige, stralende huid waar ik altijd jaloers op was geweest nu dof en vettig was. Ze zag flets en ziekelijk, had donkere kringen onder haar ogen en een rijp puistje op haar kin.

'Mmm, ik geloof niet dat deze jurk veel voor je doet,' zei ik, zo diplomatiek als ik maar kon.

'O, toe, Annie! Kom op, je beledigt me door zo verschrikkelijk áárdig te zijn.'

'Neem me niet kwalijk.' Ik haalde diep adem. 'Goed, als je de waarheid wilt horen, dan kan dat ook. Je haar moet een beurt hebben, en een beetje make-up kan ook geen kwaad – minstens iets van mascara en wat lipgloss. En die jurk is een dweil.'

Ze kromp ineen. 'Is het echt zo erg?'

'Het ding is verwassen en uit model. En kijk, er zit een vlek op de rok, en aan de voorkant hangt de zoom eruit. Waarom verberg je je mooie slanke figuur onder zo'n zák?' Ik plukte een paar pillen van haar vest. 'En dit ding lijkt wel een uitverkoopje van de Oxfam-winkel.'

Ze glimlachte zonder vreugde. 'Je bent een heks. Hij komt van een rommelmarkt van de Kankerbestrijding. Van vijf jaar geleden.'

'Nou, het is hoog tijd om hem weg te gooien!' verklaarde ik met klem.

'Ja, dat weet ik.' Ze zuchtte. 'En geloof het of niet, deze jurk en dit vest behoren tot de betere kleren die ik heb. Het is waarschijnlijk geen wonder dat James niet meer op me valt.' Ze liet me haar handen met uitslag en afgekloven nagels zien. 'Ik was vroeger trots op mijn handen, maar nu horen ze thuis in zo'n ouderwets spotje voor afwasmiddel: hoe handen er vóór het gebruik van zus-of-zo uitzagen. Ik ben de vrouw die de afwas doet met soda.'

'Je moet ze verzorgen,' zei ik. 'Hou op met nagelbijten en trek rubber handschoenen aan.'

'Dat vergeet ik altijd.'

'En neem van tijd tot tijd eens een behandeling met paraffine.'

'Een schoonheidsbehandeling? Alsof ik daar tijd voor zou hebben. Of het geld.'

'Nou, smeer ze dan in met een dikke laag goede crème. Eve Lom of Crème de la Mer.'

Haar mooie blauwe ogen werden groot. 'Annie, jij leeft in een andere wereld, geloof ik. Ach nee, ik weet het ook wel zeker. Je leeft in de wereld zonder kinderen. Ik kan me dat soort merken niet permitteren!'

'Dan zal ik een paar monsters voor je meenemen van mijn werk. En over werk gesproken, waarom kom je niet een keertje naar Haines, dan geven we je een volledige make-over. Daar zul je van opknappen.'

'Waarom zou ik dat doen? Waarom zou ik kleren passen die ik niet kan betalen? Nee, lieverd, dankjewel. Ik zal genoegen moeten nemen met een seksloos bestaan en met lede ogen moeten aanzien hoe James er op een goede dag vandoor gaat met een van zijn hippe, jonge assistentes, of een verhouding begint met mijn beste vriendin.'

'Hé, joh, ík ben je beste vriendin!' bracht ik haar lichtelijk geïrriteerd in herinnering. 'En hoewel ik dol ben op James, ben ik echt niet van plan om een verhouding met hem te hebben – allemachtig, ik ben nog maar net getrouwd!'

'O, je snapt heus wel wat ik bedoel!' riep Clarissa wanhopig uit.

Ik dacht even na en zei toen: 'Wat jij en James nodig hebben, is meer tijd voor jullie zelf.'

'Hoe? Wanneer?'

'Kunnen jullie niet een paar dagen samen weg of zo? Je weet wel, voor een weekendje rollebollen?'

'Hou toch op. De weekends zijn voor het schoonmaken van het huis, voor de was en de strijk, voor het koken van maaltijden voor de rest van de week...'

'Doe toch niet zo negatief! Kun je je moeder niet vragen of ze een paar dagen op de meisjes wil passen?' Dat was zo'n absurd idee dat we er alle twee hard om moesten lachen. Clarissa's moeder, de bekakte hooggeboren mevrouw Garland, was er met het verstrijken van de jaren niet beter op geworden. Het zorgen voor kinderen – met inbegrip van haar eigen kleinkinderen – was niet iets waar zij zich mee bezighield. En ze zou ook nooit een week-

150

end in Camden Town willen doorbrengen. Tegenwoordig kwam ze nog maar zelden buiten Belgravia, tenzij het was voor een uitje naar Knightsbridge of naar een buitenhuis van vrienden op het platteland. Toen Clarissa en James eertijds in Primrose Hill waren gaan wonen, had ze hun duidelijk laten weten dat Londens NW1-district voor haar een buurt was waar alleen maar spoorwegpersoneel en bedienden woonden.

'Help! Stel je voor dat ze de kinderen op zaterdag naar hun lessen zou moeten brengen! Zie je het voor je?' zei Clarissa toen ze uit was gelachen. 'Of dat ze vissticks zou moeten bakken! Om nog maar te zwijgen over het uitmesten van de hamsterkooi! Nee, lieverd, dat kun je rustig vergeten. Het is een feit waar ik me bij neer zal moeten leggen – voor privacy en seks zullen James en ik moeten wachten tot de dag waarop Miranda het huis uit gaat.'

'Maar dat duurt nog minstens dertien jaar!' Ik keek mijn uitgeputte, radeloze vriendin aan en zei in een opwelling: 'Mark en ik zouden altijd nog een weekendje voor de meisjes kunnen zorgen. Ik weet zeker dat hij daar geen bezwaar tegen zal hebben.'

Ik had het nog niet gezegd of ik had er al spijt van. Maar gelukkig wist ik dat Clarissa zo'n aanbod nooit zou aannemen.

'O, Annie! Dank je, lieverd, maar dat kan ik niet aannemen,' zei ze, precies zoals ik verwacht had. Ik slaakte een zucht van opluchting. 'Dat kan ik niet van je vragen,' ging ze verder. 'Jullie zijn uiteindelijk nog maar net een maand getrouwd, en ik begrijp best dat jullie alleen willen zijn. Nee, dat is echt veel te veel gevraagd.'

Ze was even stil, maar toen beet ze op haar lip, rende naar de keukenkast, pakte haar agenda en begon erin te bladeren. 'Wat zou je denken van niet het aanstaande weekend maar dat daarop, lieverd?' vroeg ze blij. 'Vanaf vrijdagavond?'

Hoofdstuk 15

'Het hamstervoer ligt onder in de provisiekast voor het geval Rachel vergeet om Hamlet eten te geven, maar ik heb haar op het hart gedrukt eraan te denken, op straffe des doods. En op de muur ernaast heb ik het nummer van de dierenarts en de dierendoktersdienst geschreven. Dit is het nummer van de huisarts en hier heb je de gebruiksaanwijzing voor de geiser. Maar die heb je waarschijnlijk niet nodig, want zo vaak gaat het waakvlammetje nu ook weer niet uit. Alleen maar wanneer iemand een douche neemt. O, kijk niet zo ontzet Annie, het is maar een grapje. Het is heus niet echt élke keer. O ja, ik ben nog vergeten te zeggen dat de dokterspraktijk in het weekend dicht is, maar ze hebben waarnemers voor het geval een van de meisjes midden in de nacht opeens erg ziek wordt. En in echte noodgevallen, zoals een gebroken been of zo, kun je altijd nog terecht bij de eerste hulp van het Royal Free.'

'Allemachtig, Clarissa, Mark en ik zijn echt niet volkomen achterlijk, hoor!'

Het was twaalf dagen later en Mark en ik waren terug in Clarissa's keuken in het souterrain. James stond in een oude North Face-parka afwisselend met zijn sleutels te rammelen en met zijn voet een ritme op de tegels te tikken, ongeduldig als hij was om weg te komen naar het luxueuze hotel-met-spa in Gloucestershire dat ik ze had aangeraden. Clarissa was verschrikkelijk zenuwachtig en stond erop de instructies met me door te nemen die ze me allang per e-mail had toegestuurd, én me via de telefoon had uitgelegd. Hoewel ik, als een van die hondjes die je vroeger wel op de hoedenplank achter in auto's zag, mechanisch ja knikte op alles wat ze me vertelde, begon ik steeds meer op te zien tegen het idee van twee dagen van volle verantwoordelijkheid voor vier jonge kinderen. Mark zat daarentegen volkomen ontspannen aan tafel zijn gitaar te stemmen. En Fluffy, die zich ook nergens druk om maakte, was bezig om de visstickkruimels en gevallen doperwten van de vloer onder de tafel te stofzuigen.

Clarissa, die zich voor de verandering had opgemaakt en haar beste donkerblauwe broekpak had aangetrokken met daarbij de roomkleurige kasjmiertrui van Nicole Farhi en de rode Hermèsceintuur die ik haar had geleend, leek sinds jaren weer eens op de beeldschone jonge vrouw die ze in werkelijkheid was – en van de huilende sloof die tien dagen eerder tegenover me aan tafel had gezeten viel gelukkig nauwelijks nog iets te bespeuren.

'Hier heb je het nummer van ons hotel,' ging ze verder, op een van de tientallen Post-its wijzend waarmee ze de koelkast tijdelijk in een roze-met-geel gordeldier had veranderd. 'Dit is James' mobiele nummer en dit is het mijne – '

'Denk je niet dat Annie dat van jou uit haar hoofd kent?' viel James haar in de rede. 'Jullie hangen immers voortdurend met elkaar aan de telefoon.'

'Ja natuurlijk, James, je hebt helemaal gelijk,' zei Clarissa kortaf, 'maar Annie moet morgen werken, ja toch, Annie? En wat als er iets gebeurt wanneer Annie er niet is en Mark me dringend moet spreken?'

'Nou, dan kan hij altijd nog –' begon ik.

'Lieverdje, er gebeurt heus niets,' zei James op lijdzame toon, 'behalve dat de meisjes er de grootste pret in zullen hebben om het Mark en Annie zo lastig mogelijk te maken, en dat Mark en Annie er spijt als haren op het hoofd van zullen krijgen dat ze zo stom zijn geweest om vrijwillig aan te bieden het weekend op hen te passen.'

Mark stak zijn hand op. 'Voor de goede orde: ik heb niets vrijwillig aangeboden. Ik heb onder dwang moeten toezeggen.'

'O jee,' verzuchtte James, 'zit je nu al onder de plak? Hoe lang ben je ook alweer getrouwd?'

Mark en ik wisselden een glimlach op die verliefde manier die onze gewoonte was. 'Vijf weken en drie dagen,' zeiden we in koor.

'Jezus!' zei James. 'Had ik het maar niet gevraagd. Ik moet kotsen. Kom, lieverdje, rustig nu maar.'

'Ik bén rustig, verdomme!' beet Clarissa hem toe. 'En hou op met me voortdurend "lieverdje" te noemen. Het is kleinerend en denigrerend.' Ze kamde haar vingers door haar haren die ze, stelde ik tot mijn genoegen vast, gewassen en zelfs geföhnd had. 'Luister, Mark, schat, hier, onder deze Post-it waar Rachels mobiele nummer op staat, heb je hun rooster voor morgen.'

'Rooster?' herhaalde mijn echtgenoot. 'Maar morgen is het zaterdag en dan is er geen school.'

'Nee, lieverd, dit is het rooster voor hun hobby's. Rachel heeft om halftien viool, maar dat is hier om de hoek en ze kan er alleen naartoe. Dan, om kwart over tien, hebben Miranda en Emily ballet, maar dat is in Hampstead. Hun balletpakjes en schoentjes liggen op de gang, in tassen. En vergeet Rebecca's Kumon-rekenles niet. Dat is om elf uur op Finchley Road.'

Mijn man legde zijn gitaar neer. 'Wat houdt die Kumon-methode eigenlijk precies in?'

James zuchtte. 'Dat is een goede vraag. Het is een vorm van Japanse geestelijke foltering die wordt toegepast door opgefokte Noord-Londense moeders die ervan overtuigd zijn dat hun volkomen doorsnee kroost hoogbegaafde kinderen zijn, die van de kleuterklas direct naar de middelbare school kunnen. In de praktijk betekent dat dat ze hun kindertjes stapelgek maken door ze te dwingen elke dag gedurende twintig uur dezelfde sommen te maken.'

'O, James, dat is níet eerlijk!' riep Clarissa uit. 'Het is maar twintig minuten per dag – en ik ben helemaal niet opgefokt! Rebecca vindt het trouwens enig.'

Hij trok zijn wenkbrauwen op. 'O ja? Nou, dat is anders niet wat ze me verteld heeft toen ik haar er vorige week zaterdag naartoe bracht.'

'Daar weet ik niets van. En ik weet zeker dat ze iets gezegd zou hebben als – '

'Clarissa, als we het echt over dit boeiende thema moeten hebben, stel ik voor om dat in de auto te doen. Als we nú niet gaan, komen we er nooit.'

'Wat? Ja. Natuurlijk, liefste. Nog een momentje.' Clarissa wierp nog een laatste bezeten blik op de Post-its. 'Ik weet zeker dat ik iets vergeten ben te vertellen,' mompelde ze. 'O, ja. Letten jullie er alsjeblieft op dat ze hun huiswerk maken – vooral Rachel, die verzint altijd van alles om er onderuit te komen. En voor het geval de deur achter jullie in het slot mocht vallen en de sleutels binnen liggen, achter de losse baksteen links van de afvalemmers bij de kelder ligt een reserveset.'

'En daar hebben we nu een kostbaar alarmsysteem voor geïnstalleerd,' merkte James op droge toon op. 'Waarom hang je die bos niet gewoon aan de voordeur met een briefje erbij met "Wie durft hier naar binnen?" O, liefste, laten we nu toch eindelijk eens gaan!'

'Jaag me niet zo op!' Clarissa zag er nog paniekeriger uit dan ik me voelde. 'Ik weet zeker dat ik nog iets ben vergeten.'

'Nou, als dat zo mocht zijn, dan kun je Annie toch altijd gewoon nog even bellen?' zei haar man, die nu echt zijn geduld begon te verliezen. 'En als zij en Mark iets willen weten, dan kunnen ze jou bellen. Het is heus niet zo dat we een trektocht van drie maanden door Mongolië gaan maken of zo. We gaan, verdomme nog aan toe, alleen maar een weekeindje naar Gloucestershire! Twee nachten! En als we niet opschieten, is dat er maar een!'

'Ja, ja, goed, goed!'

'Maak je nu maar geen zorgen. Mark en ik zullen overal voor zorgen,' beloofde ik. 'Zo moeilijk kan het toch niet zijn.'

Ze schonk me een grimmig glimlachje. 'Wacht maar af.'

'Oké, lieverdje, ik wil nú weg.'

'James, toe! Ik heb je toch gevraagd me niet zo te noemen. Luister je eigenlijk wel eens naar wat ik zeg?'

Die toon tussen hen voorspelde weinig goeds voor hun week-

155

endje van hartstocht, dacht ik, terwijl Mark en ik ze de krakende trap op volgden naar de hal. Maar vijf minuten later, na de allerlaatste instructie – 'Laat ze niet te veel snoepen' – en ik weet niet hoeveel omhelzingen en zoenen en uitzwaaien op straat, en Miranda die zich huilend vastklampte aan de benen van haar moeder en krijste dat ze niet weg moest gaan, stapten Clarissa en James ten slotte in hun bejaarde Volvo-stationcar en reden de straat uit.

'O, Mark, wat hebben we ons op de hals gehaald?' fluisterde ik terwijl Miranda snikkend met haar vuistjes op de binnenkant van de voordeur stond te beuken en krijste: 'Kom terug! Kom terug!'

Mark gaf me een kusje op het puntje van mijn neus. 'We gaan er gewoon een leuk weekend van maken.' Hij schonk me zijn meest ontwapenende glimlach, waarna hij Miranda oppakte, haar hoog in de lucht gooide en weer opving. Ze hield op met huilen en kraaide het uit van de pret.

'Weet je wat, Miranda?' zei hij terwijl hij haar op zijn schouders zette en zo met haar terugging naar de keuken.

'Wat?'

'Volgens mij vraagt dit om een chocoladekoekjesfeest, vind je ook niet?'

Na het eten – Mark had Thaise kip in kokossaus gemaakt, met pannenkoekjes met citroen en suiker toe – stelde Mark voor om, met zaklantaarns gewapend, naar Primrose Hill te gaan om Fluffy uit te laten. Toen we het hoogste punt van de heuvel hadden bereikt en Emily verklaarde dat ze het maar saai vond, kwam Mark op het geniale idee om in het gras te gaan liggen en zich van de helling te laten rollen, en iedereen volgde zijn voorbeeld. Weer thuis verruilden we onze modderige kleren voor onze pyjama's en kamerjassen en gingen we voor de open haard zitten. In plaats van de televisie aan te zetten, kreeg Mark iedereen zo ver dat we een potje Junior Monopoly speelden, waar we pas na elven mee klaar waren – en tegen die tijd waren Miranda van vijf en Emily van acht al in slaap gevallen. In plaats van ze te wekken, tilde Mark ze van de bank, legde ze over zijn schouders en bracht ze naar boven.

De volgende ochtend maakte Emily ons om zes uur wakker door in haar pyjama op Clarissa en James' bed te springen. In plaats van haar weer terug te sturen naar haar eigen kamer, wat ik persoonlijk gedaan zou hebben, vond Mark het goed dat ze tussen ons in onder het dekbed kwam liggen, waarna hij haar hardop uit *De Wind in de Wilgen* voorlas. Toen ik om zeven uur onder de onbetrouwbare douche ging staan, waren Fluffy, Miranda en Rebecca van tien er ook bij komen liggen, en schaterden ze het uit over de malle stemmetjes waarmee Mark de tekst van de verschillende personages voorlas.

Terwijl ik me opmaakte, liet Mark Fluffy snel even uit. Om halfnegen stond hij gedoucht en wel in zijn short en rode T-shirt, dansend op de muziek van Radio 1, in de keuken bosbessenmuffins voor het ontbijt te maken. De jongste drie meisjes, met hun lange, krullende haren in een staart zodat ze niet onder het meel zouden komen, hielpen mee, terwijl Rachel van twaalf haar aardrijkskundehuiswerk zat te maken. Hamlet, ondertussen, rolde in een doorzichtige plastic trainingsbal over de keukenvloer en Fluffy zat hem achterna.

'Weet je zeker dat je het in je eentje aankunt?' vroeg ik schuldig vanaf de drempel alvorens naar mijn werk te gaan. Mij wachtte een gemakkelijke dag, terwijl de hele last van het gecompliceerde huishouden op Marks schouders rustte.

'Ja, hoor.' Hij schonk me een geruststellend glimlachje over een van de drie mengkommen die ze gebruikten.

'Kijk uit dat Fluffy dat plastic ding niet kapotbijt en Hamlet opeet.'

'Natuurlijk.'

'Mooi. Hé, meisjes, zullen jullie lief zijn voor Mark?'

'Já!' riepen ze in koor.

'Zullen jullie hem niet plagen?'

'Nee!'

'En zullen jullie goed naar hem luisteren?'

'Ja!'

'Mooi zo. Dan ga ik maar. Dag allemaal!'

'Dag!' riepen ze, zonder op te kijken van waar ze mee bezig waren.

Ik aarzelde.

'Waarom sta je daar nog?' vroeg Mark, toen hij even later opkeek en me nog zag staan.

'Ik vind het gemeen van mezelf dat ik je met alles heb opgezadeld,' bekende ik. 'Zal ik bellen dat ik ziek ben en hier blijven?'

Vier ontzette kindergezichten keken me aan. 'Nee!' riepen ze in koor. 'Niet doen!'

Mark trok zijn wenkbrauwen op. 'Maak je nu maar geen zorgen. We redden ons best, ja toch, jongens?'

'Ja!' riepen ze.

En dus ging ik weg.

Pas toen ik bijna bij de metro was en Clarissa me op mijn mobiel belde, realiseerde ik me hoe van streek ik was. 'Nou?' vroeg ze.

'Alles is onder controle, dank je,' zei ik, wat kortaf.

'Waarom zeg je dat op die manier?' vroeg ze geschrokken. 'Alsof er iets aan de hand zou zijn. Wat is er gebeurd?'

'Niets. Alles is piekfijn in orde. Ik heb Mark en de meisjes net in de keuken achtergelaten waar ze bosbessenmuffins voor het ontbijt aan het maken zijn...'

'Ooo!'

'... en Rachel is bezig met haar aardrijkskunde.'

'En dat hoefden jullie haar niet twintig keer te vragen?'

'Nee.' Om de een of andere reden had ik ineens een pestbui. 'Ik snap echt niet waarom je zo'n toestand van alles maakt, Clarissa. Het zijn maar vier kinderen. Zo te zien stelt het moederschap niet veel voor. Alles is onder controle. Marks controle,' voegde ik er met tegenzin aan toe.

'Aha, dus dát zit je dwars!'

'Dwars? Waarom zou me dat dwars moeten zitten?'

'Precies, lieverd, waarom zit dat je dwars?'

Ik dacht even na en antwoordde toen: 'Nou ja, je hebt gelijk. Waarschijnlijk overdrijf ik, maar ik voel me gewoon overbodig.

Ik bedoel, de meisjes waren altijd stapel op mij, toch? Ze vonden het altijd heerlijk wanneer ik kwam. Maar nu Mark voortdurend met ze speelt en leuke dingen doet, hebben ze ineens geen interesse meer in me.'

'O, Annie, ik weet zeker dat dat niet zo is!'

'Wel waar. Mark is zo verrekte goed met kinderen, Clarissa. En hij is fantastisch in de keuken. Hij is overal fantastisch in. Hij is een kruising tussen Supernanny en Jamie Oliver.'

'Misschien wil hij wel mijn huishoudster worden.'

Ik ging de hoek om. 'Hoe dan ook, ik moet niet zo egoïstisch zijn om alleen maar over mezelf te praten. Hoe is het met jou?'

'Met mij?' herhaalde ze. 'Ik was al bang dat je dat nooit zou vragen. Op dit moment zit ik in het prachtige designerbed, achter een blad met ecologische croissants, vers geperst ecologisch sinaasappelsap en ecologische koffie – het schijnt dat alles hier ecologisch is, en mogelijk is het wc-papier dat ook. O ja, en ik kijk naar een dvd van *My Big Fat Greek Wedding* op een totaal onecologische plasmatelevisie die ongeveer even groot is als dat ding op Leicester Square. Dat is voor verwende nesten als jullie waarschijnlijk niks bijzonders, maar voor ons gewone stervelingen is het hemels. O ja, en wie denk je dat hier stond in te checken toen we hier gisteravond aankwamen?'

'Geen idee.'

'Gwynnie! Het barst hier van de beroemdheden. Hoe heb je van deze tent gehoord?'

'O, wij van personal shopping moeten dat soort dingen nu eenmaal weten.'

'En straks heb ik een afspraak bij de spa voor iets dat een Cloud Nine Massage heet, gevolgd door een Cascade gezichtsbehandeling. Wat denk je dat ze daarmee bedoelen? Dat je met je gezicht onder een lopende kraan wordt gezet? Ik vind het zo heerlijk hier, dat ik denk dat ik maar blijf. Jij en Mark hebben er vast geen bezwaar tegen om nog tien jaar te blijven en de meisjes op te voeden, wel?'

'En?' vroeg ik met klem.

'En wat?'

'Dat weet je best. Kun je praten?'

'Als je wilt weten of James naast me ligt en in het decolleté van jouw mauve La Perla-nachthemdje ligt te hijgen – nog bedankt voor het lenen, tussen haakjes – dan is het antwoord nee. Hij is de plaatselijke wandelpaden aan het inspecteren.'

Ik was geschokt. 'Waarom ben je niet met hem meegegaan? Het is de bedoeling dat jullie dit weekend dingen sámen doen!'

'Omdat het regent in Gloucestershire, lieverd, en ik van plan ben het hele weekend in horizontale positie te blijven.'

'En nu we het daar toch over hebben, ik ben bij de metro. Dus zeg op,' smeekte ik.

'Nou,' bekende ze, 'het zal je plezier doen om te horen dat ik geen herboren maagd meer ben.'

'O, dat is geweldig! Gefeliciteerd!'

'Dank je. Ik kan niet zeggen dat het een schokkende ervaring was, maar dat het bed heeft geschokt, dat is een feit. Nou ja, een beetje dan.'

Hoofdstuk 16

Het was halverwege de middag en ik bevond me, na een ochtend van telefoontjes naar Mark om te vragen hoe hij en de meisjes het ervan afbrachten zonder mij (waarop ik onveranderlijk het antwoord 'Uitstekend, dankjewel' kreeg), in de paskamer met een geweldige nieuwe klant die me zo in beslag nam dat ik Camden Town en alles wat zich daar afspeelde helemaal was vergeten.

Waar Tiffany George een helse personal shopping-klant was geweest, was de tweeëndertigjarige Jessica Harrison een regelrecht geschenk uit de hemel. Ze was een extreem succesvolle zakenvrouw wier bedrijf zojuist de beurs op was gegaan. Ze was een ideaal maatje zesendertig, en ze had zo hard gewerkt aan de opbouw van haar datingsite, dat ze geen moment tijd had gehad om te kijken wat er in de betere warenhuizen te koop was. Alle kleren die ze bezat, kwamen van postorderbedrijven. Inmiddels bezat ze twintig miljoen pond en beschikte ze over de tijd en de zin om daar, met mijn hulp, wat van te spenderen. Ik was haar aangeraden door de vrouw van een van haar werknemers en inmiddels was ik al zo'n twee uur met haar bezig. We waren samen de winkel door gelopen en hadden een geheel nieuwe look met bijbehorende accessoires uitgekozen. Jessica had mijn keuze prachtig gevonden en alles stond haar geweldig.

Om vier uur hing het rek in onze grootste paskamer vol met drie broekpakken, vier jassen, vijf jurken, drie jasjes, talloze tops en rokken en een selectie spijkerbroeken, plús de handtassen, schoenen, ceintuurs en sieraden die ik erbij had uitgekozen. Ik was bezig om Jessica uit dit alles een basisgarderobe te helpen kiezen, toen Charlotte om het hoekje van de deur keek. 'Neem me niet kwalijk, Annie, het spijt me dat ik je moet storen...'

'Ja, Charlotte?'

'Het spijt me dat ik je moet onderbreken en zo, maar ik zit al uren achter de receptie en, nou ja, je mobiel ligt in je kantoor.'

'Ja, dat weet ik, Charlotte, want ik heb hem daar neergelegd. En?'

'Nou, je bent gebeld,' zei ze.

O, godallemachtig, dacht ik. Charlotte kon toch zo stom zijn soms. 'Nou, dan neem je toch op en zeg je maar dat ik terug zal bellen,' zei ik, met het liefste glimlachje dat ik maar op kon brengen. 'Want, zoals je ziet,' voegde ik eraan toe, terwijl ik mijn ogen wat wijder opensperde in de hoop dat ze zou begrijpen dat het mij ernst was, 'ben ik op het moment druk bezig.'

'Ja, natuurlijk,' zei ze langzaam, maar ze bleef staan waar ze stond terwijl ze op haar onderlip beet en haar voorhoofd fronste.

Ik wendde me opnieuw tot Jessica Harrison en probeerde Charlotte te negeren, maar toen ik even later weer achteromkeek, stond ze er nog steeds. 'Ja, Charlotte? Wat nu weer?'

'Nou, Annie, je mobiel...'

Ik zuchtte. 'Ja?'

'Er is meerdere keren gebeld. Zes keer, om precies te zijn. Dus, eh, ik ben zo vrij geweest om je kantoor binnen te gaan, hem uit je Mulberry te halen en voor je op te nemen. Dat leek me het beste.'

'Nou, Charlotte, dat noem ik nog eens een juiste dosis initiatief. Dankjewel.'

'Dus dan ben je niet boos?'

'Nee.'

'Moet je horen, Annie,' zei Jessica Harrison, terwijl ze haar hand even op mijn arm legde, 'als je dit wilt afhandelen, ga dan gerust je gang, hoor.'

'Nee, nee, maak je geen zorgen,' stelde ik haar gerust. 'Neem me niet kwalijk. Wie het is kan wachten. Nou, Charlotte, wie was het?' vroeg ik met klem.

'Ik dacht dat het Mark was – eh ik bedoel, meneer Curtis – omdat zijn naam oplichtte op het scherm.'

Intussen kon ik haar wel wurgen. 'Ja, en heb je hem toen maar gezegd dat ik hem zo gauw mogelijk zou terugbellen en dat je hoopte dat hij nog een fijne dag zou hebben?'

Ze was steeds wanhopiger gaan kijken, en nu schudde ze haar hoofd. 'Nou, nee. Dat heb ik niet gedaan. Hij was het namelijk niet zelf die belde. Het was een meisje. Ik geloof dat ze zei dat ze Rachel heette.'

Rachel? Ineens wist ik het weer – Clarissa's kinderen. Ik greep Charlottes arm vast. 'En wat zei ze? Is alles goed met haar?'

'O ja, met haar is alles goed. Uitstekend, zelfs!' zei ze met een stralende glimlach. 'Maar kennelijk is het met Mark wat minder gesteld. Rachel zei dat hij van een ladder is gevallen en dat hij niet op kan staan.'

Ik droeg Jessica Harrison over aan de bepaald incapabele Charlotte – Eva had die middag vrij en er was verder niemand beschikbaar om deze klant van me over te nemen – pakte mijn Mulberry, rende King's Road op en duwde uitermate onbeschoft een klant weg die juist in de taxi wilde stappen die Manny, Haines en Hamptons' geüniformeerde portier, voor haar had aangehouden.

Manny was woedend. 'Hé, Annie! Ben je gek geworden!'

'Sorry, het is een noodgeval!' riep ik terwijl de chauffeur wegreed.

Tijdens de hele rit naar Camden was ik non-stop aan de telefoon – als ik niet bezig was om Charlotte mee te delen wat ze tegen Jessica Harrison moest zeggen, belde ik wel met Clarissa's huis. Ik zag de grootste rampen voor me – er was brand geweest, er was ingebroken door gewapende gangsters en terwijl ze de kinderen in koelen bloede hadden doodgeschoten, was het huis ingestort als gevolg van een ernstige aardbeving. Ik was er zo goed als zeker van dat de huizen op Primrose Hill niet op een belangrijke breuklijn waren gebouwd, maar dat weerhield me er niet van om op het ergste voorbereid te zijn. Ik was doodsbang dat er iets heel verschrikkelijks met de meisjes zou gebeuren als er niemand was om op hen te letten, en in dat geval zou ik Clarissa en James nooit meer onder ogen kunnen komen.

Onderweg riep ik een hele reeks van instructies die Rachel van me moest doorgeven aan haar zusjes – niet aan de keukenmessen komen, het gas niet opendraaien om een eventuele explosie te voorkomen, niet het huis uit gaan voor het geval ze ontvoerd zouden worden, en niets eten voor het geval ze ergens in zouden stikken en er niemand in de buurt zou zijn om de Heimlich-greep uit te voeren.

'Allemachtig nog aan toe, Annie,' snauwde Mark toen Rachel de telefoon bij zijn oor hield. 'Alles is goed met ze en ze zijn gewoon met hun eigen dingen bezig. Het zijn heus geen baby's meer en bovendien zijn ze niet alleen. Ik ben gewoon hier. Ik lig alleen op de vloer in de woonkamer en kan niet opstaan.'

Het bleek dat het vrij onschuldig was allemaal – hij had een spier in zijn rug verrekt toen hij van de bovenste trede van James' ladder was gevallen. En waarom was hij dan op die ladder geklommen, wilde ik weten toen ik de kamer in liep. Tegen die tijd had hij zichzelf al naar Clarissa's versleten zwart fluwelen bank gesleept waar hij – een beetje zoals Sophie Dahl in die oude Opium-advertenties, maar dan verrekkend van de pijn en niet, zoals zij, bijkomend van een orgasme – wijdbeens en in zijn korte broek en T-shirt op zijn rug lag. Fluffy zat bij hem op wacht en duwde om de zoveel tijd zijn neus in Marks gezicht.

'Ik was bezig om dat met punaises aan het plafond te prikken,' zei Mark, wijzend op een groot geel laken dat nu in een hoop op een van de leunstoelen lag.

'Waarvoor?'

'Omdat we je met een opvoering wilden verrassen wanneer je van je werk kwam,' zei Rebecca. 'We wilden voor je zingen en dansen.'

'En Mark was bezig om de kamer in een theater te veranderen,' voegde Rachel eraan toe. 'Deze kant moest het toneel worden en dat moest het doek zijn.'

'En nu zegt Mark dat de voorstelling niet doorgaat!' jammerde Miranda, terwijl ze haar armen om mijn knieën sloeg. 'En ik zou me als fee verkleden en ik zou met Fluffy voor je zingen van "How Much is That Doggie in the Window"!'

'Och, lieverd.' Ik boog me naar voren, maakte haar warme handjes los en hees haar op mijn heup. 'Dan gaan we toch gewoon iets anders doen.'

'Ik mis mammie! En ik heb honger!' huilde ze. 'En Mark had beloofd dat hij scones zou maken voor bij de thee. Dat moet jij nu doen, Annie!'

'Dat zou ik wel willen, lieverd, maar ik ben niet zo'n geweldige kok.'

Haar grote ogen vulden zich met tranen. 'Maar Mark heeft het beloofd!'

Ik had verschrikkelijk met haar te doen. 'Nou goed, dan zal ik het proberen.'

Mark tilde zijn hoofd van de kussens en keek me hulpeloos aan. 'Het spijt me lieverd, dat je zo met je neus in de boter valt. Misschien had ik het wel kunnen redden tot je thuiskwam, maar het leek ons verstandiger om je te bellen en het je te vertellen. Ik dacht dat je het wel wilde weten. Ik hoop dat je niet met iets belangrijks bezig was op je werk?'

Alleen maar mijn belangrijkste, grootste klant van het hele jaar, dacht ik. Maar omdat ik nog maar pas getrouwd was, zei ik: 'Het geeft niet, liefste. Ik ben blij dat er niets ergs met je is.'

Overschakelend op de rol van huishoudgodin ging ik naar beneden, naar de keuken, haalde de nodige ingrediënten uit de kast en de koelkast, zwiepte mijn pony op een, naar ik hoopte, onweerstaanbare wijze uit mijn ogen en stak mijn handen in een kom vol meel terwijl Mark me vanboven de instructies toeriep. Tegen de tijd dat ik de misvormde ballen in de oven schoof en daarbij mijn arm brandde, was het al bijna tijd voor het avondeten, had iedereen een ontzettende honger en zat alles – met inbegrip van mijzelf en de meisjes – onder de restjes van het plakkerige, witte deeg.

Wat later bogen we ons over de keiharde, verschrompelde brokken die ik uit de oven had gehaald. Het was bijna een wonder, zei Mark, dat iets zo zacht en kneedbaars als deeg zo bikkelhard had

kunnen worden. Hij wees ons op een verhaal uit de Engelse geschiedenis en merkte op dat het geen cake was die Koning Alfred
te lang in de oven had laten staan, maar een reusachtige scone, en
dat de naam van de Coronation Stone – de steen die een rol speelt
bij de kroning van de Schotse en Engelse koningen, en die ook
wel bekendstaat als de Stone of Scone, waarbij Scone naar de
Schotse plaats van herkomst van de steen verwijst – in feite dus
helemaal geen steen is, maar een te hard gebakken scone. Maar
mijn bakresultaten waren geen 'steen van Scone' maar 'scones
van steen'. Rebecca stelde voor om ermee op de markt van Camden te gaan staan en ze als presse-papiers te verkopen, hetgeen ik
voorwendde even leuk te vinden als Mark oprecht deed.

Maar in mijn hart voelde ik me waardeloos. Waarom was ik
niet, na iedereen de keuken uit te hebben gezet en de deur op slot
te hebben gedaan, door het raam ontsnapt en naar Marks &
Spencers gerend om daar een aantal scones te kopen en vervolgens te doen alsof ik ze zelf had gebakken? De enige die er eentje
at was Emily, die heel lief verklaarde dat ze hem heerlijk vond.
En ten slotte proefde ook Fluffy ervan – dat wil zeggen, hij verdween met de helft die Emily hem stiekem onder tafel had gegeven naar een hoek van de kamer waar hij er tot ver in de avond
op bleef knagen. Zelfs zijn vlijmscherpe tandjes kwamen er amper doorheen.

'Wat eten we?' jammerde Miranda. 'Ik heb honger!'

'En wie helpt me met het opmaken van het bankbed in mijn
kamer?' vroeg Rachel.

'Waar is dat voor nodig, lieverd?'

'Nou, voor Helena, Jasmine en Posy, natuurlijk!'

'Pardon?'

'Dat zijn mijn beste vriendinnen! Heeft mammie je dan niet
verteld dat ze vanavond komen logeren?'

Dit was iets wat mammie vergeten was te vertellen – vermoedelijk met opzet. En nu zag ik het ook, op een roze Post-it onder
op de deur van de koelkast: 'Logeerpartij! Ai! Het spijt me! Hou
van je, lieverd!' gevolgd door een half dozijn uitroeptekens en
een rij kusjes. Op dat moment werd er aangebeld, en enkele se-

conden later stond de hal vol met vroegrijpe meisjes van twaalf in minirokjes en strakke topjes, die elkaar omhelsden en kusten als starlets op de rode loper van Cannes. En voor ik de kans had gekregen om hun ouders te zeggen dat ze ze beter maar weer mee naar huis konden nemen, zoefden ze, onder het roepen van 'Morgen om vijf uur, zodra we terug zijn uit Glyndeboure, halen we haar weer op!' en 'Ik neem aan dat Clarissa je verteld heeft dat ze allergisch is voor noten?' alweer weg in hun Porsche-terreinwagen.

En toen ontsnapte Fluffy door de voordeur – op jacht naar de kat die hij aan de overkant van de straat had gezien. Ik was de enige die in staat was om hem achterna te gaan.

Toen ik terugkwam schudde het huis op zijn grondvesten – de starlets zongen en dansten mee met Destiny's Child. De tienjarige Rebecca zat op de trap en stuurde een sms naar iemand van wie ze zei dat het haar vriendje was, en Miranda en Emily zaten in de keuken om eten te zeuren. Mark lag nog steeds op de bank. Ik keek op hem neer met een gevoel dat ik aanvankelijk voor intens medelijden hield. Toen drong het echter tot me door dat het een waanzinnig verlangen was om hem te wurgen.

'Lieverd, hoe denk je dat ik dit de komende vierentwintig uur klaar moet spelen?' vroeg ik, zo kalm als ik maar kon. 'En wat geef ik ze te eten?'

Dit was geen kwestie van kiezen. Zowel Mark als ik wist dat er, zoals in die eeuwenoude mop, maar één ding was dat ik voor het eten kon maken – een reservering.

Ik liet hem achter met Fluffy en een strip van Clarissa's Nurofen Plus – Mark bofte dat Clarissa's menstruatie altijd zo pijnlijk was – en leidde mijn pupillen over de geschilderde spoorbrug naar Chalk Farm Road. Ik voelde me net Sneeuwwitje met de Zeven Dwergen. In de gastvrije, betegelde ruimte van Marine Ices, een restaurant waar ik vroeger met mijn vader ijsjes ging eten, deden we ons te goed aan pizza, cola en ijscoupes. Tegen de tijd dat we naar huis terugkeerden, was ik weer heel duidelijk de volwassene die het voor het zeggen had. Voor kinderen zorgen is een koud kunstje, zei ik tegen Mark, terwijl ik hem de Quattro

Formaggio met extra salami overhandigde die we voor hem hadden meegenomen – geef ze gewoon alles waar ze om vragen, en ze eten uit je hand.

'Denk je echt dat het verstandig was om hen al die cola te laten drinken?' vroeg hij om halftwee in de ochtend. We lagen naast elkaar in Clarissa en James' bed te luisteren naar het schaterlachen en Robbie Williams in Rebecca's kamer boven de onze.

'Tja, maar daar kan ik nu niets meer aan doen,' verzuchtte ik.

Hij gaf me een porretje. 'Je zou altijd nog de liefde met me kunnen bedrijven.'

'En je rug dan?'

'Nou, die doet al een stuk minder pijn,' mompelde hij, terwijl hij zijn hand onder mijn nachtjapon stak.

'Nou, als je denkt dat het geen pijn zal doen...'

'Ik weet zeker dat ik het zal overleven. Maar het is in dit geval duidelijk wel een kwestie van "meisjes boven". Mmm.'

We kusten elkaar. Ik hees me overeind. Mark kreunde toen ik boven op hem ging zitten.

'Doet het erg pijn? Zal ik er maar weer af gaan?'

'Nee, nee. Ik trek een flink gezicht en klem mijn kiezen op elkaar – alleen voor jou, natuurlijk.'

We begonnen heel langzaam en voorzichtig aan ons liefdesspel, maar voor het eerst raakte ik niet in vervoering. Mark had het vrijwel meteen in de gaten. 'Wat is er?' vroeg hij.

'Niets,' antwoordde ik terwijl ik luisterde naar Rachel en de starlets die de trap af denderden, op weg naar de keuken voor een middernachtelijke schranspartij. Ik hoorde hoe ze voor onze deur bleven staan giechelen, waarop Fluffy onder het bed uit kroop en begon te grommen. En hoewel ik me boven op Mark stortte en mijn best deed om even hartstochtelijk te zijn als altijd, kon ik aan niets anders denken dan die zeven meisjes tussen de vijf en de twaalf die het huis met ons deelden. Rachel en haar vriendinnen, hyper van de cola, Emily en Rebecca idem dito, en Miranda, die, toen ik de laatste keer bij haar was gaan kijken, diep lag te slapen in de kamer naast de onze, maar die slechts door een dun muurtje van elkaar werden gescheiden.

Alleen Miranda sliep niet. En ze was ook niet in haar kamer. Ze was in de onze, of liever, ze stond met haar pop onder haar arm op de drempel. En dat realiseerde ik me pas op het moment dat ik haar met een klein stemmetje hoorde vragen: 'Annie, waarop zit jij boven op Mark?'

Razendsnel – honderd keer sneller dan ik op school bij gym ooit van het paard was gekomen – vloog ik van hem af. 'Ik ben alleen zijn rug maar aan het masseren!' Ik kamde mijn vingers door mijn verwarde haren en schonk haar een glimlachje terwijl ik mijn best deed om eruit te zien als haar lievelingstante en niet als de schuldige losbandige sloerie die halverwege de coïtus op heterdaad was betrapt. 'Waarom slaap je niet, lieverd?'

'Ik heb in bed geplast,' zei ze, zonder ook maar een spoortje van schaamte. 'Mag ik bij Mark gaan liggen terwijl jij de lakens verschoont?'

Hoofdstuk 17

Marks rug was om halftwee goed genoeg geweest voor seks, maar vijf uur later, toen Fluffy ons wekte omdat hij naar buiten moest, had mijn man zo'n pijn dat hij niet op kon staan. Ik schoot mijn spijkerbroek aan, trok zijn sweatshirt over mijn nachtjapon, deed Fluffy aan zijn riem en sloop, bang om de kinderen te wekken, het huis uit voor zijn ochtendloopje. Toen ik een kwartier later weer terug was en onder Clarissa's dunne, verwassen beddengoed wilde kruipen, lagen Emily en Miranda al onder het dekbed bij Mark, die, plat op zijn rug en met het boek boven zijn hoofd, hun nog een hoofdstuk uit *De Wind in de Wilgen* voorlas.

'Het spijt me dat ik zo lastig ben, liefste, maar zou je misschien kans zien om me een kopje koffie te brengen?' vroeg hij op een verontschuldigend toontje.

'Mag ik warme chocolademelk?' vroeg Emily.

'O, ik ook graag, Annie,' smeekte Miranda. 'Laten we met zijn allen op bed ontbijten! Mag dat? Ja? Alsjeblieft?'

In de keuken waren het aanrecht en de tafel, die ik de vorige avond alvorens naar boven te gaan keurig opgeruimd had achtergelaten, een bende van stapels vuile kommen en glazen, open dozen cornflakes en aanverwante producten en lege snoepverpakkingen, terwijl het laatste pak melk naast de Aga was blijven staan en in de loop van de nacht zuur was geworden. Tijdens het koken van het water – met Fluffy op de hielen die om eten kefte – deed ik een armzalige poging de troep op te ruimen, maar ik kon nergens heen met de kommen omdat ik de vorige avond was vergeten de vaatwasser aan te zetten en er bij Clarissa's verzameling milieuvriendelijke schoonmaakmiddelen niet één middel zat dat sterk genoeg was om er de was van de Mini Babybel kaasjes die op de vloer was gevallen en was ingetrapt, mee weg te krijgen. Uiteindelijk deed ik het op mijn knieën – ik schraapte het spul er met mijn vingers vanaf, waarbij ik niet alleen een splinter onder de nagel van mijn duim kreeg, maar ook mijn zorgvuldig opgebrachte Chanel-nagellak beschadigde. En toen ging de telefoon.

'Hoe gaat het?' vroeg Clarissa.

Ik plofte op een keukenstoel en keek om me heen. 'Heel goed. Alles nog onder controle,' zei ik. 'En, tussen haakjes, nog bedankt dat je me van tevoren van die logeerpartij hebt verteld.'

Haar adem stokte. 'Lieverd, haat je me nu?'

'Niet helemaal. Het viel wel mee.'

'Hebben ze jou en Mark niet de hele nacht uit je slaap gehouden?'

'Niet de héle nacht.'

Ik hoorde Clarissa kermen. 'Annie, wat kan ik anders zeggen dan dat het me spijt en dat ik bij je in het krijt sta. Je hebt er eentje van me tegoed.'

'Eentje maar?'

'Weet je, ik was bang dat je van gedachten zou veranderen als ik het je vertelde. En ik snakte zo wanhopig naar dat weekendje weg.'

'Dat kan ik me voorstellen.' En daar was geen woord van gelogen. 'Wil je met de meisjes praten?'

Ze aarzelde. 'Niet echt. Als ze ons niet missen, dan liever niet.'

'Hoe is het bij jullie? Met de massages en al het andere?' vroeg ik op veelbetekenende toon.

'Fantastisch. Alles. We liggen nog in bed – te ontbijten en de krant te lezen, nietwaar, liefste? En we hebben de afgelopen vijf kwartier ononderbroken naar *The Archers* kunnen luisteren! De culturele happening van het jaar. Jammer genoeg moeten we zometeen deze prachtige kamer uit, dus we gaan snel nog even zwemmen beneden, en daarna heeft James een afspraak voor een reiki-behandeling, ja toch, liefste?'

Ik bracht de rest van de dag door in een waas van opruimen en het maken van hapjes onder Marks toezicht. De vaatwasser hield er halverwege mee op en moest worden leeggehaald. Miranda viel en haalde haar knie open. Daarna viel Hamlets plastic trainingsbal van de trap en brak en moest ik de hamster vangen om te voorkomen dat Fluffy hem te pakken zou krijgen. Rachel liet haar mobiel in de wc vallen en ik moest rubberen handschoenen aantrekken om hem eruit te vissen. Niet lang daarna kregen de starlets ontzettende ruzie en stuurden ze Rachel haar kamer uit. Ze kwam huilend bij me en zei dat iedereen zich verveelde en dat haar vriendinnen haar haatten.

'Waarom ga je niet met ze naar buiten? Er even lekker uit?' stelde Supernanny vanaf zijn ziekbed voor.

'Maar waar moet ik dan met alle zeven naartoe?'

'Geen idee! Waarom ga je niet gewoon een eindje met ze wandelen op Primrose Hill?'

'Nee!' riep Rachel. 'Dat is veel te stom! En daar vinden ze toch niks aan!'

'Ze heeft gelijk,' zei ik tegen Mark. 'Het enige lopen dat ik die meiden zie doen, is paraderen als in een modeshow.'

Mark begon te stralen. 'Hé, Annie, dat ís het! Geniaal! Hoeveel make-up heb je bij je?'

'Wat ik altijd bij me heb. Maar dat is voldoende.'

Met behulp van alle handdoeken uit de linnenkast, een paar haarbanden, James' kamerjas, twee dozen tissues en een heel pak wattenbollen van de winkel op de hoek was Rachels kamer in de make-overstudio van de starlets veranderd. De rest van de middag hield ik me bezig met het maken van bizarre kapsels en vertelde ik de starlets welke kleuren hun het beste stonden. Ik liet ze zien hoe ze eyeliner op moesten brengen en blusher en lipgloss. Echt verantwoord was het natuurlijk niet, maar ze genoten, en zélfs Miranda, die mijn paarse oogschaduw van Lancôme als foundation wilde gebruiken en mijn mascara om haar wenkbrauwen mee te borstelen, vond het prachtig. Tegen de tijd dat de ouders van de starlets zich aandienden om hun kroost te halen, wilde niemand met ze mee. Tegen Rachel zeiden ze dat ze nog nooit zo'n fijne middag hadden gehad en dat ze later geen chirurg wilden worden, maar styliste.

Toen iedereen weg was, sloeg Rachel haar armen om me heen. 'Dank je, Annie! Ik hou zo veel van je!' zei ze, en daar moest ik bijna van huilen. Alleen, er was geen tijd voor, want ik moest de boel nog opruimen voordat Clarissa en James thuis zouden komen.

Bij het verlaten van Camden Town ging het opeens een heel stuk beter met Mark. Hoe dichter we bij Islington kwamen, des te minder hij klaagde over zijn pijn – zelfs het rijden over de drempels daar, wat zonder rugpijn al onaangenaam genoeg is in die oude VW-bus van hem, kon hem amper deren. Hij zette de bus op onze parkeerplaats, sprong zo ongeveer uit de auto, pakte onze weekendtassen zonder zelfs maar een enkel woord van protest en zwaaide ze achteloos over zijn schouder. En in plaats van op de lift te wachten, zoals ik deed, rende hij, gevolgd door Fluffy, met twee treden tegelijk de trap op.

Aangezien ik te uitgeput was om ook nog maar een poot te kunnen verzetten, gaf hij Fluffy te eten en maakte hij met calvados geflambeerde appelpannenkoeken als avondmaal. Daarna liet hij een warm schuimbad voor me vollopen, zette de hele badkamer vol met kaarsen en kwam – met twee glazen rode wijn – bij me in het sop liggen. Later, na het nodige erotische gespetter, trokken we onze badjassen aan en gingen we in elkaars armen, met Fluffy aan onze voeten, op ons comfortabele bed liggen. Toen maakte Mark popcorn en zette hij een dvd op die hij bij een stalletje op Chapel Market had gekocht.

The Awful Truth was mijn favoriete soort film – een doldwaze komedie uit 1937. Gary Grant speelde Gerry Warrener, een miljonair uit de high society, en Irene Dunny was Lucy, zijn vrouw. De Warreners woonden in een prachtige villa in Manhattan, waar hun geüniformeerde dienstmeisje cocktails serveerde terwijl ze rondparadeerden in avondkledij en geestige gesprekken voerden over het vertrouwen binnen het huwelijk. Verder hadden ze een leuke foxterriër, Mr. Smith, die volgens mij de reden was waarom Mark deze film had gekozen.

Het begon allemaal vrolijk genoeg, maar het prachtige uiterlijk van het huwelijk van de Warreners was bedrieglijk, en het duurde niet lang voor ik zenuwachtig en met een akelig voorgevoel de ene hand popcorn na de andere in mijn mond begon te proppen. Gerry loog tegen Lucy over waar hij het weekend doorbracht, Lucy ging tot laat 's avonds uit met haar gladde Franse muziekleraar, Armand Duval, en het duurde dan ook niet lang voor de Warreners in scheiding lagen en met elkaar de voogdij over Mr. Smith, van wie bleek dat hij het stel bij elkaar had gebracht, betwistten.

'Precies zoals Fluffy jou en mij bij elkaar heeft gebracht!' Mark drukte een zoen op mijn voorhoofd. 'Want zonder hem hadden we elkaar nooit ontmoet.'

'Mmm. Geen wonder dat deze film *De Verschrikkelijke Waarheid* heet,' zei ik terwijl ik aan het begin van de rechtbankscène lekker dicht tegen hem aan kroop. 'Dit is écht verschrikkelijk. Wat gaan ze doen?'

Mark pakte een hand vol popcorn. 'Dat weet ik niet, lieveling.'

'Ik kan het nauwelijks aanzien.'

De rechter besloot dat Mr. Smith zelf maar moest kiezen bij wie hij wilde blijven. Hij beval dat Gerry en Lucy tegelijkertijd hun hondje moesten roepen – en degene naar wie Mr. Smith dan toe rende, mocht hem houden. Maar die arme Mr. Smith kon niet kiezen – tot het moment waarop Lucy zijn favoriete speeltje uit haar witte bontmof toverde – niks designerhandtassen, als je in de jaren 1930 buitenshuis en erbinnen als vrouw wilde meetellen, moest je een mof hebben. En Mr. Smith rende naar haar toe.

'O, maar dat is gemeen! Dat is oneerlijk!' riep ik uit. Gerry was evenzeer van streek over het verlies van zijn hondje als over het stuklopen van zijn huwelijk.

'Onvoorstelbaar,' was Mark het met me eens. 'Nou, zoiets zal Fluffy en ons nooit overkomen!'

Alsof hij wist dat we het over hem hadden, tilde Fluffy zijn slaperige kopje even van zijn voorpoten en keek Mark aan. Ik deed hetzelfde. 'Nee, liefste?' vroeg ik, in de hoop op zijn geruststellende woorden, ofschoon ik natuurlijk wist dat ons een drama bespaard zou blijven.

Mark kuste me. 'Nee, lieveling,' antwoordde hij vol overtuiging. 'Jij en ik zullen nooit scheiden.'

'Mooi.' Ik kroop nog wat dichter tegen hem aan en stak mijn hand opnieuw in de bijna lege bak met popcorn.

'Tenzij je dat eet,' voegde Mark eraan toe. 'Die laatste hap is van mij. Jij hebt die hele bak zowat in je eentje leeggegeten.'

Ik opende mijn vuist en liet de korrels terugvallen in de kom. 'Dat is een hoge prijs, maar ik ben bereid het offer te maken. En kunnen we die film nu uitzetten? Ik kan het niet langer verdragen. En daarbij, ik ben doodmoe.'

'Best.'

Mark pakte de afstandsbediening en verloste Gerry, Lucy en Mr. Smith uit hun lijden. We wurmden ons uit de badjassen en kropen, voorzichtig om Fluffy niet te wekken, onder de dekens.

'Het was een heerlijk weekend, niet?' fluisterde Mark in mijn nek nadat hij tegen mijn rug aan was gaan liggen.

'Mmm,' reageerde ik nietszeggend.

'Is het niet heerlijk om een huis vol kinderen te hebben?'

'Mmm!' Heerlijk? Eerder uitputtend. Na die twee dagen bij Clarissa thuis begreep ik pas goed hoe het kwam dat ze er de laatste tijd zo afgetobd uitzag. Dat was omdat ze afgetobd wás! En ik wist nu ook waarom zij en James nooit seks hadden wanneer ze thuis waren.

'De meisjes zijn echte schatten,' ging Mark verder.

'Ja, ik ben stapel op ze. Maar die starlets, hm, dat is een ander verhaal.'

'Ach, het zijn gewoon kleine meisjes, Annie. Alle kinderen zijn zo nu en dan lastig. Ze kunnen toch niet altijd volmaakt zijn.'

'Je bent echt goed met kinderen,' mompelde ik.

Ik voelde Mark zijn schouders ophalen tegen mijn rug. 'Niet speciaal. Ik heb alleen veel ervaring met mijn neefjes en nichtjes. En ik doe graag gekke dingen met ze.' Even later zei hij: 'Maar jij deed het ook heel goed, lieveling.'

'Nee, niet waar. Ik ben hopeloos met al dat soort huishoudelijke dingen, en dat weet je best.'

'Dat is helemaal niet waar!' Mark hees zichzelf op een elleboog en draaide me naar zich toe zodat ik hem aan kon kijken. 'Je hebt toch gehoord wat Rachels vriendinnen zeiden – ze hadden het nog nooit zo fijn gehad.'

'Alleen maar omdat ik die make-updingen en zo met hen heb gedaan. Het is maar goed dat het geen jongens waren. Dan zou ik het echt niet hebben geweten.'

'Annie, geef nu maar toe, je was geniaal. En echt, het spijt me heel erg dat ik alles aan jou heb moeten overlaten.'

'Je hoeft je niet te verontschuldigen. Het was immers een ongeluk, of niet soms?'

'Ja,' zei Mark na een korte aarzeling. We kropen weer dicht tegen elkaar aan, maar net toen ik bijna in slaap was gevallen, streelde hij me zachtjes over mijn zij. 'Annie?'

'Mmm?'

'Laten we een kindje maken,' fluisterde hij.

Mijn ogen schoten open en ik tuurde in het donker voor me uit. 'Wat?' vroeg ik zacht.

'Laten we een baby maken.'

Een vreemd gevoel, een mengeling tussen angst en weerzin, maakte zich van mij meester. 'Wat, je bedoelt nu?' bracht ik ademloos uit.

'Nou, niet uitgerekend deze minuut.' Hij drukte een kus achter in mijn nek. 'Ik weet ook niet of ik daar na dat bad nog wel toe in staat zou zijn. Maar binnenkort. Ik wil zo dolgraag kinderen met je hebben, lieveling. Jij niet?'

'Natuurlijk.' Ik haalde diep adem om mijn op hol geslagen hart te kalmeren. 'Maar we zijn nog maar net getrouwd.'

'Ja, dat weet ik.'

'En ik vind het heerlijk, zoals we het nu hebben,' ging ik verder. 'Jij dan niet? Jij, ik en Fluffy?'

'Natuurlijk.' En toen voegde hij eraan toe: 'Maar zou het met een baby niet nóg volmaakter zijn?'

'Mmm.' Na alles wat ik de afgelopen twee dagen had meegemaakt, kon ik me dat helemaal niet voorstellen. 'Maar ik ben op dit moment nog aan de pil.'

'Daar zou je toch mee kunnen stoppen,' zeurde hij.

'Ik weet niet of dit wel het goede moment zou zijn. Met mijn werk, bedoel ik.'

'Oké,' zei Mark. Ik sloot mijn ogen onder het slaken van een zucht van opluchting. 'Maar wil je me één ding beloven, Annie?' ging hij verder.

'Wat, liefste?'

'Beloof je me dat je zult overwegen om met de pil te stoppen?'

Mijn ogen schoten weer open. 'Goed,' zei ik zacht. 'Ik beloof je dat ik erover zal denken.'

Hij trok me heel dicht tegen zich aan. 'Dank je, liefste.'

En gedurende de twee daaropvolgende jaren hield ik me aan die belofte.

Ik dacht erover.

Hoofdstuk 18

Het was zo ironisch als het maar kon zijn.

Het was 30 april, de dag waarop we exact vijf jaar getrouwd waren, en Mark en ik waren opnieuw op weg naar de Burgerlijke Stand – maar deze keer moesten we op een heel andere afdeling zijn.

In het verleden hadden we onze trouwdag altijd met het opentrekken van een fles champagne gevierd, maar dit jaar stonden we elkaar zo ongeveer naar het leven.

Terwijl mijn vingers zenuwachtig met de ketting speelden van de originele, bijna antieke gewatteerde handtas van Chanel die ik vanochtend had uitgekozen, vroeg ik me af hoe Mark en ik in deze situatie terecht hadden kunnen komen, en nog wel binnen zo korte tijd, terwijl we toch zo verschrikkelijk veel van elkaar hadden gehouden.

Ja, ik had tenminste van Mark gehouden.

Voor mij was hij de aardigste mens geweest die ik ooit had gekend. Hij was altijd zo vriendelijk en zo genereus, zo liefdevol en zo tolerant. Hij had me het gevoel weten te geven dat ik bemind werd en speciaal was, en altijd, wanneer ik thuis was gekomen en hem zag, had mijn hart een sprongetje gemaakt. We hielden van dezelfde films en van dezelfde kunsttentoonstellingen. We hielden van dezelfde muziek – Clapton, REM, Van Morrison, Amy Winehouse, de soundtracks van *The Sound of Music* en de *West Side Story*, die we alle twee uit ons hoofd kenden. We hielden ervan om samen thuis rond te lummelen, om samen naar de supermarkt te gaan en naar sentimentele oude zwart-witfilms als *Top Hat, Dark Victory* en, natuurlijk, *The Awful Truth* te kijken. Maar *Now Voyager* was onze absolute favoriet. We moesten altijd alle twee huilen wanneer we Bette Davis op haar plateauzolen en met die witte strohoed de loopplank van de oceaanstomer af zagen komen waarover ze als een stijve trut aan boord was gegaan en waar ze die transformatie had ondergaan.

Hoe gelukkig was ik de eerste jaren van mijn huwelijk geweest, bedacht ik, terwijl ik voortliep naast meneer Williams, mijn advocaat. Soms, wanneer ik 's avonds op de bank met Fluffy aan mijn zij had zitten lezen en dan opkeek naar de tussenverdieping waar Mark op zijn gitaar zat te spelen, had ik me letterlijk overweldigd gevoeld door het feit dat ik zo veel geluk had gehad om deze getalenteerde schat van een man te vinden.

Maar waarom was het dan toch misgegaan tussen ons? Wat had ons geluk zo kunnen bederven?

Wanneer was ik, bijvoorbeeld, gaan beseffen dat Mark wel eens niet helemaal volmaakt zou kunnen zijn? Wanneer was ik opgehouden zijn bermuda's en T-shirts sexy te vinden? Aanvankelijk was ik zo trots geweest op het feit dat zijn kleren hem niets interesseerden – hij wist tenminste waar het in het leven om ging, om iemands innerlijk in plaats van om zijn uiterlijk, om de werkelijkheid in plaats van om de schijn. Maar na verloop van tijd was het moeten aanzien van het wiebelen van zijn dikke tenen in die oude canvassandalen en het eeuwige bloot van zijn behaarde knieën me gaan irriteren. Zijn collectie afgedragen T-shirts met hun ethisch verantwoorde slogans – *Save the Whales, Save the Rainforest, Save Energy* – waren me eerst tegen gaan staan, en daarna was ik me ervoor gaan schamen, zoals die keer dat hij er eentje had aangetrokken voor het kerstdiner voor het personeel van Haines and Hampton.

Wanneer was ik gaan inzien dat Mark misschien wel helemaal niet een beroemde musicus wilde worden? De eerste barstjes waren al vrij vroeg ontstaan, toen die fantastische hit van hem, die hij sinds onze ontmoeting in mijn flat had zitten componeren, half af bleef liggen, evenals de rest van de nummers waar hij altijd vol enthousiasme aan begon, maar die hij nooit voltooide. Daarna was de band waar hij wel eens mee schnabbelde opgeheven, en hij was niet op zoek gegaan naar een andere groep om mee te spelen. Een paar maanden daarna deed hij ook niet langer zijn best om aan schnabbels in opnamestudio's te komen, want, zo zei hij, daar had hij nu met het zorgen voor Fluffy en mij, en met zijn uitlaatbedrijfje, geen tijd meer voor.

Niet dat zijn bedrijfje zo geweldig liep. Met zijn onverschilligheid ten aanzien van tijd, efficiency en geld zou Mark nooit in aanmerking komen als kandidaat voor *The Apprentice*. In de loop van het tweede jaar van ons huwelijk daalde zijn aantal klanten van twintig naar vijftien, vervolgens van vijftien naar twaalf en ten slotte naar zes, en op de een of andere manier was hij er nooit toe gekomen nieuwe te vinden. En met zo weinig honden die hij moest ophalen en thuisbrengen, en waarmee hij dan twee keer per dag naar Hampstead Heath ging, was het geld dat hij ermee verdiende nauwelijks voldoende geweest om zijn benzine van te betalen, om nog maar te zwijgen over de inkomstenbelasting, als hij er ooit toe zou komen zijn verdiensten op te geven. Dus toen zijn dierbare VW-bus op een dinsdagmiddag, midden op Kentish Town Road de geest gaf en hij met Fluffy en drie keffende fikkies gestrand was, had hij op het punt gestaan zijn hele bedrijfje maar op te geven. En dat zou hij ook hebben gedaan als ik er niet op had gestaan dat we een gloednieuwe Audi op afbetaling zouden kopen, zodat hij die voor zijn werk zou kunnen gebruiken – of liever, dat ík die zou kopen en afbetalen, omdat hij daar zelf niet voldoende voor verdiende.

Gelukkig kon ik me die auto dat jaar veroorloven, want ik had promotie gemaakt. Mijn bazin, Eileen, was met pensioen gegaan, en ik was haar gedoodverfde opvolgster geweest. Vanaf de dag waarop ik als pas afgestudeerde jonge vrouw van vijfentwintig bij Haines and Hampton was komen werken, had ik ervan gedroomd om afdelingshoofd van personal shopping te worden, en nu was die droom dan in vervulling gegaan. Van de ene op de andere dag was mijn salaris verdubbeld en was ik een bescheiden beroemdheid binnen het Londense modewereldje. Ik werd geïnterviewd door *Vogue* en kreeg een profiel in de Britse editie van *Vanity Fair*. Het leiden van de afdeling, het doen van de boekhouding, mijn besprekingen met George Haines en de inkopers en het contact met mijn klanten betekende wel dat ik – ondanks de hulp van mijn nieuw verworven assistente van onschatbare waarde, Eva – minstens twee keer zo hard moest werken.

Na mijn promotie gebeurde het regelmatig dat ik, in plaats van zoals voorheen om zeven uur thuis te komen, niet voor acht of negen uur binnen was. Vaak was ik dan zo totaal uitgevloerd dat ik regelrecht op bed was gevallen, waar Mark me dan op een dienblad mijn eten bracht. Hoewel ik echt bekaf was, had ik nooit laten merken dat ik zo moe was wanneer hij seks had gewild, en van wat ik eruit kon opmaken, leek hij er evenveel genoegen aan te beleven als altijd. Nee, ik was de enige voor wie het niet meer zo hoefde. Ik kon mijn werk niet loslaten en kon me niet op het vrijen concentreren. Soms betrapte ik me er halverwege de coïtus op dat ik bezig was te bedenken welke kleren ik de volgende ochtend aan mijn klanten zou laten zien of, wat zo mogelijk nog erger was, dat ik wou dat Mark een beetje opschoot.

Mijn professionele ster was stijgende, maar die van Mark was aan het verbleken – áls hij al wat deed. Was hij jaloers op mijn succes? Hij beweerde dat hij het fantastisch voor me vond. Maar kort na mijn promotie begon hij weer te zinspelen op een baby. Zijn zussen en zwagers waren als konijnen aan het fokken. Het leek wel alsof, telkens wanneer zijn ouders belden, dat was om over een nieuwe zwangerschap of geboorte te vertellen. Lizzie had er alweer een dochtertje bij, Emma een zoontje, Katie was weer zwanger. 'O, fantastisch!' riep Mark dan dromerig uit. Het duurde niet lang voor zijn hints minder subtiel begonnen te worden, en uiteindelijk werd het wel of niet krijgen van kinderen een serieus probleem tussen ons. Het was er niet het goede moment voor, was mijn argument. Ik was er nog niet aan toe.

En in mijn hart vroeg ik me af of ik dat ooit wel zou zijn. De gedachte zwanger te raken deed me huiveren.

Dus was dat dan de ware reden geweest waarom, zo'n twee-enhalf jaar na onze bruiloft, Mark zijn toevlucht had gezocht tot zinloos wippen met een pilatesjuf die een waardeloze smaak in ondergoed had? En had ik hem nu dan in de armen van de eigenaresse van de Weimaraner gedreven omdat het mij voor de wind ging en hij geen werk had?

Ach, wat maakte het ook uit. Het resultaat was in ieder geval dat we gingen scheiden. En de man die ooit zielsveel van me had gehouden, haatte me nu zo intens dat hij het enige waar ik net zo veel van hield als ik ooit van hem had gehouden, van we wilde afpakken. Fluffy.

Ons voorlopige vonnis van echtscheiding was er al door – de eerste officiële stap op weg naar een definitieve scheiding – maar omdat we het via onze respectievelijke advocaten maar niet eens hadden kunnen worden over wie de voogdij over die lieve hond van ons zou krijgen, waren we nog niet in aanmerking gekomen voor het definitieve vonnis waarmee ons huwelijk nietig werd verklaard. En nu was het de bedoeling dat we zouden proberen om, in een zogenaamd gecombineerd gesprek dat door de rechter werd voorgezeten, alsnog tot overeenstemming te komen.

Williams en ik waren naar Costa's gegaan om een cappuccino te drinken en daar had hij uitgelegd hoe het zat met die twee gesprekken. In gecompliceerde zaken vonden ze na elkaar plaats, maar in eenvoudige zaken, zoals de onze, werden ze meestal gecombineerd. Dat was prettig, want het scheelde tijd en geld. Het eerste gesprek ging over de te volgen procedure en betrof het regelen van technische kwesties, het tweede gesprek was gewijd aan de financiële kant van de scheiding. Vanochtend was een goed moment om te proberen op een rustige manier tot afspraken te komen in de kwesties waar we het maar niet over eens konden worden. Als we het eens konden worden over wie Fluffy zou krijgen, zouden we onszelf een kostbare officiële rechtszitting kunnen besparen.

Dat leek allemaal hoogst beschaafd, maar het voelde meteen al een heel stuk minder plezierig toen we de rechtbank binnen waren gegaan en Mark met Martha Greenwood waren tegengekomen. Toen we elkaar met slechts een ijzig knikje passeerden, voelde het voor mij alsof we duellisten met onze secondanten waren, en we bereid waren elkaar naar het leven te staan.

Williams had me geadviseerd om in de flat te blijven wonen en ik had sterk het gevoel dat Martha Greenwood Mark exact hetzelfde had aangeraden. Dat betekende dat we nog steeds bij elkaar woonden en we dat ook zouden blijven doen tot onze scheiding definitief was, we de flat hadden verkocht en de winst hadden gedeeld. We hadden al maanden nauwelijks iets tegen elkaar gezegd, afgezien dan van tijd tot tijd een venijnig: 'Ja, nee, ben je klaar in de badkamer? Dat is mijn melk die je daar neemt.'

En die arme Fluffy begreep er natuurlijk niets van. Waarom bracht ik, zijn bazinnetje, zo veel tijd alleen in de slaapkamer door, in plaats van samen met hem voor de haard te liggen? Waarom sliep Mark op de bank, in plaats van lekker dicht tegen mij aan in bed, waar Fluffy zich dan, in de loop van de nacht, beetje bij beetje tussen ons in wurmde? Hij was het gewend om in volle vaart, de meubels omzeilend, door de flat te rennen, maar nu was de deur tussen de woonkamer en de slaapkamer altijd dicht. Met Mark aan de ene kant en ik aan de andere. Fluffy krabbelde eraan in de hoop dat een van ons zijn racebaan weer in de oorspronkelijke staat zou willen herstellen.

Nadat we een poosje op de gang hadden moeten wachten, werd onze zaak afgeroepen en moesten Mark en ik voor de rechter van de arrondissementsrechtbank verschijnen. Ze stelde zichzelf voor als mevrouw Robarts en vroeg Williams of hij de zaak vanuit mijn standpunt wilde beschrijven. Aangezien ik de eisende partij was, had mijn advocaat kennelijk het recht om als eerste zijn woordje te doen.

Williams vertelde over de reden van de onherstelbare breuk van ons huwelijk – Marks overspel – en ging verder met het voorlezen van mijn financiële voorstel – Mark zou de helft van de flat krijgen, de auto, zijn keuze van het meubilair en de helft van spaarrekening. Het enige wat ik wilde, was een zuivere breuk. Mevrouw Robarts luisterde, afgezien van zo af en toe een knikje en een nauwelijks zichtbaar optrekken van haar wenkbrauwen, met een totaal uitdrukkingsloos gezicht naar Williams' verhaal, waarna Martha Greenwood, Marks advocaat, zijn versie van de geschiedenis voorlas. Hoewel haar cliënt toegaf niet in belangrijke mate te hebben bijgedragen aan de gezamenlijke inkomsten, zei ze, had hij de rol van huisman op zich genomen waarmee hij de eiseres in staat stelde zich geheel en al aan haar carrière te wijden, zonder zich druk te hoeven maken over het huishouden. De gedaagde was tevreden over de aangeboden financiële regeling – sterker nog, hij beschouwde het als een uitermate gul gebaar. Daarnaast wilde hij nog wel opmerken dat hij pas overspel had gepleegd nadat zijn huwelijk definitief niet meer te redden was geweest.

'Dat is niet waar!' viel ik haar in de rede. 'Alles was goed tussen ons! En hoe zat het dan met Fern?'

'Alstublieft, mevrouw Curtis.' De rechter schonk me een klein glimlachje. 'Laat u de advocaat van uw man uitspreken. Na afloop krijgt u het woord.'

'Nou, edelachtbare, dat is het wel zo'n beetje,' zei Martha Greenwood. 'Zoals ik al zei, mijn cliënt is meer dan tevreden met de aangeboden financiële regeling.'

De rechter fronste haar voorhoofd. 'Nou, als iedereen tevreden is en beide partijen het eens zijn, dan weet ik niet goed waarom u mijn tijd wilt verdoen,' zei ze, Williams en Greenwood om beurten aankijkend. 'Waarom hebt u deze zaak niet gewoon op de gebruikelijke manier afgewikkeld? Deze zitting is toch nergens voor nodig?'

'Nou,' zei Williams, 'we zijn hier omdat er een kwestie is waar de partijen het niet over eens kunnen worden.'

Het was duidelijk dat de rechter er nog steeds niets van begreep. 'En hebt u mevrouw en meneer Curtis dan geen mediator aangeraden?'

'Mijn cliënt weigert enig compromis, edelachtbare,' zei Greenwood.

'En de mijne ook,' zei Williams. 'Het gaat over de voogdij.'

'De voogdij?' De rechter bladerde door het dossier dat opengeslagen voor haar op tafel lag. 'Ik wist niet dat het echtpaar kinderen had.'

'Nee, er zijn geen kinderen,' beaamde Williams. Hij slikte. 'Het betreft de hond van mijn cliënte.'

'De hond van míjn cliënt,' corrigeerde Greenwood hem.

'Fluffy is niet van Mark,' beet ik haar toe.

'Ach, hou toch op!' zei Mark. 'Je weet best dat hij meer aan mij is gehecht dan aan jou.'

'Onzin! Hoe dan ook, Mark, hij is van mij. Ik heb hem gekocht.'

'En voor het geval je dat vergeten bent, ík heb hem opgevoed.'

'Begrijp ik het goed en zijn eiseres en gedaagde het niet eens over wie van hen de voogdij over de hónd moet krijgen?'

'Inderdaad, mevrouw,' zei Williams, een tikje nerveus. 'Hij – Fluffy – is de hond van mijn cliënte, en zij wil natuurlijk ook dat dit zo blijft.'

'En míjn cliënt houdt vol dat Fluffy zíjn hond is, en dat het in Fluffy's belang is dat hij na de scheiding bij hem blijft.'

De rechter schudde verbaasd haar hoofd. 'Meneer en mevrouw Curtis, kan ik ervan uitgaan dat uw advocaten u hebben gewezen op het juridische aspect van de zaak?' vroeg ze, op een toon alsof ze het tegen een stel kleine kinderen had. 'U mag dan heel erg aan uw huisdier – Fluffy, is het niet? – gehecht zijn, maar u moet beseffen dat hij voor de wet niet meer of minder is dan roerend goed dat voor of tijdens uw huwelijk is aangeschaft.' Haar blik ging over de lijst van ons – mijn – bezit. 'Net als, laten we zeggen, uw loft in Islington en uw Audi Avant. Hij is een voorwerp, echtelijk bezit. Stelt u hem zich maar voor als, ik noem maar wat, uw roestvrijstalen Magimix.'

'En in dat geval behoort hij zeer zeker bij mij te blijven,' zei Mark op droge toon, 'want Annie weet nog niet eens hoe ze die Magimix van ons aan moet zetten.'

'Fluffy is geen Magimix!' riep ik uit. 'Hij heeft geen knopje voor aan en uit. Hij is een dier met een gevoelsleven en behoeften!'

'Ja, Annie. Behoeften waarin ik veel beter kan voorzien dan jij!'

'Meneer en mevrouw Curtis, ik heb u net getracht uit te leggen dat uw hond voor de wet niet meer is dan een stuk persoonlijk bezit – '

'Ja, en toevallig wél een waarvoor ík betaald heb!' viel ik haar in de rede.

' – een onbezield voorwerp dat geen verzorging behoeft.'

'Natuurlijk heeft hij wel verzorging nodig!' verklaarde Mark. 'En het is verschrikkelijk als daar geen rekening mee wordt gehouden!'

De rechter schonk hem een kil glimlachje. 'Dat kunt u nu wel zeggen, meneer, maar de wet is de wet. Ik zit hier echter niet om een uitspraak te doen. Op dit punt kan ik alleen maar advies geven. In die zin raad ik u aan om hier, in deze rechtszaal, tot een akkoord te komen over Fido – of Fluffy, of hoe hij ook heten mag. Zo niet, dan wacht u een officiële hoorzitting die u tienduizenden ponden gaat kosten. Wilt u het werkelijk zo ver laten komen? En kunt u zich dat veroorloven?' Mark en ik keken elkaar aan en schudden het hoofd. 'Mooi. Ik ben blij dat we het daarover eens zijn. Dan vraag ik u, hebt u erover gedacht om de voogdij over Fluffy te delen? Bijvoorbeeld dat u hem om de beurt een week hebt? Of dat hij de ene zomer met de een op vakantie gaat en de volgende zomer met de ander? En dat u ook met Kerstmis afwisselt?'

'Zou ik daar misschien een opmerking over mogen maken?' vroeg Martha Greenwood. 'Mijn cliënt is bereid – en dat is een bijzonder gul gebaar van hem – om Fluffy elke kerstvakantie en elk officieel lang weekend bij eiseres te laten logeren, en om haar elke zondag bezoekrecht te verlenen, maar alleen wanneer hij voor het overige de volledige voogdij krijgt. In ruil daarvoor ziet hij, binnen de verdeling van het gezamenlijk bezit, af van de auto.'

'O, dus dan denk je dat Fluffy voor mij net zoveel waard is als de Audi?' vroeg ik spottend.

'Van mij mag je alles houden!' riep Mark uit. 'De flat. Alles. Fluffy is het enige wat ik wil hebben!'

Williams boog zich naar voren. 'O, ik denk dat mijn cliënt wel op dat aanbod in wenst te gaan.'

Ik draaide me boos naar hem om. 'Nee, dat wens ik niet!'

'Moet u horen,' zei de rechter, 'gescheiden echtparen vinden altijd een oplossing inzake een gedeelde zorg voor hun kinderen en ik kan me niet voorstellen dat u beiden het niet eens zou kunnen worden over uw hond.'

'Het wordt niets, edelachtbare,' zei Mark. 'En ik zeg heus niet dat Annie Fluffy niet zou mogen zien. Integendeel. Maar hij zal bij mij moeten wonen omdat zij niet voor hem kan zorgen.'

'Wát?' Ik wendde me tot de rechter. 'Ik weet werkelijk niet waar hij het over heeft!'

'Ja, dat weet je wel,' zei Mark. 'Jij bent de hele dag op je werk, en dat zes dagen per week.'

'Ja, maar... '

'Dus hoe moet jij dan beter voor Fluffy zorgen dan ik dat zou kunnen?'

'Nou, nu ik hoofd van de afdeling ben kan ik hem meenemen naar mijn werk – soms,' zei ik, zonder te weten waar ik die uitspraak op baseerde.

'Je weet best dat dat niet kan!'

'En als ik hem thuis moet laten, neem ik een hondenuitlater om hem uit te laten.'

'Dat lijkt me volkomen overbodig aangezien ík een hondenuitlater ben,' zei Mark – de redelijkheid in persoon.

'Nou, dan neem ik jou toch in dienst,' zei ik. En toen. 'O, nee, liever niet, want dat héb ik al eens gedaan.' Mark keek me vernietigend aan.

Williams schraapte zijn keel. 'Zo hebben mijn cliënte en haar man elkaar leren kennen, edelachtbare,' verklaarde hij.

'Aangezien ik een bijzonder verantwoordelijke hondenbezitster ben, had ik iemand nodig die Fluffy rond het middaguur, wanneer ik op mijn werk was, wilde uitlaten,' legde ik uit.

'Alsof je ooit niet werkte,' mompelde Mark bitter. 'Je was nooit thuis!'

'Orde, alstublieft.'

'Moet ik je eraan herinneren, Mark, dat een van ons beiden de kost moest verdienen? Als jij een fatsoenlijke baan had gehad, had ik niet van die lange dagen hoeven maken!'

'Dat is onzin, Annie. Jij maakt lange dagen omdat je geniet van je werk!'

'Ja, maar ik heb ook hard gewerkt omdat jíj het zo druk had vreemde vrouwen te neuken dat je geen tijd had om aan het huishoudpotje bij te dragen!'

'Orde!' beval edelachtbare Robarts.

Mark balde zijn vuisten. 'Het was maar één vrouw op de hei, en ze was geen vreemde.'

'Nou nee, nadat je het met haar had gedaan was ze dat niet meer!'

'Meneer en mevrouw Curtis! Mag ik u eraan herinneren dat u zich in een rechtszaal bevindt, niet in een circus waar naar hartelust met modder gegooid kan worden?'

Maar alle woede die Mark en ik gedurende maanden, zo niet járen, onderdrukt hadden, kwam er nu uit, en zelfs de rechter was niet in staat ons daarvan te weerhouden. 'O ja? En Fern dan?' zei ik. 'Haar heb je niet op de hei leren kennen, wel? Háár kende je van de sportschool – de sportschool waar ík voor betaalde! Zoals ik tijdens ons huwelijk voor álles heb betaald.'

Mark keek me woedend aan. 'Dat is nou altijd het geval met jou, Annie. Alles draait uiteindelijk om de centen!'

Dit was een aanval die ik niet had verwacht en mijn mond viel open. 'Dat is niet waar, Mark Curtis! Ik heb altijd alles met je gedeeld!'

'Inderdaad, ja! En waarom denk je dat ik mijn troost zocht bij Fern? Omdat jij me het gevoel gaf dat ik waardeloos was. Omdat jij me ontmande!'

'Hoe bestaat het! Dat heb ik niet goed gehoord.' Ik wendde me tot de rechter. 'Ik heb altijd de grootste waardering gehad voor alles wat hij voor me deed. En ik heb alles gedaan wat in mijn vermogen lag om hem als musicus aan te moedigen! Keer op keer heb ik hem verzekerd dat hij talent had! Toen hij zei dat hij een elektronische piano wilde, heb ik die prompt voor hem gekocht! En ik heb nota bene geprobeerd hem zover te krijgen dat hij die *Wag the Dog Walks* verder uitbreidde!'

'Wag de wat?' vroeg Robarts.

'*Wag the Dog Walks*, edelachtbare,' antwoordde Greenwood. 'Dat is het hondenuitlaatbedrijfje van mijn cliënt.'

'En toen die VW van jou het begaf, heb ik zelfs een Audi voor je gekocht,' ging ik verder, 'alleen opdat je die honden met hun modderpoten van en naar de hei kon brengen.'

'Zodat je de touwtjes in handen kon blijven houden, zul je bedoelen.'

Ongelovig schudde ik mijn hoofd. 'Je hebt ze niet allemaal op een rijtje.'

Ik meende haat in Marks blik te bespeuren. Toen zei hij, iets minder verhit: 'Ga maar na, Annie. Zelfs tijdens onze scheiding heb je het voor het zeggen.'

Er viel een lange stilte, en toen vroeg ik kalm: 'Ik begrijp werkelijk niet waar je het over hebt.'

'En als je niet blij bent met waar we nu mee bezig zijn, laat me je er dan op wijzen dat jíj hiermee bent begonnen.'

'Ja, maar alleen omdat jíj me ontrouw bent geweest – en dat voor de tweede keer!'

'Goed, maar jíj wilde scheiden. Jíj zei dat je mijn advocaat zou betalen. Jíj hebt besloten dat ik de helft wilde hebben van alles wat je bezit.'

Williams ging rechtop zitten. 'Mijn cliënte is bereid daarop terug te komen, edelachtbare.'

'Maar de mijne niet,' zei Greenwood prompt.

'Orde, alstublieft! Orde!'

'Ik probeerde alleen maar eerlijk te zijn!' Ik wendde me tot de rechter. 'Moet u horen, dit klopt gewoon niet. Het enige waar ik om vraag is mijn hond. En voor het overige heb ik Mark de helft aangeboden van alles wat ik bezit.'

'Een totaal onbevooroordeeld aanbod,' mompelde Williams.

'De helft van mijn spaargeld, de helft van de flat...'

'En die flat heeft mijn cliënte lang voor haar huwelijk gekocht,' bemoeide Williams zich er opnieuw mee, 'en daarvan heeft zij alléén de hypotheek betaald. De naam van de gedaagde komt niet voor op de eigendomsakte.'

'Jawel, dat doet hij wel,' zei Greenwood zacht.

'Wát?' riepen Williams en ik in koor.

'De naam van meneer Curtis staat op de eigendomsakte,' zei ze kortaf. 'Sinds afgelopen maand. Ik heb hem opgedragen dat te laten doen. Voor zijn eigen bestwil.'

Ik keek met grote ongelovige ogen naar Mark, die zich afwendde – vermoedelijk omdat hij zich schaamde. 'Kan hij dat zomaar? Ik bedoel, is dat rechtsgeldig?' vroeg ik aan Williams.

'Ik vrees van wel. Hij is uw echtgenoot.'

Het voelde alsof ik een dreun in mijn maag had gekregen. Ik keek opnieuw naar Mark. Nu was hij tenminste zo fatsoenlijk om beschaamd te kijken. 'Het spijt me, Annie,' zei hij. 'Ik had geen keus. Ik moest mijn positie zeker stellen om mezelf te beschermen.'

'Tegen mij?'

Er viel een korte, bittere stilte.

'Nou, mevrouw Curtis,' zei Robarts, 'aangezien u er geen enkel probleem mee hebt om uw hele bezit fifty-fifty met uw man te delen, waarom deelt u die hond dan niet net zo? Gaat u hem maar halen, dan zorg ik voor een bijl en hakken we hem doormidden. Eén van u beiden kan de kop krijgen – degene die zich het minst aan het blaffen stoort – en de ander die geen probleem heeft met wat er uit het achterlijf komt, kan dát deel van hem krijgen.' Mark en ik keken haar aan alsof ze gek was. 'Hebt u nog nooit van het salomonsoordeel gehoord?' Ze trok haar wenkbrauwen op. 'Weest u toch realistisch, meneer en mevrouw Curtis! U verdoet de tijd van de rechtbank, om over die van mij nog maar te zwijgen, en bovendien kost u dit ook nog eens een enorme smak geld.' Ze wendde zich tot de advocaten. 'Hebt u uw cliënten verteld hoeveel een officiële hoorzitting kan gaan kosten als ze dit niet onderling regelen?'

'Ik heb de cijfers, edelachtbare.'

'Nou, laat meneer en mevrouw Curtis daar dan eens aandachtig naar kijken.' Ze keek ons streng aan. 'En nu wil ik dat u goed naar mij luistert. Dit is mijn advies. Die officiële hoorzitting is geen goed idee. Gaat u liever met een fles wijn om de tafel zitten en probeert u het onderling eens te worden.'

Mark schudde zijn hoofd. 'Ik blijf bij wat ik heb gezegd,' zei hij. 'Het gaat mij namelijk niet om het geld. Het geld kan me echt niet schelen. Ik wil Annies geld niet. Waar het mij om gaat is Fluffy's welzijn. Hem wacht een verschrikkelijk bestaan als ik er niet bij kan zijn om voor hem te zorgen.'

'Dat is onzin, edelachtbare!' zei ik. 'Fluffy zal bij mij veel gelukkiger zijn. En ik ben tot alles bereid om dat te bewijzen.'

'Ik ook!'

'Mooi. Ik heb voldoende gehoord.' De rechter wendde zich tot onze advocaten. 'Neemt u uw cliënten alstublieft mee. Als ze die officiële zitting willen, dan moet dat maar. Ik ga niet nog meer tijd verspillen om te proberen hen op andere gedachten te brengen. We prikken een datum in de laatste week van augustus. En tot aan die tijd, mevrouw en meneer, beveel ik u om beurtelings voor uw hond te zorgen. Eerst krijgt de een hem een week, dan de ander, enzovoort. Zeven dagen mét en zeven dagen zónder. Bent u beiden bereid dat te accepteren?'

Mark en ik keken elkaar onbeholpen aan en we knikten.

'Mooi,' zei de rechter. 'Ik ben blij dat u het tenminste érgens over eens kunt zijn. En voordat u hier weggaat,' voegde ze eraan toe, 'geef ik u nog een goede raad. Als u besluit om met deze echtscheiding naar een officiële hoorzitting te gaan, dan zeg ik u nu al dat u daar spijt van zult krijgen. En niet in de laatste plaats omdat ik in heel Engeland niet één rechter ken die sympathie op zal kunnen brengen voor deze bespottelijke kwestie van u.'

En met deze huiveringwekkende, voorspellende woorden gebaarde ze ons dat we konden vertrekken.

Hoofdstuk 19

Wladyslaw Wyrzykowski, een beer van een vent – ruim één meter tachtig lang en kaalgeschoren – nam de krakende trap met twee treden tegelijk. In elke hand hield hij een van mijn loodzware en overvolle koffers en koffer nummer drie had hij onder zijn arm van Schwarzeneggerformaat geklemd.

Een halfuur daarvoor had ik drie keer moeten lopen om elk van die koffers van de flat naar de lift van het Workhouse te zeulen.

'Laat mij dat maar doen,' had Mark kortaf gezegd toen hij me de eerste naar de voordeur had zien sjouwen.

'Nee, dank je,' had ik even kortaf gezegd. 'Ik heb jouw hulp niet nodig.'

'Doe niet zo dom, Annie. Je zult jezelf nog bezeren.'

'Dat kan nooit zo erg zijn als de manier waarop jij mij hebt bezeerd.'

Hij slaakte een zucht van frustratie. 'Je kunt hem niet eens optillen!'

'Ja, dat kan ik wel.'

'Geef nou maar hier.' Mark had hem uit mijn handen getrokken. 'Jezus, wat heb je daarin zitten?'

'De rest van mijn leven. Zet neer, Mark, alsjeblieft. Ik heb je niet meer nodig. Nergens meer voor.' En met die woorden riep ik Fluffy en deed hem aan de riem, waarna ik de drie koffers om de beurt trekkend en schoppend de gang door naar de lift toe werkte.

Mark was, met zijn handen in de zij, vanaf de drempel naar

me blijven kijken. 'Het is belachelijk dat je Fluffy mee wilt nemen op de dag van je verhuizing,' riep hij, terwijl ik op de lift stond te wachten. 'Waarom wacht je niet tot je alles hebt uitgepakt, zoals ik heb voorgesteld?'

'Omdat het deze week mijn beurt is om hem te hebben. Jij hebt hem de vorige week gehad.'

'God, ik ken echt niemand die zo koppig is als jij!'

'Ik ben helemaal niet koppig! Het is alleen dat ik niet wil dat jij ergens stiekem in een boekje schrijft dat ik jouw hulp nodig had om voor Fluffy te kunnen zorgen en dat je dat dan als bewijs tegen mij gebruikt.'

'Alsof ik zoiets zou doen, Annie!'

'Precies, ja, alsof ik je zou kunnen vertrouwen.'

Beneden was Fluffy vrolijk achter in de taxi gesprongen die ik had besteld terwijl de arme Afghaanse chauffeur zichzelf bijna een hernia bezorgde met het inladen van de loodzware koffers in de achterbak. Maar toen we bij het huis in Fulham waren gekomen waar ik voorlopig zou wonen, was Wladyslaw in zijn witte schildersoverall naar buiten gekomen om ons te verwelkomen, en had hij de koffers het hoge, grimmige, grijze rijtjeshuis binnengedragen alsof ze even vederlicht waren als een kasjmieren trui. Na drie trappen was hij niet eens buiten adem. Toen hij op de overloop van de vierde verdieping was gekomen, boog hij zich opzij om het kale peertje te ontwijken dat aan een stukje snoer van het plafond hing en schonk me een jongensachtige grijns.

'Nog maar één zo'n kuttrap te gaan, Annie!' zei hij met dat zware Poolse accent van hem.

'Hoe lang doet de lift het al niet?' vroeg ik terwijl ik puffend achter hem aan liep.

'Sinds vandaag.'

'Dat moet mij weer overkomen – dat hij er juist op de dag van mijn verhuizing mee ophoudt.'

'Nee, nee – twee dagen. Eén, twee. Sinds vrijdag. En toen hij ging kapot, ik zeg tegen mijzelf: "Jij moet hem maken voor Annie komt!" Ik werken de hele nacht vrijdag, geen gesodemieter, maar groot probleem met elektrische motor. Net als Russische werkman, ja? Schoft komt niet in beweging. Dus ik heb al besteld nieuwe in Duistland met iPhone. Hij komt voor morgen, zeker weten.'

Op de overloop liet ik mijn loodzware Downtown op de kale, stoffige planken vallen. Mijn schouder deed normaal al pijn van het dragen van de enorme leren handtas, maar vandaag zaten er, behalve de normale inhoud – tissues, make-up, BlackBerry, portemonnee, gekreukte bonnetjes van allang vergeten aankopen, een tweeliterfles Evian, haarborstel, Smints, Moleskine-notitieboekjes, lekkende balpennen en een collectie groezelige ongebruikte tampons die hun cellofaanverpakking allang kwijt waren en nu als een stelletje dode grijze muizen aan het vergaan waren – ook nog eens mijn juwelen, paspoort, laptop en adapter, de lader van mijn BlackBerry en mijn scheidingspapieren in, plús de volledige inhoud van mijn badkamerkastje, waaronder mijn elektrische tandenborstel, Eve Lom-cleanser, Clarins Flash Balm, mijn kostbare voorraad van Boots Protect and Perfect en de tientallen zo goed als ongebruikte lippenstiften, foundations en blushers die ik in de afgelopen twintig jaar had gekocht in de veronderstelling dat ze me stonden en die ik sindsdien was blijven bewaren in de hoop dat ze dat op zekere dag wel zouden doen.

'Ah, zwaar werk, niet, trappenlopen?' zei Wladyslaw vrolijk. 'Maar goed voor lijf als twee uur zweten op sportschool, ja?' Hij wees met zijn kin op mijn reusachtige tas. 'Wil jij dat ik dat nemen?'

'Nee, nee, dat gaat wel, dank je,' antwoordde ik dapper. 'Jij hebt al genoeg te dragen.'

'Geen kutprobleem, schat!' Hij hees het hengsel van de Downtown over zijn schouder alsof het slechts een met veertjes gevulde kussensloop was en liep, als een pakezel die de Andes over moest, de laatste trap op. 'Liftmotor komt vrijdag, zeker weten. Donderdag, misschien. Op zijn laatst vorige week. Maar als hij komt, dan maak ik lift in vijf minuten, geen probleem. Ik doe alles goed, weet je, zelfs Engels praten als echte Engelsman, zeker weten.'

'Dat doe je zeker.'

'Denk eraan dat je de echtelijke woning onder geen voorwaarde verlaat,' had Williams me gewaarschuwd toen ik hem de laatste keer had gesproken. Maar hij had makkelijk praten – hij hoefde niet met Mark onder één dak te leven. In de eerste weken na ons gesprek met de rechter, mevrouw Robarts van de Arrondissementsrechtbank, hadden we geprobeerd om enigszins beschaafd met elkaar om te gaan. We hadden haar suggestie zelfs opgevolgd en waren met een fles wijn om de tafel gaan zitten in de hoop dat we de Fluffy-kwestie zouden kunnen regelen. Maar voordat we ons tweede glas op hadden, was dat beschaafde gesprek van ons al uitgelopen op de ergste ruzie die we ooit hadden gehad. Marks verbolgenheid over mijn lange werkdagen, zijn gebrek aan ambitie, het feit dat ik de touwtjes in handen wilde hebben, zijn onbeheerste uitgaven, mijn hechte relatie met mijn vader (het bleek dat hij altijd duidelijk had gevoeld dat mijn vader hem buitensloot), dat ik mijn tandenborstel nooit terugzette in de lader en dat hij soms vergat om de wc door te spoelen na geplast te hebben – de sluizen stonden wagenwijd open, en alle woede en al het venijn die we al die jaren hadden opgekropt gutsten eruit als een onhoudbare stroom lava. Uiteindelijk had ik mijzelf opgesloten in de badkamer en was Mark, woedend schreeuwend dat hij me haatte, de flat uit gestampt.

Vanaf dat moment was samen onder één dak wonen ondraaglijker dan ooit. Het was alsof we alle twee probeerden te doen alsof de ander niet bestond. Als we elkaar tegenkwamen op de gang, ontweken we elkaar zonder iets te zeggen. Als hij in de woonkamer was, zat ik in de slaapkamer met de televisie keihard aan. Als ik in de woonkamer zat te lezen, ging hij naar de mezzanine boven de keuken waar hij dan zo luid muziek begon te maken dat er een keer een buurman van de begane grond boven was gekomen om te klagen. Wanneer het tijd was om te eten, bewogen we zwijgend en met opgezette stekels achter het aanrecht heen en weer en maakten we elk ons eigen eten klaar – Mark maakte iets verrukkelijks van verse ingrediënten en ik schoof iets kant-en-klaars in de magnetron. Dan gingen we elk met ons bord aan een kant van de kamer zitten eten alsof de ander lucht was. De enige die van deze hele toestand profiteerde was Fluffy, die we alle twee met lekkere hapjes bij ons probeerden te houden. Voor het eerst van zijn leven werd ons broodmagere hondje dikker. Zelfs zijn uitstekende heupbotten raakten met een laagje vet bedekt.

Het was onvoorstelbaar wat er met onze relatie was gebeurd. Er was een tijd geweest waarin ik het nog geen vijf minuten zonder Mark had kunnen stellen. Tegen eind mei kon ik er niet meer tegen – ik kon onmogelijk nog langer onder hetzelfde dak met hem wonen. Ik kon me zelfs niet meer herinneren wat ik ooit in hem had gezien, afgezien dan van zijn uiterlijk.

'Je bent gevallen voor dat verwaande glimlachje van hem,' zei mijn vader toen ik hem, tijdens ons maal in de Wolseley in Piccadilly, bekende hoe slecht het tussen ons ging. 'Maar zoals je oma al zei, schat, het is niet alles goud wat er blinkt.'

'Ja, pap, dat weet ik nu intussen ook wel. Maar moet je horen, ondanks het feit dat mijn advocaat heeft gezegd dat ik moet blijven waar ik ben, heb ik besloten om ergens anders te gaan wonen.'

Pap verslikte zich bijna in zijn gepocheerde eieren. 'Waarom, verdomme, Annie, zou jíj ergens anders gaan wonen? Waarom laat je hém daar wonen terwijl jíj de hypotheek nog steeds betaalt?'

'Omdat Mark het zich niet kan veroorloven om te verhuizen of om de hypotheek te betalen, pap.'

'Pathetisch! Waarom gooi je hem er niet gewoon uit?' Hij nam een slokje van zijn chablis. 'Het enige wat me spijt, is dat het je zo veel geld en problemen en verdriet heeft gekost om erachter te komen hoe hij in werkelijkheid is.'

'Nou, het gaat alweer. Of liever, van nu af aan gaat het vast beter.'

'Zo mag ik het horen!' zei hij. 'Natuurlijk. En zodra je voorgoed van hem af bent helemaal.'

Pap had, verstandig als hij was, voorgesteld dat ik, in plaats van een flatje te huren dat ik me maar nauwelijks kon veroorloven, weer thuis zou komen wonen tot de scheiding een feit was en we de flat hadden verkocht, en ik voldoende geld zou hebben om een aanbetaling voor een nieuw huis te doen. Uiteindelijk sliep hij drie tot vier nachten per week bij Norma in Willesden en stond ons huis in Hampstead Garden Suburb tegenwoordig vaak leeg. Bovendien was het huis zo groot dat het nagenoeg misdadig leek om het niet te gebruiken. Maar de gedachte om op mijn leeftijd weer thuis te gaan wonen – terug op mijn lilaroze tienerkamer met de bloemetjesrolluiken van Laura Ashley, de verschoten posters van Duran Duran, het eenpersoons houten hemelbed waar Brenda en Tiger, mijn gehavende teddybeer en pluchen kat, nog altijd op het kussen zaten – was te deprimerend. En daarbij was Hampstead Garden Suburb nog verder van Chelsea dan Islington al was. En als ik tijdens de weken dat ik Fluffy had – en na de definitieve hoorzitting hoopte ik hem voor altijd te hebben – behoorlijk voor hem wilde kunnen zorgen, moest ik zo dicht mogelijk in de buurt van Haines and Hampton wonen om zo snel mogelijk thuis te kunnen zijn.

Het was Eva geweest die me had aangeraden om contact op te nemen met Wladyslaw, of Vlad, zoals hij kortweg werd genoemd. Haar broer, zo vertelde ze, was zo'n typisch geval van een Poolse loodgieter die naar Engeland was gekomen om wat geld te verdienen. Dat was zes jaar geleden geweest. Het eerste jaar had hij in de bouw gewerkt in Peckham, waar hij het Engels had geleerd waarvan hij meende dat het volmaakt en beschaafd was. Door bij Eva op de vloer te slapen en de vacuüm verpakte *bigo's, flaki wolowe*, zuurkool en *klopsiki* te eten die hun moeder van thuis opstuurde, had hij voldoende geld kunnen sparen om zijn eigen loodgietersbedrijfje – Drainy Days, een slimme naam die door Eva was verzonnen – op te zetten.

Geïnspireerd door het televisieprogramma *Property Ladder* en volkomen in de ban van Sarah Beeny, de presentatrice daarvan, had Vlad na een jaar voldoende gespaard om een aanbetaling te doen voor een klein, uitgewoond appartement in Clapham, dat hij opknapte terwijl hij er zelf woonde en dat hij zes maanden later voor het dubbele verkocht. Drie jaar later was Drainy Days uitgegroeid tot een bescheiden maar winstgevend bedrijf en kon Vlad zich met recht projectontwikkelaar noemen. Met zijn team van mede-Polen – allemaal familieleden en jeugdvrienden die hij in zijn oude Transit van en naar Krakow reed – kocht hij half vervallen huizen in West-Londen die hij dan, binnen enkele weken, verbouwde tot kleine, op de startersmarkt gerichte flatjes voorzien van neutrale Ikea-keukens, goedkoop en vrolijk sanitair en laminaatvloeren.

Met zijn meest recente project was Vlad een nieuwe richting ingeslagen – het betrof een gewezen pension met uitzicht op de gasfabriek. Hij was bezig om het te verbouwen tot een veelheid van gemeubileerde flatjes die voor de verhuur waren bestemd, met andere woorden, zijn eigen verhuurbedrijf. Hoewel de verbouwing nog niet klaar was – op elke overloop lagen nog rollen elektriciteitssnoer, de muren waren slechts voor de helft geschilderd en koperen buizen staken als paddenstoelen uit de houten vloerdelen – had hij al zes van de elf eenheden verhuurd en was ik zijn zevende huurder.

Eva had me een week tevoren meegenomen naar het project. Zonder meubels had de zolderetage me het volmaakte toevluchtsoord geleken. De slaapkamer had een niet onaardige ingebouwde kast en een romantisch schuifraam met uitzicht op de omringende daken. Er was zelfs een kleine badkamer die, hoewel niet echt ultramodern, toch van gloednieuw sanitair, een powerdouche en een zitbadje was voorzien. De woonkamer met de open keuken was wat een makelaar mogelijk zou omschrijven als compact maar gezellig. De ruimte had een schuin dak met balken en er was een klein balkonnetje – groot genoeg voor mij om op te zitten. Het beste aan de flat was dat Vlad, omdat ik een vriendin van Eva was en de verbouwing nog in volle gang was, me de eerste drie maanden maar de halve huur zou berekenen.

Nu, terwijl ik na al die trappen op de zolderverdieping was aangekomen, was ik opgetogen bij de gedachte dat ik eindelijk weer een eigen plek zou hebben en dat ik me ver uit de buurt van mijn onuitstaanbare echtgenoot bevond. Maar toen Vlad de deur voor me opendeed, de inmiddels gemeubileerde woonkamer binnenging en mijn koffers naast het aanrecht zette, was ik met stomheid geslagen.

Sinds mijn laatste bezoek was er iets heel vreemds gebeurd.

De flat was gekrompen.

Verbijsterd keek ik de woonkamer rond. Het roomkleurige tweezitsbankje dat Vlad had neergezet nam eenderde van de kamer in beslag, de platte televisie nog een kwart en Vlad, Fluffy en ik de rest. Het schuine dak met de balken die ik bij mijn eerste bezoek zo sfeervol had gevonden, was zo laag dat er in de hele kamer amper een plek was waar een mens helemaal rechtop kon staan. Ik boog mijn hoofd, wurmde me langs de reusachtige biceps van mijn huisbaas en stak mijn neus om het hoekje van de slaapkamer, waar ik zelf nog maar nauwelijks in paste. Met Fluffy op mijn hielen schoof ik zijwaarts langs het onlangs geplaatste tweepersoonsbed naar de kast die ik, wanneer ik ernaast bleef staan, nog net open kon krijgen. Het aantal planken en rails erin was gehalveerd. Waar moest ik al mijn kleren laten? Ik zou ze in de koffers moeten laten zitten, alleen was er nergens een plek om die plat op de vloer te leggen.

'Alles oké, schat?'

'Ja,' kwam het met een klein stemmetje over mijn lippen. 'Alles is best, dank je.'

De deur van de slaapkamer zwaaide open – of liever, voor zover dat ging tot hij tegen het bed aan sloeg – en Vlads stralende gezicht keek als een lachende maan om het hoekje. 'Heb je alles wat je nodig hebt?'

'O, ja.' Alles, behalve plek om adem te halen.

'Dan laat ik je alleen om je boeltje uit te pakken, zeker weten. Als je iets nodig hebt dan roep je maar. Ik ben beneden, op de tweede etage, de bedrading aan het mollen.'

Ik luisterde naar zijn laarzen die de kale traptreden af stampten, naar de tweede verdieping, waar zijn landgenoten zo luid aan het hameren en boren waren dat het lawaai door het hele gebouw weergalmde. Toen wurmde ik me weer terug naar de woonkamer, die nu Vlad er niet meer was een fractie groter leek. Fluffy snuffelde langs de plinten alsof hij op zoek was naar de deur die toegang gaf tot de rest van ons nieuwe huis. 'Ik ben bang dat dit het is,' zei ik tegen hem, met een brok in mijn keel.

Claustrofobisch als ik me voelde, deed ik de dubbele balkondeuren open. Frisse, koele lucht stroomde naar binnen, maar ook het monotone gonzen van zwaar verkeer. Fluffy en ik stapten de vierkante meter balkon op en keken over het lage muurtje. Beneden, in de diepte, trok een stoet paarse wolken uitlaatgassen uitstotende bussen en auto's langs.

De moed zonk me in de schoenen met de zwaarte van een propvolle Mulberry Roxanne die van een catwalk valt. Ik dacht aan mijn prachtige, stille flat in het Workhouse met zijn vele vierkante meters woonoppervlak, die nu bezet werd door die rotzak van een Mark Curtis. Hemel, deze hele flat zou zó in mijn oude slaapkamer hebben gepast, en dan zou er nóg plaats over zijn geweest! Ik was niet kleiner gaan wonen, ik was minuscuul gaan wonen.

De tranen van zelfmedelijden sprongen me in de ogen, maar ik weigerde ze te laten vallen. Dit was een tijdelijke oplossing, hield ik mijzelf voor. Ik zat hier heus niet voor de rest van mijn leven, alleen maar tot de scheiding een feit was en we een koper voor de flat hadden gevonden. En daarbij, afgezien van dat het klein was, was er niets mis met dit flatje. Piepklein. Goed, goed, minuscuul. En er moest vast ook een positieve kant zitten aan het verruilen van een kast van een flat voor een mini-arendsnest. Daar zou ik me op moeten concentreren in plaats van me te gedragen als een verwend nest. Zo hoefde ik hier bijvoorbeeld niet uitgebreid te vegen, maar kon ik de vloer zó schoonblazen, of de hele keuken én de woonkamer schoonmaken zonder mijn voeten te verplaatsen. Ik kon, op de bank zittend, de afwas doen, en de voordeur openen zonder uit bed te komen. In geval van nood zou ik bezoek kunnen ontvangen – en zelfs voor hen kunnen koken – terwijl ik op de wc zat. En dat zou waarschijnlijk nog nodig zijn ook, aangezien er afgezien van het bankje en de keukenkruk onder de mini-eetbar, geen andere plek was om te zitten. En als ik het te benauwd en te klein vond, kon ik altijd nog met de kruk op het balkon gaan zitten, en dan maar hopen dat ik niet over het lage muurtje zou kukelen.

En Fluffy zou het hier best hebben, in die weken dat ik hem

had. De flat was groter dan de hokken in de hondenpensions – hoewel niet veel. Ik zou veel met hem wandelen. Een paar straten verder was een park waar hij zijn poten kon strekken. Hij was per slot van rekening een hond, en honden pasten zich gemakkelijk aan. Zolang ze maar in de nabijheid van een dierbare waren, kon het ze niet schelen waar ze waren of wat ze deden. En wanneer ze alleen werden gelaten, brachten ze de tijd meestal slapend door.

Intussen voelde ik me alweer wat beter ten aanzien van mijn nieuwe bestaan en nieuwe onderkomen. Zo meteen, zodra ik had uitgepakt, Fluffy te eten had gegeven en een kopje thee voor mezelf had gezet, zouden we ons alle twee al veel meer thuis zijn gaan voelen. 'Kom op, Fluffball, we gaan aan de slag!' zei ik. In de veronderstelling dat ik wilde spelen ging hij, op iets van een meter van me af – verder was onmogelijk – in een afwachtende houding staan. Aangezien ik al zijn speeltjes in het Workhouse had gelaten, verkreukelde ik een oude brief van Williams die ik in mijn Downtown vond tot een bal, en gooide hem door de kamer. Vóór Fluffy de kans had gekregen om in beweging te komen en het projectiel achterna te jagen, sloeg de prop tegen een van de balken en landde voor zijn poten op de grond. Hij hield zijn kopje schuin en bleef er verbaasd naar zitten kijken. Ik raapte de geïmproviseerde bal op en gooide hem door de deur van de slaapkamer. Kwispelend en blaffend schoot Fluffy er achteraan, waarna hij welgeteld twee seconden later met de prop in zijn bek weer voor me stond.

Ik zette de negentien-inch lcd-televisie aan en zapte naar een van de shoppingkanalen waar ik, wanneer ik me down voelde, altijd van opknapte. Terwijl een kale presentator de slap neerhangende haren van een graatmager model met een volumespray inspoot, maakte ik een van mijn koffers open en begon met mijn armen vol topjes, blouses, broeken en ondergoed aan mijn eerste van pakweg tien minitrektochten naar de slaapkamer. Tegen de tijd dat ik ze een plekje had gegeven was de kast vol en lag de vloer van de slaapkamer bezaaid met schoenen, en had ik nog twee koffers te gaan. Door de hangertjes dubbel te gebruiken en de planken absoluut helemaal vol te stouwen, lukte het mij ook de tweede koffer te legen. Maar voor de inhoud van de derde was geen plaats.

Ik schoof alle drie de koffers in een hoek van de woonkamer, onder het laagste punt van de balken, kwam overeind en stootte mijn hoofd. Nadat ik me op de bank had laten vallen, trok ik Fluffy naast me en keek met nietsziende ogen naar de televisie. Het model leek inmiddels op een suikerspin op een stokje en de kale man had gezelschap gekregen van Yvonne, een van de vaste presentatrices van de zender. 'Ongelooflijk, Carlos!' riep ze uit. 'Moet je zien hoe vol en dik haar haren zijn geworden!'

'Ja, Yvonne, en ze plakken ook helemaal niet!' reciteerde hij terwijl hij zijn vingers erdoorheen haalde.

'Normaal kost een spuitbus Ultra Lift Hair-U-Grow negentien pond vijfenzeventig,' zei Yvonne, waarbij ze me lachend aankeek. 'Maar vandaag, beste kijkers, hebben Carlos en ik een fantastisch unieke aanbieding voor u. Stelt u zich voor, twéé spuitbussen Ultra Lift Hair-U-Grow, plús de speciale Hair-U-Grow Ultra-Volumizing Gloss Daily Shampoo én een grote fles Hair-U-Grow Big Hair Double-Gloss Conditioner, plús de speciale Hair-U-Grow Ultra Locks Big Hair Haarborstel. Al deze artikelen samen hebben een adviesprijs van honderdvijfentwintig pond. Maar als u nu belt, krijgt u het hele pakket toegezonden voor maar eenentwintig pond en negenennegentig cent!'

Ik moest toegeven dat het echt een koopje was en dat die Hair-U-Grow volumespray inderdaad werkte. Maar dit was duidelijk een product dat ik niet zou aanschaffen zolang ik op deze zolder woonde. Volumineus haar – en volumineus wat dan ook – kon ik hier absoluut niet gebruiken.

Fluffy maakte een ongewoon rusteloze indruk. Hij liet zich van de bank glijden, snuffelde aan de keukenkastjes, ging voor me zitten, legde een poot op mijn schoot en piepte. Ik haalde het zakje van zijn Science Diet uit mijn derde koffer, maakte de Ikea Startersbox open die Vlad op het aanrecht had gezet en goot een deel van de brokjes in een van de kommen. Vijftien seconden later had Fluffy alles naar binnen geschrokt. Toen ging hij weer voor me zitten en keek me aan alsof hij wilde zeggen: 'En wat gaan we nu doen?'

Zijn niet-begrijpende blik maakte me wanhopig, maar het volgende moment voelde ik een enorme woede in me oplaaien – niet alleen jegens Mark, maar jegens álle mannen. Ik had mijn buik vol van liefde! Ik had mijn buik vol van romantiek! En ja, ik had zelfs mijn buik vol van seks!

Om dat te bewijzen, haastte ik me naar mijn slaapkamer, kiepte de inhoud van mijn Downtown op het onopgemaakte bed en zocht mijn stripje pillen. De een na de ander drukte ik ze door de folie en spoelde de hele zwik ten slotte door de wc.

Terug in de woonkamer plofte ik opnieuw neer op de bank, drukte mijn gezicht in het brandvertragende schuim van de kussens en zette het op een krijsen: 'Ik haat je, Mark Curtis! Ik haat je! En ik hoop dat je in de hel zult branden!'

Fluffy piepte eenstemmig met me mee. Ik trok hem weer bij me op schoot, maar ofschoon ik hem op zijn kopje aaide en achter zijn oortjes kroelde, werd hij maar niet rustig. Hij sprong op de grond, probeerde met een achterpoot aan zijn ballen te krabben, liep toen naar de voordeur en begon eraan te krabbelen.

Die avond lag ik met wijdopen ogen in bed te luisteren naar de vreemde geluiden: een dronkaard die op straat liep te schreeuwen, het gonzen van het verkeer, het water dat door de leiding stroomde toen een van mijn benedenburen de wc doorspoelde. Ik moest maar steeds aan de scheiding denken en van tijd tot tijd werd ik overmand door golven van pure paniek en brak het zweet me aan alle kanten uit. Net toen ik half in slaap was gevallen, maakte Fluffy me wakker door van het bed te springen en met zijn neus de deur open te duwen. Ik kon hem als een gekooid wild dier door de woonkamer horen sluipen – zijn nageltjes gingen tikkend van hier naar daar en terug over het laminaat. Van tijd tot tijd bleef hij staan en snoof diep onder de kier van de voordeur door, wat alleen maar kon betekenen dat hij naar vrijheid snakte. Een poosje later kwam hij de slaapkamer weer in, sprong weer op bed, draaide twee tot drie keer om zijn as en ging ten slotte, opgerold in een bal, dicht tegen me aan liggen.

Mijn wekker ging om zes uur – schijnbaar luttele minuten nadat ik weer in slaap was gevallen. Ik was van plan om, alvorens naar mijn werk te gaan, eerst een goed uur met Fluffy te wandelen, in de hoop dat hij dan tot de lunch zou slapen wanneer ik snel naar huis kwam om hem weer uit te laten, waarna ik voor de middag weer terugging naar de winkel. Met een beetje geluk hield hij het op die manier uit tot ik 's avonds weer thuiskwam en hem voor de derde keer uit kon laten.

Ik kroop uit bed, stapte in het zitbadje, draaide de powerdouche open en liet het troostende warme water over me heen stromen. Maar net toen ik mijn Aveda-shampoo tot een lekker schuim had opgewerkt, werd het warme water opeens bloedheet en ging het vervolgens over in een ijskoud dun straaltje. Hoe ik ook aan de kranen draaide, het water werd niet meer warm. Rillend van de kou spoelde ik mijn haren zo goed mogelijk uit. Daarna probeerde ik mijn bloedsomloop weer op gang te krijgen door mijzelf zo stevig mogelijk af te drogen, en trok ik het eerste het beste aan wat ik uit mijn overvolle kast had kunnen bemachtigen – een katoenen mini-jurkje van twee jaar oud en een leren Topshop-jack. Tijd om mijn haren te drogen was er niet meer, en nadat ik haastig een paar espadrilles had aangeschoten, pakte ik mijn sleutels en rukte de deur van de flat open. Op hetzelfde moment schoot Fluffy, die zijn vrijheid had geroken, als een hazewindhond en mij achter zich aan trekkend de trap af. Wanhopig keffend probeerde hij zo snel mogelijk beneden te komen en hij pauzeerde alleen maar even om een paar sigarettenpeuken op de overloop van de tweede verdieping naar binnen te schrokken. Ik siste dat hij ze uit moest spugen en dat hij geen lawaai moest maken, maar hij negeerde me. Afwisselend kokhalzend en blaffend vloog hij de straat op.

Pas toen hij even later tegen de dichtstbijzijnde lantarenpaal zijn eerste plas deed, zag ik dat ik verschillende espadrilles aan had – de ene had een hogere hak dan de andere. In plaats van weer helemaal naar boven te gaan, strompelde ik verder. Tegen de tijd dat ik bij het park was, kon ik amper nog een stap verzetten en plofte ik, als een dronken hoer na een zware nacht, op het eerste het beste met graffiti volgekladde bankje en keek – te moe om te proberen hem tegen te houden – naar Fluffy, die tussen de drollen, gebruikte condooms en injectienaalden op het gras in de grond groef en zijn behoefte deed. Na een minuut of tien kwam hij voor me zitten en zeurde om een bal. Toen ik er geen produceerde ging hij verslagen, met zijn kop tussen zijn poten, op het pad liggen.

Een uur later, koud, verveeld en hongerig, keerden we terug naar ons nieuwe onderkomen. Toen we bij de voordeur waren gekomen, trok Fluffy me opeens de andere kant op, zoals hij deed wanneer ik met hem naar de dierenarts ging.

'Kom op, Fluffy!' riep ik enthousiast. 'Tijd voor je ontbijt!'

Hij zette zich schrap. Ik trok aan zijn riem. Hij ging zwaar op de stoep zitten en keek woedend naar me op. 'Wat is er?' vroeg ik. Hij liet zijn kop zakken en gromde. 'Ja, ik weet het, leuk is het niet,' zei ik. 'Maar het heeft geen zin om er een drama van te maken. Dit is je nieuwe huis. Ons nieuwe huis. En we zullen er heus wel aan wennen.' Hij wendde zijn kop af om me duidelijk te maken dat hij daar geen zin in had.

'Vooruit, ga staan!' Ik gaf nog een ruk aan de riem, maar Fluffy weigerde. 'Doe nou alsjeblieft niet zo moeilijk!' smeekte ik. 'Want dat kan ik er vanochtend echt niet bij hebben.' In plaats van te antwoorden, rolde hij verwijtend met zijn ogen.

Ik liep de stoep op, deed de voordeur open, ging de stoep weer af, bukte me, pakte Fluffy op en tilde hem over de drempel. Hem deels vrolijk aanmoedigend en deels hard meetrekkend, lukte het me hem naar boven te krijgen. Tegen die tijd snakte ik naar een kop koffie, maar ik had niet eens een pot oploskoffie, laat staan een pak melk in huis.

En ik haastte me het beeld van de schuimige cappuccino waar Mark me elke ochtend mee wekte uit mijn herinnering te bannen.

Hij zou me nooit meer aan het huilen maken.

Hoofdstuk 20

Later die ochtend bevond ik mij – ellendig, met opgezette ogen en bezorgd – in een van de kleedkamers, waar een knappe vrouw in haar Janet Reger-onderjurk voor de plafondhoge spiegel stond. Ze liet haar blik kritisch over haar gestalte gaan en kamde haar vingers door haar donkere, steile bobkapsel waarvan de grijze uitgroei dringend bijgewerkt moest worden.

'O, Annie,' verzuchtte ze, 'ik zie er vandaag niet uit.'

'Dat ben ik helemaal niet met u eens, mevrouw Barclay.'

'Dat geloof ik niet.' Ze hees het afgezakte bandje van haar beha weer over haar schouder en trok haar onderjurk recht. 'Mijn lichaam staat op instorten.'

'Nou, dan zullen we dat moeten voorkomen, hè?' zei ik, zo vrolijk als ik maar kon, terwijl ik haar een van onze witte katoenen kimono's gaf om aan te trekken.

Hoewel de vierenvijftigjarige Marion Barclay nooit een echt vermogen uitgaf, was ze mijn favoriete klant. Ze was ambtenaar op het ministerie van Binnenlandse Zaken en haar man doceerde aan de universiteit. De eerste keer dat ze bij me was gekomen, was vier jaar geleden geweest, nadat ze een borstamputatie had gehad. De chemotherapie had haar het grootste deel van haar haren gekost en daarmee was ze ook veel van haar zelfvertrouwen kwijtgeraakt. Ze was uitgenodigd voor de chique bruiloft van haar petekind en zag daar verschrikkelijk tegenop. Het zou voor haar geen feest worden, zei ze, maar net zo'n beproeving als de chemokuur was geweest. 'Het ergste vind ik de gedachte dat iedereen denkt dat ik al half onder de zoden lig,' had ze mij en Eileen Grey toevertrouwd. 'Ik wil er presentabel uitzien. En alsof ik nog zeker een half leven voor me heb.' In het beeld dat ze zich van zichzelf had gevormd, zag ze zich in een simpele, perfect gesneden jurk waarin ze niet op zou vallen.

Maar nadat ik voor haar de hele designerafdeling had afgezocht, was ik teruggekomen met een vrolijk bedrukte Emilio Pucci-jurk met lange mouwen, afkomstig uit zijn pret-à-porter-collectie van de herfst van 2003. Het materiaal, een soepele zijde-jersey, had een opvallend rood met wit en grijs geometrisch motief. 'Dat trek ik niet aan!' had mevrouw Barclay uitgeroepen. 'Je ziet ze vliegen! Dat is veel te schreeuwerig en opvallend!' Maar nadat ik haar had overgehaald om hem toch maar even te passen – wat kon het uiteindelijk voor kwaad? – en haar erop had gewezen hoe ze de bijpassende sjaal als een soort tulband om haar hoofd moest wikkelen, was ze verkocht geweest. 'Ik kan mijn ogen amper geloven! Hij staat me echt!' had ze uitgeroepen. Hoewel ze nog nooit meer dan honderd dollar aan een jurk had uitgegeven, kocht ze de Pucci, met de sarcastische opmerking dat, als haar man bezwaar zou maken tegen het hoge bedrag, ze hem erop zou wijzen dat het wel eens de laatste keer zou kunnen zijn dat ze iets van kleding kocht.

Maar dat was dus niet het geval geweest. Vier jaar later was haar kanker in remissie, had ze al haar haren weer terug en was ze een trouwe klant geworden die me een tot twee keer per jaar opzocht wanneer ze iets speciaals nodig had. Vandaag was ze, hoewel het juni was en de uitverkoop bijna zou beginnen, op zoek naar een broekpak, want eind augustus had ze een belangrijk sollicitatiegesprek. 'En niets van die opvallende motieven of felle kleuren die je doorgaans voor me uitzoekt, Annie,' zei ze met klem. 'Deze keer wil ik vooral een efficiënte indruk maken. Streng, bijna. Zakelijk en ingetogen.'

'We hebben niet zo veel, want het seizoen is al bijna voorbij, maar ik weet zeker dat we iets voor u kunnen vinden – mogelijk iets van Armani. Om wat voor baan gaat het?'

Ze nam me onderzoekend op. 'Ik weet niet of ik je dat wel wil vertellen, want ik ben een beetje huiverig voor wat je ervan zult denken.'

'Dat klinkt intrigerend.'

'Nou. Laten we maar zeggen dat het in de lijn van mijn vak ligt – recht en gezag – maar deze keer is het niet op het ministerie. En het is ook een hele overgang voor mij, in die zin dat het niet zozeer een administratieve baan is, als wel eentje waarbij ik veel met mensen in aanraking kom. Na tweeëntwintig jaar als bureaucraat bezig te zijn geweest, wil ik eindelijk wel eens achter dat bureau vandaan.'

'Wilt u echt een broekpak, of mag het ook een mantelpakje zijn? U hebt van die prachtige slanke enkels, en het is bijna jammer om die niet te tonen. Want als u echt iets moois koopt, wilt u dat natuurlijk ook later, bij andere gelegenheden, aan kunnen trekken. Wat u nodig hebt, is iets waar u jaren mee kunt doen. Met de juiste top en accessoires kunt u er overal mee terecht – van het sollicitatiegesprek tot en met het meest chique etentje.'

'Het is nog maar de vraag of mijn enkels in dit geval de doorslag zullen geven,' zei ze, 'maar kijk gerust wat je kunt vinden.'

'Ik ga naar beneden,' zei ik tegen Eva, die achter de receptie zat. 'Zou je de boel even voor me in de gaten kunnen houden?'

'Natuurlijk, Annie.' Eva duwde haar lange blonde haren achter haar kleine oortjes en nam me nieuwsgierig op. 'Is alles goed gegaan, gisteren in de flat?'

'Ja, best, dank je. Hoezo?'

Ze fronste haar voorhoofd. 'Ik hoop dat je het niet erg vindt dat ik het zeg, maar je ziet er nogal vermoeid uit. Als je hulp nodig hebt, dan moet je het zeggen, hoor. Zal ik naar beneden gaan om iets voor mevrouw Barclay te zoeken? Ik begrijp dat het een moeilijke tijd voor je is.'

Haar bezorgdheid ontroerde me. 'Dankjewel, Eva, maar ik blijf liever bezig.'

Ik pakte een verrijdbaar kledingrek en nam de goederenlift naar de eerste verdieping, waar ik bij MaxMara en Armani op zoek ging naar broek- en mantelpakken in maat 42, en naar bijpassende blouses en topjes. Het hoorde evenzeer bij mijn werk om te weten wat we aan kleding in huis hadden, en als gevolg daarvan wist iedereen die bij Haines and Hampton werkte – van de inkopers tot en met het personeel van het restaurant – wie ik was. Zoals altijd werd ik van alle kanten goedemorgen gewenst, maar het drong nauwelijks tot me door. Het liep tegen het middaguur en na een nagenoeg slapeloze nacht had ik niet eens tijd gehad voor een broodje.

Ik liep, navigerend op mijn automatische piloot, de hoek van Armani in en vertelde Antonella, de Italiaanse verkoopster, wat ik zocht. Maar tijdens het zoeken naar iets geschikts voor mevrouw Barclay dwaalden mijn gedachten voortdurend af naar Fluffy. Ik haalde een blouse uit het rek en vroeg me ondertussen af of hij het heel erg vond om alleen te zijn.

'Kijk, dit setje hier, de snit is *bellisimo*,' zei Antonella, 'maar we hebben hem alleen in gebroken wit en in maatje achtendertig.'

'Geweldig.' Misschien dacht Fluffy wel dat ik nooit meer terug zou komen. Misschien moest hij wel heel nodig plassen. Als ik, zodra ik klaar was met mevrouw Barclay, meteen weg zou gaan en een taxi nam, zou ik om kwart voor één thuis kunnen zijn om hem uit te laten.

'En dan heb ik dit model, met iets smallere revers en de broek met heel wijde pijpen...'

'Prachtig.' Fluffy redde het vast wel, in zijn eentje daar in de flat. Het zou me niets verbazen als hij lekker lag te slapen en volkomen gelukkig was. Maar wat als hem iets was overkomen? Ik zocht een stel blouses uit, hing ze aan mijn rek en trok het mee naar MaxMara. Ineens moest ik denken aan al die paren schoenen waarvoor in de kast geen plaats meer was geweest. Ze lagen op een hoop naast mijn bed. Fluffy had ze intussen natuurlijk allang gevonden en de meeste ervan vernield. Met vernielde schoenen kon ik leven – zelfs als het mijn Jimmy Choos waren – maar wat als Fluffy een gesp had doorgeslikt en erin was gestikt? Dat was, gezien zijn neiging om dingen te vernielen, niet ondenkbaar. Het zou me niets verbazen als ik hem, straks bij thuiskomst, languit op de vloer, dood, te midden van een hoeveelheid uitgebraakte leren bandjes, zou aantreffen.

Ik staarde naar mijn kledingrek en ineens was ik alles vergeten. Ik wist werkelijk niet meer voor wie ik aan het zoeken was, welke maat ze had en waar ze haar nieuwe kleren voor nodig had.

'Annie? Is er iets?' vroeg Justine, de manager van de afdeling.

'Nee, nee, Justine, er is niets. Ik wil een jurk hebben. Of was het nou een broekpak? Geef me maar alle twee. Iets voor een speciaal etentje. Of voor op het werk. Ach, geef me gewoon maar wat.'

'Zomaar wat?'

'Ja, in maatje 40. Nee, ik geloof dat het 38 was. En zo snel als je kunt, alsjeblieft.'

Terwijl al die verschrikkelijke gedachten over Fluffy me door het hoofd spookten, rende ik naar de lift en drukte ongeduldig op de knop. Pas toen ik weer op de tweede verdieping was, drong het tot me door dat ik het rek beneden had laten staan.

Terwijl Eva het voor me ging halen, sloot ik mezelf op in mijn kantoor. De ruimte was, met zijn planken van witte meubelplaat die vol lagen met folders van ontwerpers, oude modebladen, accessoires, stoffige schoenendozen en stofstalen, nauwelijks meer dan een verbouwde, vensterloze voorraadkast die even rommelig, volgepropt en chaotisch was als de winkel zelf minimalistisch en geordend was. Ik ging achter mijn bureau zitten, zocht in mijn tas naar mijn BlackBerry en belde Vlad.

'Ah, Annie! Ik zat net aan je te denken!' zei hij vrolijk.

'Hoezo? Is er een probleem?'

'Nee, geen probleem! Ik ben in huis, het mooi maken voor jou! Zoals ik beloofd heb, de liftmotor komt vandaag. Ik meteen pronto installeren. Maar groot... groot, groot ellende, want missen wij onderdeel. Ik ben kotsmisselijk als een dode papegaai. Pech, ellendige pech, zeker weten. Dus ik heb opgebeld fabriek en ik, heel boos zeg: "Stuur mij onderdelen expres post, nazischoften, of ik kom naar jullie toe en neem jullie flink te grazen." Waarom bel jij, schat?'

'Nou, ik vroeg me af of alles goed is met Fluffy. Je weet wel, mijn hond.'

'Ah, ik kom vanochtend binnen en hij luid en duidelijk blaffen. Huurder beneden, hij heeft geklaagd.'

'O god, echt?'

'Ik zeg hem: "Sodemieter op, man, hij is waakhond, hij houdt dieven op afstand. Jij moet dankbaar zijn. Is als gratis bewakingsdienst." Hoe dan ook, laatste vier of vijf uur of zo, Fluffy blaft niet meer.'

'Wat? Helemaal niet meer?'

'Hij is – hoe zeg je dat – zwijgt als het graf, zeker weten.'

Ik stond op het punt een taxi te bestellen en me naar huis te haasten, toen Eva om het hoekje van de deur keek.

'Neem me niet kwalijk dat ik je stoor, Annie, maar ik heb mevrouw Barclay de kleren gebracht en ze is ze nu aan het passen. Er schijnt alleen een probleempje te zijn en ik ben bang dat ik het verkeerde rek mee naar boven heb genomen.'

Ik haastte me terug naar de paskamer, waar mevrouw Barclay net een gifgroene, in retroprint bedrukte blouse had aangetrokken die niet alleen niets voor haar deed, maar waarmee ze ook onmogelijk naar dat sollicitatiegesprek zou kunnen. En bovendien was ze juist bezig om te proberen haar volle heupen in een klein maatje heupbroek te wurmen.

'O, Annie, ik heb het niet meer,' verzuchtte ze terwijl ze de broek omhoog probeerde te sjorren. 'Ik wist niet dat ik zo veel was aangekomen!'

Hoofdstuk 21

Uiteindelijk, nadat ik mevrouw Barclay had verzekerd dat ze altijd nog dezelfde maat had en dat het mijn fout was omdat ik haar veel te kleine kleren had gebracht, en nadat ik weer naar beneden, naar de hoek van Armani was geweest om meer geschikte broek- en mantelpakken in de juiste maat te zoeken, en nadat ik mevrouw Barclay ervan had weten te overtuigen dat het donkerblauwe mantelpak met de lichte pofmouw en kokerrok die ik ten slotte voor haar had uitgezocht in combinatie met de roomkleurige blouse van Burberry zo veelzijdig was dat het de zeshonderdzeventig pond dubbel en dwars waard was, en nadat ik had gewacht tot Inez, onze naaister, de rok had afgespeld en de mouwen van het jasje een fractie van een centimeter had ingekort, en nadat ik mevrouw Barclay beloofd had dat ik het mantelpak, wanneer het terugkwam van Inez, voor haar zou bewaren tot wanneer ze na haar lange zomervakantie weer in Londen was en het kon komen halen, nou, na dát alles was het over enen toen ik eindelijk aan mijn middagpauze kon beginnen.

Dus tegen de tijd dat ik in Fulham was, was ik nagenoeg hysterisch, en datzelfde gold voor Fluffy, die de hele ochtend getracht had een gat in de deur te krabben, en zich te goed had gedaan aan de enkellaarsjes die ik had gedragen op de dag dat Mark me ten huwelijk had gevraagd.

Tegen halfdrie was ik weer terug bij de zaak. Ik ging gebukt onder het gewicht van mijn grote, rode canvas handtas. Manny, de portier die bij de hoofdingang de wacht hield, gaf me een knip-oog toen hij me uit de taxi zag stappen.

'Hé, wat heb je daar bij je, Annie?' vroeg hij, met zijn kin op de tas wijzend. 'Een tweepersoonsbed? Mag ik het met je delen?'

Ik glimlachte om zijn walgelijke grapje – het was niet de eerste keer dat ik het hoorde sinds grote tassen in de mode waren ge-komen, en ik wist dat het ook niet de laatste keer zou zijn. Ver naar één kant overleunend sjouwde ik hem langs het bordje met 'Verboden voor honden' door de draaideur naar binnen. In plaats van even te blijven staan voor een praatje met de verkoop-sters van de cosmetica-afdeling, liep ik regelrecht door naar de klantenliften en wachtte op eentje die uit de kelder moest ko-men. En, wié moest daar uitgerekend in de lift staan toen de sta-len deuren openschoven? Niemand meer of minder dan George Haines, de eigenaar van de zaak. Hoe had ik het zo slecht kun-nen treffen.

'Ah, Annie!' Hij keek me stralend aan. 'Wat een leuke verras-sing!'

In plaats van de lift in te stappen, deed ik een stapje naar ach-teren. 'Meneer Haines!'

'Kom erin, kom erin.'

'O, ik...' Ik pijnigde mijn hersens voor een smoes om weg te kunnen lopen, maar toen mij niets te binnen wilde schieten, kon ik alleen maar hopen dat de deuren dicht zouden schuiven en hij me niet meer zou kunnen zien. Na iets wat als honderd jaar voel-de, maar wat in werkelijkheid iets van drie milliseconden geweest moest zijn, begonnen ze te sluiten, maar George drukte zijn vin-ger op het knopje. Nog voor de deuren zelfs maar voor de helft dicht waren, kwamen ze tot stilstand, en schoven weer open.

'Kom vlug, lieverd,' zei hij, met een bezorgde blik. 'We mogen de klanten niet laten wachten, wel?' Ik kon er niet onderuit en dus klemde ik mijn kiezen op elkaar en stapte erin. 'Tweede ver-dieping, neem ik aan?'

'Graag,' antwoordde ik met een piepstemmetje. Hij drukte op een knopje, de deuren schoven dicht en we zaten samen in de val. Ik voelde hoe ik vanaf mijn middel begon te blozen en hoe er in het dal tussen mijn borsten een plasje zweet ontstond. Ik voelde me even schuldig als een drugssmokkelaar die met een geheim vrachtje heroïne op het vliegveld door een ambtenaar van de douane in een hoek was gedreven. Zo voorzichtig als ik maar kon, zette ik de tas tussen mijn benen op de grond, en kuchte om het ritselen ervan te overstemmen. Ik gebruikte mijn beide handen om mijzelf koelte toe te wuiven. 'Hemel, wat is het warm, hè?'

'Nou, eigenlijk vind ik de airconditioning een beetje aan de frisse kant.' Hij keek met iets van bevreemding naar de tas die ik tussen mijn knikkende knieën in hield geklemd. Volledig in strijd met elke wet van de zwaartekracht, schoot mijn maag omhoog naar mijn keel. 'Nou, ik wéét natuurlijk wel dat ik ontzettend ouderwets ben,' mompelde George, 'maar heus, die handtas van jou is bijna zo groot als de hutkoffer die ik vroeger meenam naar kostschool!' Ik plooide mijn lippen in een flauw glimlachje. 'Ik vrees dat deze trend van grote handtassen mij nét iets te ver gaat,' ging hij verder. 'Hoe kunnen jullie vrouwen daar de hele dag mee sjouwen?'

'O, dat valt reuze nee! En u weet toch wat ze zeggen – wie mooi wil zijn moet pijn lijden.'

'Ja, maar waarom zou iemand zo'n knoert van een tas willen hebben? Waar díénen ze voor? Wat stop je erin?'

'Van alles en nog wat!'

'Mag ik?' Zonder op mijn toestemming te wachten, pakte George de hengsels van mijn tas vast. 'Goeie genade! Wat is dat ding zwaar – ik kan hem amper tillen! Is dit er eentje van ons?'

'Mmm.' Ik schraapte luid mijn keel, en kletste erop los. 'Het is een Orla Kiely van vorig seizoen. De afdeling accessoires heeft er een heleboel van verkocht. Kom, geeft u hem maar hier, voor u uw rug nog bezeert.'

'Weet je,' dacht George hardop, 'misschien is het een goed idee om ergens beneden een bord op te hangen waarop staat dat we niet verantwoordelijk zijn voor eventuele schadelijke gevolgen van dit soort grote tassen. "Grote Tassen Kunnen Uw Gezondheid Schaden." Iets in die geest. We willen uiteindelijk niet aansprakelijk worden gesteld. Misschien een idee om het daar met de inkopers over te hebben.'

'Dat lijkt me een uitstekend plan!' De deuren op de tweede verdieping schoven open, en ik struikelde bijna in mijn haast om de lift uit te komen. 'Dag, meneer Haines,' riep ik over mijn schouder toen de deuren achter me dichtschoven. Oef! Hoewel ik een atheïst in hart en nieren was, dankte ik God voor Zijn hulp. En om Hem mijn dankbaarheid te tonen, bezwoer ik Hem dat ik van nu af aan altijd wat extra zou betalen voor de daklozenkrant en dat ik nooit meer zou liegen.

Maar ik was nog lang niet veilig, want ik moest de rest van de dag nog door. Ik hees mijn tas over mijn schouder en liep neuriënd, om het zachte grommen dat er nu uit opklonk te overstemmen, over de afdeling casual naar de receptieruimte van personal shopping, waar Charlotte bezig was met het herschikken van de lange witte rozen die ze altijd op haar bureautje had staan.

'Goedemiddag, Annie. Hoe gaat het met je?'

'Dank je, Charlotte, nog precies hetzelfde als een uur geleden. Is Eva in de buurt?'

'Ze is op dit moment bezig met een klant. Je weet wel, Su Lee en nog wat. Die zakenvrouw uit Shanghai die zo af en toe komt?' Haar blik viel op mijn tas. 'Hé, is dat niet die Orla Kiely van afgelopen seizoen?'

'Dat heb je heel goed gezien.'

'Wat heb je erin zitten? Het lijkt wel alsof hij beweegt!'

'Dat is de handtassengeest,' antwoordde ik gevat. 'Heb je dat nog niet gehoord? Het laatste snufje uit Milaan?' Ze lachte onzeker omdat ze duidelijk niet wist of ik al dan niet een grapje maakte. 'Zodra Eva klaar is met haar klant, zou je haar dan willen vragen of ze naar mijn kantoor komt? Maar laat me verder door niemand storen, alsjeblieft – met inbegrip van jouzelf, helaas. Ik zit tot over mijn oren in het werk.' Tot zover mijn belofte aan God om nooit meer te liegen. Het was maar goed dat ik niet in Hem geloofde, want anders kon ik het wel vergeten.

'Ja hoor. Ik wens je een fijne –'

'Nee, nee, niet zeggen alsjeblieft, Charlotte!' viel ik haar in de rede. 'Want dat heb ik niet.'

In mijn kantoor, met de deur dicht, zette ik de tas op de grond en ritste hem open. De handtassengeest stak zijn kop boven de rand uit. Terwijl hij zijn pootjes uit de tas probeerde te krijgen, haalde ik de zijden sjaal van zijn snuit die ik eromheen had gebonden om te voorkomen dat hij, bij het binnensmokkelen van de winkel, zou blaffen. 'Ssst! Waag het niet om een kik te geven,' fluisterde ik. Hij schudde zich uitbundig, zette zijn poten op mijn schoot en likte mijn handen om te laten zien hoe dankbaar hij was dat ik hem niet alleen thuis had gelaten. Ik zei dat hij braaf moest zijn en liet hem, in de hoop dat hij stil zou zijn, onder mijn bureau zitten. Wonder boven wonder deed hij braaf wat ik hem gezegd had. Ik zette mijn computer aan, klikte op mijn e-mail en keek naar de enorme lijst nieuwe berichten die in mijn postvakje waren beland – eentje van de persvoorlichtingsdienst van Prada, eentje van de secretaresse van George, twee à drie van klanten, en honderdzevenenzestig aanbiedingen voor scherp geprijsde Viagra, penisverlengingen, borstverkleiningen en '45 tips voor een orgasme'.

Toen ik wilde beginnen met het wissen van alle junkmail – hetgeen zo ongeveer het enige was wat ik kon – had Fluffy zijn vervelingsdrempel bereikt en stond hij op om mijn kantoor te onderzoeken. Ik sloeg hem zenuwachtig gade terwijl hij achtereenvolgens aan de stapel oude *Vogues* en *Tatlers* in de hoek snuffelde, de dossiermappen met krantenknipsels op de vloer inspecteerde, zijn spitse snuit in mijn overvolle prullenbak stak en daar een verkreukelde *Cadbury's Fruit and Nut*-wikkel uit viste waar nog een restje chocolade aan kleefde.

Hij ging zitten, klemde de verpakking tussen zijn voorpoten en begon hem schoon te likken terwijl ik hem angstvallig in de gaten hield en bereid was me boven op hem te storten zodra hij zelfs maar één keer zachtjes piepte. Opeens probeerde hij de wikkel in te slikken, en stikte er bijna in. Ik ging op mijn handen en knieën zitten en probeerde, terwijl hij boos naar me gromde, zijn kaken vaneen te drukken om het slijmerige ding uit zijn strot te trekken. Toen hij even ergens door werd afgeleid, lukte het. Ik stopte de wikkel in de la van mijn bureau. Fluffy, die dacht dat het een spelletje was, ging braaf attent naast mijn bureaustoel zitten, keek me met zijn kraaloogjes strak aan en blafte een keer kort en krachtig. 'Hou je kop!' siste ik. 'Er mogen geen honden in dit gebouw! Als je geluid maakt, krijg ik de grootste moeilijkheden!'

Maar het was al te laat. Het volgende moment werd er op mijn deur geklopt. 'Ja?' riep ik.

'Ik ben het maar,' zei Charlotte. 'Is alles goed met je, Annie?'

'Ja, dank je.'

'Ik vraag het alleen maar omdat – nou, ik zou zweren dat ik zojuist een heel vreemd geluid uit je kantoor hoorde komen.'

Exact op dat moment liet Fluffy opnieuw een fel, kort blafje horen. Ik legde mijn hand om zijn snuit. 'Bedoelde je dát?' vroeg ik. 'Dat is mijn rokershoest.'

'Ik wist niet dat je daar last van had. Ik wist zelfs niet eens dat je rookte, Annie.'

'Dat doe ik ook niet.' O god, wat zei ik nou weer? 'Ik bedoel, dat deed ik niet. Ik ben er vorige week mee begonnen. Oké?'

'Ah, goed.' Het bleef zo lang stil dat ik dacht dat ze misschien wel weg was gegaan, maar toen ik mijn oor tegen de deur legde, hoorde ik haar ademhalen. 'Ik weet dat het me niets aangaat,' zei ze, vlak bij mij oor, 'maar het is ontzettend dom van je om nu met roken te beginnen. Ik heb er vorige maand in *Cosmo* nog een artikel over gelezen. Wist je wel dat je er diepe rimpels rond je mond van krijgt?'

'Ja, dank je, Charlotte, dat is mij bekend.'

Ik zag dat Fluffy aanstalten maakte om opnieuw te blaffen, dus ik begon zelf heel overdreven te hoesten terwijl ik hem de chocoladewikkel teruggaf. Hij dook er bovenop, ging liggen, hield het tussen zijn poten geklemd en begon het te verslinden. Ik hoestte opnieuw, en hoopte vurig dat Charlotte klaar was met haar preek en weer aan haar werk zou gaan. Maar nee.

'Annie?'

'Ja?'

'Moet je horen, ik weet wel dat je zei dat je niet gestoord wilde worden...'

'Inderdaad.'

'Maar... mag ik een kopje kruidenthee voor je maken? Of gewone thee? Zal ik snel even naar de drogist gaan en een hoestmiddel voor je halen, of zo?'

'Dat is heel lief van je, Charlotte, heel attent. Maar nee, dank je, dat is niet nodig. Zo erg is het niet.'

Na het nuttigen van de wikkel kwam Fluffy overeind en ging op zoek naar iets nieuws om te vernielen. Nu vond hij een zwarte lycra-panty die ooit eens in de paskamer was gebruikt en sindsdien ergens op een van de onderste planken van mijn kantoor was blijven liggen. Ach, wat zou het, dacht ik, en liet hem zijn gang gaan. Hij had inmiddels al heel wat panty's op, en hij had ze allemaal overleefd, dus ik maakte me geen zorgen.

Ik schrok toen er twee keer kort op de deur werd geklopt. 'Ja?' vroeg ik, achterdochtig.

'Annie?'

Het was Eva. Ik wist dat het zinloos was om te proberen de waarheid voor haar verborgen te houden, want in tegenstelling tot Charlotte was ze slim genoeg om het zelf te kunnen bedenken, en bovendien had ze, sinds ik haar de baan had gegeven, op talloze manieren laten blijken dat ze helemaal achter me stond. 'Wacht even,' riep ik. Ik pakte Fluffy bij zijn halsband en opende de deur op een kiertje. Toen ze zich naar binnen wurmde en hem zag, zette ze enorme ogen op en deed ze de deur snel weer achter zich dicht. 'O, Annie, wat heb je gedaan?' fluisterde ze, terwijl ze hurkte om zich door Fluffy te laten besnuffelen. Hij stortte zich boven op haar – want er was niets waar hij zo dol op was als een waarderend publiek, en hij scheen automatisch aan te voelen dat hij er een bewonderaarster bij had.

'Ik moest hem wel meenemen, Eva. Hij werd helemaal gek, daar in zijn eentje op die zolder.'

'Maar hoe heb je hem dan langs de bewaker naar binnen kunnen smokkelen?'

Ik wees op mijn Orla Kiely en we moesten alle twee giechelen

– ik nogal nerveus. 'En wat denk je? In de lift naar boven ontmoette ik George, en hij had niets in de gaten. We moeten Fluffy geheimhouden. Jij bent de enige die weet dat hij hier is.'

'Natuurlijk.' Ze ging staan en veegde de hondenharen van haar rok. 'Maar denk je dat ik je even zou kunnen lenen?'

Ik keek naar Fluffy, die aan haar rok krabbelde. 'Kan het niet wachten?'

Ze schudde haar hoofd. 'Ik heb een klant die niet kan kiezen tussen twee jurken die haar allebei fantastisch staan. Ik dacht dat jij haar misschien wat meer inzicht zou kunnen geven over de jurk waar ze het meest aan heeft.'

Ik wist dat ik moest gaan, maar wat kon ik doen om ervoor te zorgen dat Fluffy tijdens mijn afwezigheid geen enorm kabaal zou maken? Snel doorzocht ik mijn bureau en vond, onder in een la, een oud Digestive-koekje, dat ik in een envelop stopte, en toen in nog een envelop en nog een. Ik liet het pakketje voor hem op de grond vallen, in de hoop dat hij zich er een paar minuten mee zou kunnen amuseren. Misselijk van angst trok ik de deur stevig achter me dicht en volgde Eva naar een van de paskamers. Enkele minuten later werd mijn nogal afwezige gesprek met de klant onderbroken door een luide gil, en Charlotte die lijkbleek de paskamer in kwam gerend.

'Annie!' riep ze. 'Neem me niet kwalijk... Het spijt me dat ik je moet storen, maar... Je handtassengeest is ontsnapt!'

'Ik weet werkelijk niet wat ik hiervan moet zeggen, Annie.'

Een halfuur later zat ik in George Haines' kantoor. Ik schaamde me even diep als die dag, jaren geleden, toen Clarissa en ik bij het schoolhoofd waren ontboden nadat we een mierenkolonie hadden laten ontsnappen uit het terrarium in het biologielokaal. We hadden die week de taak om de familie van kleine insecten van water en honing te voorzien, en aangezien we alle twee even weinig op die diertjes gesteld waren, hadden we het veel te snel willen doen en waren daarbij vergeten om het buisje waarlangs het water gegeven moest worden na afloop weer van een wattenprop te voorzien. De volgende dag was er niet een mier meer in het formicarium geweest, zoals die walgelijke, met aarde gevulde accubak officieel had geheten. Zes maanden later had de hele school onder de mieren gezeten en moest de ongediertebestrijding komen om de boel te ontsmetten. Mijn vader en Clarissa's ouders hadden voor de kosten moeten opdraaien.

In tegenstelling tot de mieren, bij wie het een halfjaar had geduurd voor ze zich opnieuw hadden vertoond, was Fluffy al na tien minuten weer boven water gekomen. Een spoor van verbaasde klanten en personeel achterlatend, was hij van personal shopping naar lingerie gerend, waar hij door de paskamers was geraasd, de gordijnen eraf had getrokken, en zichzelf getooid had met een beha van La Perla – Black Label Pizzo – maatje 90D. Met deze kostbare trofee om zijn hals was hij vervolgens teruggekeerd naar mijn kantoor, maar niet alvorens de receptiebalie met zijn persoonlijke wijwater gedoopt te hebben.

'Het spijt me echt verschrikkelijk, meneer Haines,' zei ik kleintjes. 'Ik weet niet wat Fluffy bezielde. Hij heeft nog nooit eerder binnenshuis geplast.'

'Hij had helemaal niet in de winkel mogen zijn!' George keek me vanonder zijn grijze, goedverzorgde wenkbrauwen woedend aan. 'Je werkt hier al lang genoeg om te weten wat onze voorschriften ten aanzien van honden zijn, Annie. Er mogen geen honden in de winkel komen, tenzij het blindengeleide- of hulphonden zijn. Haines and Hampton is geen plek voor huisdieren, zoals dat beest...' hij wees met een fel gebaar op Fluffy die, stevig aangelijnd, berouwvol naast me zat '...ook wel heel duidelijk heeft gemaakt. Hemel, zelfs de koningin laat haar Corgi's in het paleis wanneer ze hier komt om kerstcadeautjes te kopen! En van jou had ik toch echt wel verwacht dat je goed zou beseffen dat een winkel zoals de onze een reputatie heeft hoog te houden.'

'Maar dat doe ik ook!'

George sloeg met zijn vuist op zijn bureau. 'Een wild beest dat als een bezetene tekeergaat in de paskamers van de lingerieafdeling! Dat kán gewoonweg niet. En dan de manier waarop je hem hebt binnengebracht – zoals je hem pal onder mijn neus naar boven hebt gesmokkeld! Moet ik je dan echt nog met zoveel woorden zeggen dat dit stiekeme gedrag van jou me helemaal niet bevalt?'

'U hebt volkomen gelijk en er is geen enkel excuus voor wat ik heb gedaan. Ik ben op heterdaad betrapt.'

'Nou, het is hoogst onprofessioneel. Ik sta werkelijk van je te kijken! En dat niet alleen, Annie. Ik ben vooral ernstig in je teleurgesteld,' ging hij verder. 'Wat heeft je er eigenlijk toe gebracht om zoiets doms te doen?'

'Nou, het was... een noodgeval.' Hoewel ik mijn liefdesleven, of het gebrek daaraan, nooit op mijn werk ter sprake had gebracht, en ik niet de gewoonte had om persoonlijke kwesties met George te bespreken, had ik hem altijd beschouwd als een soort vaderfiguur, en zo kwam het dat ik ineens de behoefte had om hem alles te vertellen. Als hij wist wat ik op dat moment doormaakte, zou hij ongetwijfeld begrip voor me kunnen opbrengen. 'U moet namelijk weten, meneer Haines, dat Mark en ik aan het scheiden zijn.'

'Mark?' George was op mijn bruiloftslunch geweest, maar ik zag dat het hem moeite kostte om de naam van een gezicht te voorzien. Ten slotte knikte hij. 'O ja, nu weet ik het weer. Is hij het afgelopen jaar niet in korte broek op onze kerstviering verschenen?'

'Ja. En op dit moment zijn we aan het scheiden.'

'Nou, dat spijt me voor je. Maar wat heeft dat met de hond te maken?'

Ik begon hem te vertellen over onze strijd om Fluffy, maar toen ik zijn verbaasde gezicht zag, gaf ik het op. 'Ach, wat kan ik er verder nog van zeggen,' besloot ik tam. 'Ik realiseer me terdege dat ik Fluffy niet naar binnen had mogen smokkelen, maar dat heb ik wel gedaan en het spijt me. Het spreekt vanzelf dat ik het reinigen van de vloerbedekking en de beha van La Perla zal betalen. Hij schijnt helaas een voorkeur te hebben voor dure lingerie.'

George trok even met zijn mond. 'Goed, Annie,' zei hij. 'Dan zal ik het deze keer door de vingers zien. Maar ik verwacht meer van mijn personeel – en helemaal van jou, een van mijn tot op dit moment beste krachten.'

Intussen was ik zo ongeveer in tranen. 'Ik beloof u plechtig dat het niet nog eens zal gebeuren.'

Maar ik denk dat we alle twee inzagen dat het niet bij deze ene keer zou blijven.

Hoofdstuk 22

Die avond lukte het me niet erachter te komen hoe de magnetron werkte, dus ik ging met mijn kartonnen beker koude soep en mijn BlackBerry in bed zitten om eens lekker mijn hart bij Clarissa uit te storten. Fluffy lag languit naast me op de vloer. Zijn uitstapje naar Haines and Hampton, in combinatie met de lange wandeling terug naar Fulham nadat we na het beschamende incident naar huis waren gestuurd, had ons alle twee uitgeput. Hij was, meteen nadat ik hem zijn eten had gegeven, in slaap gevallen, en had zich daarna niet meer verroerd. Maar hoewel ik even gevloerd was, kon ik niet voorkomen dat de gebeurtenissen van de afgelopen vierentwintig uur me onafgebroken door het hoofd bleven spoken.

'Je kunt je niet voorstellen hoe verschrikkelijk het was,' bekende ik haar tussen twee happen ijskoude aardappel-preisoep door. 'En even dacht ik dat George me nog zou ontslaan ook.'

'Nou, lieverd, dat zou hij nooit zomaar kunnen,' zei ze met die geruststellende maatschappelijkwerkstersstem van haar. 'Niet voor dat op zich onbenullige incident. Er zijn wetten, hoor, om de werknemer te beschermen. Je werkt al eeuwen bij Haines en hij zou je hoe dan ook eerst een officiële waarschuwing moeten geven.'

'Nou, dat heeft hij nu dus gedaan.'

'O, jeetje. Het verbaast me dat hij er de grappige kant niet van heeft ingezien. Dat van die La Perla is om te gillen. Ik kan alleen maar zeggen dat Fluffy gezien zijn nederige oorsprong in Camden Town een nogal dure smaak heeft ontwikkeld.'

'Clarissa, ik geloof echt dat je niet beseft hoe ernstig dit is. Ik heb mijn baan nodig. Zonder mijn werk ben ik verloren. En daarbij, als ik niets verdien, hoe zou ik dan moeten betalen voor dit miniflatje waar ik nu zit, laat staan voor de maandelijkse hypotheekaflossingen van het Workhouse, én de rekeningen van Williams? En dan heb ik het nog niet eens over Marks advocaat, van wie ik heb gezegd dat hij die op mijn kosten in de arm kon nemen!'

'Echt hoor, Annie, je moet wel gek zijn geweest om dat te doen!'

'Je meent het. Maar in dat stadium konden Mark en ik nog redelijk met elkaar overweg, en toen leek het me alleen maar eerlijk. Hoe kon ik weten dat hij haar zou gebruiken om me Fluffy afhandig te maken?'

'Kun je niet onder die betaling uit?'

'Misschien wel, maar daarmee zou ik Mark alleen maar nog verder tegen me in het harnas jagen.'

'Ben je soms iets verloren in dat neusgat, Rebecca?' zei Clarissa opeens, buiten ons gesprek om. 'Zo niet, haal die vinger er dan uit. Neem me niet kwalijk, Annie. Denk je niet dat het een vergissing was om weg te gaan uit het Workhouse? Kun je niet terug?'

'Nee, onmogelijk!' Ik zette de lege beker op mijn nachtkastje neer. Een milliseconde later werd Fluffy wakker, sprong op en pakte het. 'Afblijven, Fluffy!' riep ik terwijl hij het tussen zijn voorpoten nam en op het punt stond het te verscheuren.

'Wat doet hij?'

'Het restje van mijn soep opeten, met karton en al. Hij is de afgelopen achtenveertig uur ineens ontzettend ongehoorzaam geworden. Ik snap werkelijk niet wat hem bezielt!'

'Zou hij van streek kunnen zijn omdat zijn leven ineens op zijn kop staat?'

'O, fijn, dank je. Nu kan ik me tenminste lekker schuldig voelen.'

Ik hoorde Clarissa zuchten. 'Moet je horen, lieverd, het mag dan heel afschuwelijk zijn om met Mark onder één dak te moeten wonen, maar voor Fluffy zou het wel een stuk rustiger zijn als Mark, zolang jij op je werk bent, gewoon voor hem kan blijven zorgen. Hou daarmee op, Rebecca!'

'Dat is het enige waar Mark ooit goed voor was, hè? Op de hond passen,' zei ik op walgende toon.

'Nou, dat zou ik niet willen zeggen,' zei Clarissa na een korte aarzeling.

'O? Wat zou je dan wél willen zeggen?'

'Nou,' ging ze voorzichtig verder, 'je bent ooit eens gelukkig met hem geweest, weet je nog? Heel gelukkig zelfs.'

'Fijn dat je me daaraan herinnert. Voor de schoft andere vrouwen begon te naaien, bedoel je.'

'Ja, nou, dat was natuurlijk een probleem.'

Nu was het mijn beurt om te zuchten. 'Ik kon onmogelijk bij hem in de flat blijven wonen. Je kunt je niet voorstellen hoe het is om met iemand samen te moeten leven die je niet uit kunt staan en die jou niet kan uitstaan. Niet dat dit zo veel beter lijkt te zijn. Ik heb geen idee hoe ik mijn werk met Fluffy moet combineren in de weken dat ik hem heb. De dagen zijn gewoon te kort.'

'Moet je mij vertellen. Ik heb vier kinderen. Of liever, nog even, en dan heb ik er nog maar drie. Rebecca!'

'O, mam!' hoorde ik Rebecca piepen. 'Pappie zegt dat iedereen in zijn neus peutert!'

'Ja, maar alleen als niemand het ziet. En in géén geval aan mijn keukentafel. Het is verduveld moeilijk voor je, Annie,' ging Clarissa weer verder tegen mij. 'Heb je...' ze aarzelde even '...er ooit wel eens aan gedacht dat Mark misschien gelijk zou kunnen hebben?'

'Gelijk?' Ik lachte. 'In welk opzicht?'

'Nou, je wilt het waarschijnlijk niet van me horen, lieverd, maar misschien is hij, gegeven de omstandigheden, toch wel de aangewezen persoon om Fluffy te krijgen.' Clarissa moest mijn gesmoorde kreet van ongeloof hebben gehoord, want ze voegde eraan toe: 'Voorlopig dan, bedoel ik. Gezien de situatie zoals die nu is.'

'Nou, de situatie ís alleen maar zoals die nu is omdat die luie hufter geen baan heeft!' riep ik uit. 'Hij hoeft niet te werken, omdat ik toevallig nog steeds alles voor hem betaal, nietwaar? En als dit zo doorgaat, dan zal ik dat de rest van mijn leven moeten blijven doen!'

'Ja, dat weet ik, maar –'

'Maar wát, Clarissa?' Ik kon mijn oren niet geloven. Was dit echt mijn beste vriendin die dit tegen mij zei? 'Je gaat me toch niet vertellen dat je het voor Mark opneemt, wel? Want als dat zo is, dan vergeef ik je dat nooit!'

'O, Annie, doe niet zo mal! Ik neem het voor niemand op!'

'Nou, dat zou je wel moeten doen!' jammerde ik. 'Je zou het voor míj moeten opnemen!'

'Lieverd, natuurlijk sta ik achter jou, dan weet je best. Ik denk alleen dat... Nou, dat het misschien nog niet zo héél erg dom is wat Mark voorstelt.'

Ik voelde een irrationele woede in me opwellen. Ik pakte een balpen die op het dekbed lag en beet keihard op de achterkant ervan.

'Ik bedoel,' ging Clarissa verder, 'zeg nou zelf. Zou het niet veel gemakkelijker voor jou zijn als Fluffy doordeweeks bij Mark was en jij hem de zondagen had?'

'Clarissa!'

'Lieverd,' haastte ze zich eraan toe te voegen, 'ik denk alleen maar aan jouw welzijn en aan dat van Fluffy.'

Ik haalde de pen even uit mijn mond en zei: 'Nou, laat ik daar nu toevallig ook aan denken. Daar gáát het nu juist om, in deze hele voogdijkwestie!'

Er viel een korte stilte en toen vroeg Clarissa zacht: 'Echt waar, Annie?'

Het plastic versplinterde tussen mijn tanden. 'Hoe bedoel je?' vroeg ik fel.

'Weg hier, Becky! Nee, geen gemaar! Ik probeer hier een ongestoord gesprek met mijn vriendin te voeren. Ja, ik weet dat Annie ook jouw vriendin is, maar ze was eerst van mij. En doe de deur alsjeblieft achter je dicht. Hé! Ik zei niet dat je hem dicht moest smijten! Moet je horen,' ging ze verder, terwijl ik de scherpe stukjes plastic uit mijn mond viste, 'ik hoop niet dat je me zult haten voor wat ik nu ga zeggen, maar denk je niet dat – en dat bedoel ik alleen maar als een mogelijkheid, hoor – jij en Mark Fluffy gebruiken om elkaar het leven extra zuur te maken?'

'Nou, dat híj dat bij mij doet, dat is duidelijk!' riep ik. 'Hoewel de hemel mag weten waarom. Wat heb ik Mark ooit aangedaan, afgezien dan van aardig tegen hem te zijn?'

'En?'

'En wat?'

'En jij?'

'Hoezo?' Ik zag dat ik dwars door de plastic vulling van de balpen had gebeten. 'Wil je soms beweren dat ik Fluffy zou gebruiken om Mark te pesten?' vroeg ik, terwijl ik van het bed opstond, de badkamer binnen ging en in de spiegel keek. Ik had een grote blauwe vlek op mijn lippen. Ik probeerde hem weg te vegen met een handdoek, maar het enige wat ik ermee bereikte, was dat hij groter werd.

'Ik zeg niet dat het zo ís, liever, ik vráág het alleen maar.'

'Dacht je echt dat ik tot zoiets laags in staat was?' schreeuwde ik terwijl ik mezelf weer op het bed liet vallen. Clarissa gaf geen antwoord. 'Ja, dus,' besloot ik, op mijn teentjes getrapt.

'Volgens mij ben je ontzettend boos op hem. En terecht, natuurlijk. Ik vraag me alleen maar af of je, wanneer het om Fluffy's bestwil gaat, nog wel objectief kunt zijn. Ik bedoel, wat op dit moment het beste voor Fluffy zou zijn.'

'Ik kan gewoon niet geloven dat je dat zegt, Clarissa. Je bent mijn beste vriendin!'

Ik hoorde haar diep ademhalen. 'Lieverd, ik zeg het júist omdat ik je beste vriendin ben. Omdat ik van je hou.' Ineens moest ik bijna huilen. 'En eerlijk gezegd maak ik me zorgen om jou,' ging ze verder. 'Dit gevecht om Fluffy – moet je kijken wat het met je doet!'

'Hét doet niets met mij! De enige die wat met mij doet, is die hufter van een Mark Curtis!'

'Goed dan. Maar waar het op neerkomt is dat je eraan onderdoor gaat, aan deze kwestie van wie de voogdij over Fluffy krijgt. Het begint een obsessie voor je te worden.'

'Nou, zo gek is dat toch niet, of wel?' vroeg ik. 'Snap je het dan niet, Clarissa? Mark heeft me al praktisch alles afgenomen – mijn leven, mijn toekomst en mijn huis. Om nog maar te zwijgen over het vertrouwen in mijn eigen oordeelsvermogen. Ik bedoel, ik ben met die man getrouwd, nota bene! Nou, en ik verdóm het om hem ook Fluffy nog te geven! Ik verdom het om net zo uit Fluffy's leven te verdwijnen als mijn moe–' Ik hield abrupt mijn mond toen ik mezelf tekeer hoorde gaan en me realiseerde wat ik wilde zeggen.

'Annie?' vroeg Clarissa. 'Wat had je willen zeggen?' Ze wist het, want toen ik geen antwoord gaf, zei ze zacht: 'Lieverd, je bent je moeder niet. Je laat Fluffy niet stikken. En hij is geen kind.' Ik barstte in snikken uit. 'O, het spijt me,' zei Clarissa, op haar meest geruststellende toontje. 'Lieverd, ik wilde je niet van streek maken! Maar moet je horen, als jij Fluffy niet meer kunt meenemen naar je werk en hij ook niet alleen thuis kan blijven, hoe wil je die weken dat hij bij jou is dan in vredesnaam voor hem zorgen?'

'Dat weet ik niet,' snikte ik. 'Ik moet er een oplossing voor vinden. Het is nagenoeg ondoenlijk om een volle baan te hebben en ook nog voor een hond te zorgen. Hoe doen ongehuwde moeders dat met hun kinderen?'

'Nou, voornamelijk door slecht betaald parttimewerk te doen en alleen tijdens de schooluren te werken,' zei ze, weer helemaal de maatschappelijk werkster. 'En in andere gevallen betalen ze een oppas.'

We zwegen. En toen riepen we in koor: 'O, help, nee!'

'Dus dan heb ik een nieuwe hondenuitlater nodig, niet?' snikte ik.

'Maar doe jezelf een plezier, Annie. Neem een vrouw, deze keer. Eentje die geen problemen kan veroorzaken.'

En dat beloofde ik haar.

Hoofdstuk 23

'Deze brieven hier? Dat zijn allemaal referenties van de eigenaren van de honden die ik, weet je wel, op dit moment uitlaat, oké? Als je ze wilt bellen om na te vragen, kan ik je hun telefoonnummer geven. Daar hebben ze niets op tegen, want ze zijn allemaal, weet je wel, héél goede vrienden van me geworden. En dit zijn referenties van de hondeneigenaren van honden die ik uitgelaten héb, als je ze wilt lezen. Waarschijnlijk interesseert het je niet, maar ik raad het je wel aan, want ze zijn echt helemaal te gek.'

De piepkleine donkerharige Darcie Wells, hondenuitlaatster van de crème de la crème van Fulham, liet haar referenties op mijn bank vallen en bukte zich toen om haar rugzak, die naast haar kleine voetjes lag, open te ritsen. Ik had 'Fulham, hond, uitlaten' en toen ook nog 'betrouwbaar' gegoogeld en zo had ik haar gevonden. Daarna had ik haar op een stil moment vanaf mijn werk gebeld en uitgelegd dat ik een probleempje had, en ze was die avond meteen gekomen.

'Wacht even, Annie.' Ze zocht tussen de verfrommelde plastic zakjes die nu uit haar rugzak vielen. 'Ik wil je echt even iets laten zien. Waar is mijn Sony? God, wat een schijtzooi zit er in dit ding. Nou ja, rotzooi, bedoel ik. Hoewel, ik raap dat natuurlijk wel op, en daar heb ik al die zakjes voor – dat hoort bij de service. Ah, hier heb ik hem. Kijk! Aaah! De screensaver? Dat is Brandy. Dat is mijn hond. Ik heb haar vanavond alleen thuisgelaten omdat ze sinds vanmiddag in het park zwaar aan de racekak is. Ik kon me niet voorstellen dat je wilde dat ik haar mee zou brengen vanavond, voor het geval Fluffy het ook zou krijgen.'

'Nou, gegeven de omstandigheden...'

'Ze is een kruising tussen een newfoundlander en een poedel,' viel Darcie me in de rede. Met haar roze handje met op schelpjes lijkende, schoongeboende nagels en een overvloed aan ringen met dolfijnen, duwde ze haar schouderlange lokken achter haar oortjes. Haar hartvormige gezichtje begon te stralen terwijl ze naar het schermpje van haar mobiel keek. 'Ik noem haar mijn Doedel, van labradoodle. Een kruising tussen een labrador en een poedel. Ze is echt héééélemaal de allerliefste hond ter wereld. Ze gaat twee keer per dag mee uit, want ze vindt het echt helemaal het einde om samen met andere honden te zijn!'

'En hoe veel vraag –'

'Ergens in het geheugen moeten nog een paar van de foto's zitten die ik gisteren in Richmond Park heb genomen. Ah, hier heb ik ze. Zie je die boxer die aan Brandy's kont snuffelt? Dat is Max. Hij woont in Chelsea Harbour. Zijn baas is advocaat. Of liever, advocate, maar ze is lesbisch. Ze zegt dat Max de enige man in haar leven is. Maar hij is niet gay, hoor – hij zit voortdurend met zijn poten aan Brandy. Hij loopt altijd achter haar aan en wil in de auto ook altijd naast haar zitten. Hij is van, je weet wel, "Oehoe, jongens, blijf van haar af, want ze is míjn teef!" Tegen de andere honden, bedoel ik dan. Het is echt helemaal te gek, zo lief! En die springer spaniël daar, dat is Fanny. Ze is van een actrice die een verhouding heeft met een conservatief lid van de regering. Het is natuurlijk allemaal heel geheim en zo, want hij is bang dat hij zijn baan kwijt zal raken, en dan bedoel zijn baan als schaduwminister van – oei! Daar had ik het bijna verraden. Je moet ontzettend discreet zijn in dit werk, weet je? Mijn klanten vertrouwen me vaak van alles toe – zei ik je al dat de meesten van hen echt heel goede vrienden van me zijn geworden?'

'Ja, je –'

'Ik weet gewoon dat Fluffy hartstikke goed in het groepje zal passen. En vooral met de middagploeg – als je wilt dat ik hem dan uitlaat? Ja, dat zul je gezellig vinden, hè, lieverd? O, help!'

230

kraaide ze toen Fluffy zijn neus in het kruis van haar strakke spijkerbroek drukte. 'Je ruikt de bacon, hè? Slimme jongen! Ik heb altijd lekkers in mijn broekzak zitten, weet je, Annie, want op die manier kan ik er zeker van zijn dat mijn honden altijd komen als ik ze roep. Sterker nog, ik kan ze nauwelijks van me af houden! Ik word zowat verkracht, elke dag! Ze zijn allemaal van, weet je wel, "Hé, Darcie, hier, hier, hier!" Mag ik hem nu een stukje bacon geven, Annie?'

'Nou, hij heeft eigenlijk net gegeten, en –'

'Eén klein stukje maar? Voor de vriendschap? Ik weet zeker dat ik hier ergens nog iets moet hebben.' Ze ging staan, stak haar hand in haar achterzak en haalde er een vettig plasticzakje uit. 'Hebbes. Zit! Zit! Brave hond!' Kwispelend sprong Fluffy naar haar toe en griste het stukje vlees uit haar vingers. 'Hé!' riep ze lachend, 'daar had je míj bijna te pakken! Jij en ik worden echt wel dikke maatjes, hè, Fluffy?' ging ze verder, terwijl ze hem achter de oren krabde. 'We worden van, "Wow, mam, we hebben weer zo'n heerlijke wandeling gemaakt!" wanneer Annie 's avonds thuiskomt, hè? En mijn hondjes worden allemaal je beste vriendjes. Zie je wel? Hij mag me nu al. Ik heb een echte band met honden, weet je? Sterker nog, sommige van de andere hondenuitlaters noemen me de hondenfluisteraar. Net als Cesar? Ken je de hondenfluisteraar? Wat hij kan, dat kan ik ook.'

Ze liet zich van de bank op de laminaatvloer glijden om, op ooghoogte, een beter contact met Fluffy te kunnen krijgen. Ze liet hem op haar korte, slanke benen zitten, zijn voorpoten op haar volumineuze borsten zetten die uit haar gekrompen, groene T-shirt vol hondenharen leken te barsten, en haar gezicht likken.

Even later draaide ze zich, met een glimmend natte wang, naar me toe. 'En hoe zit het met jou, Annie? Met je situatie?'

'Mijn situatie?'

Darcie wees op de open koffer die in de hoek op de grond lag. 'Zo te zien ben je hier nog maar pas komen wonen.'

'O. Ja.'

'Leuke man die hier werkt, trouwens. Helemaal te gekke biceps!'

'Je bedoelt Vlad.'

'Heet hij zo? Is hij vrijgezel? Vind je hem ook niet helemaal van: "Oei! Baby, kom eens lekker hier"?'

'Nou, om je de waarheid te zeggen ben ik op dit moment niet echt in mannen geïnteresseerd,' bekende ik.

'Moet je mij vertellen!' Er gleed een schaduw over Darcies gezicht. 'Het zijn rotzakken, allemaal! Ik heb alles gedaan om een fatsoenlijke man te vinden. Speeddaten. Blinddaten. Internetdaten. Ik heb zelfs een advertentie in de *Time Out* geplaatst. En je kunt je niet voorstellen wat een stel achterlijke lullen ik heb ontmoet. Vorig jaar heb ik iemand via match.com leren kennen. In het begin leek hij wel aardig, maar uiteindelijk werd het niets, want hij kon niet met Brandy opschieten. Hij was van "Hé, kun je die rothond niet van het bed schoppen wanneer we wippen?" Ik snap niet wat dat type bezielde. Het ene moment kon hij niet van me afblijven, en het volgende was het van: "Nou, tot kijk dan maar hè, schat!" Ik bedoel, snap jíj dat nou?'

'Ik ben op dit moment aan het scheiden.'

'Als ik het niet dacht!' Darcie sloeg op haar dij. 'Op het moment dat ik binnenkwam, voelde ik al dat er iets met je was. Weet je, ik ben heel goed in het lezen van aura's. En weet je wat? Ik zag die loodgrijze wolk boven je hoofd. Dat betekent depressie. En dan een beetje donkergroen boven je schouders, dat betekent dat je gebukt gaat onder stress. Maar Fluffy, bijvoorbeeld, is zuiver rood, en dat betekent dat hij gezond is en een gezonde geslachtsdrift heeft. Ikzelf, ik was donkerbruin – wat gelijkstaat aan niet verlicht – maar nu ben ik een regenboog, en dat is een sterrenmens, met een krachtige blauwe rand omdat ik goed ben in *spiritual healing*. En hoe staat het ermee? Met je scheiding, bedoel ik.'

'Een nachtmerrie. Mijn man probeert de voogdij over Fluffy te krijgen.'

'Wát probeert hij?' Er gleed een uitdrukking van pure ontzetting over Darcies gezicht. Ze trok Fluffy in haar armen en bedolf zijn kop onder een regen van kusjes. 'Och, jij arme schat! Wat probeert die gore etter je aan te doen? Ik durf te wedden dat hij donkergeel is, of vaalgroen – jaloers en wraakzuchtig!'

Ik begon Darcie te mogen. 'En het ergste is misschien nog wel dat Mark, hoewel Fluffy mijn hond is, beweert dat hij bij hem een veel beter leven heeft.'

'Nou, dat geloven we nooit, hè?' Darcie huilde bijna op zijn vacht. 'Jij hebt je mammie nodig!'

'Ja, zo denk ik er ook over. Maar Mark zegt dat ik niet in staat ben om voor hem te zorgen. En dat betekent dat ik voor de rechtbank moet bewijzen dat ik dat wel kan, want anders krijgt Mark hem toegewezen.'

'Nou, maar dat is toch onzin, wat hij beweert, niet? Ik bedoel, je hebt mij net aangenomen om je te helpen, of niet soms? Weet je, Annie, ik zou voor je kunnen getuigen. Ik weet niet, als bekende, maar ook als deskundige. Je weet wel, als hondendeskundige. En ik zou met de camera van mijn mobiel een video kunnen maken waarop iedereen kan zien hoe goed Fluffy het bij jou heeft. Iets van een documentaire. "Een dag uit het leven van Fluffy!" Eerst laten we zien hoe hij 's ochtends wakker wordt en met jou ontbijt, dan hoe hij zich wast en daarna met Brandy gaat wandelen. Ze zal het geweldig vinden om aan een film mee te mogen doen – en dat is ook logisch want ze is zooo mooi. Als ik met haar op straat ben word ik vaak aangesproken, en dan zijn ze van: "Hé, waar heb jij die hond vandaan?" En ik ben heel goed met een camera. Ik heb communicatietechnieken gestudeerd, totdat ik ermee ben opgehouden. Nou, wat vind je?'

'Het klinkt als een geweldig plan!'

'Hé, Annie, heb je misschien ook iets te drinken?'

'Nee, ik –'

'Je moet niet denken dat ik me voortdurend lam zuip of zo, maar er zijn van die momenten waarop ik een moord zou kunnen doen voor, zeg, een glas chardonnay. Er is een leuke bar hier om de hoek. We kunnen Fluffy meenemen, want ze zijn er heel aardig en honden mogen er binnen – dat weet ik, want ik ben er zeker al een miljoen keer met Brandy geweest. Ze zijn daar van: "Hé, Brandy, wil je een schaaltje pinda's?" Ze zijn gewoon dol op haar. Het is een bar voor singles, maar we zullen er geen last hebben van de mannen, want ze zijn gewoon te waardeloos om aan te durven pappen. Hoe dan ook, daar kunnen we dan bepraten op wat voor manier ik je kan helpen. Lijkt je dat wat?'

'Nou, dank je, maar ik was net van plan om met Fluffy naar het park te gaan.'

'O, te gek! Dan combineren we dat toch gewoon! En dan zou ik meteen al met filmen kunnen beginnen. Jij en Fluffy, samen aan de wandel, en Fluffy die achter een bal aan gaat, van dat werk. En ondertussen kan Fluffy dan ook, je weet wel, vast een beetje aan mij wennen, niet? En dat is geweldig, want als je dat wilt kan ik meteen al morgen beginnen met hem uit te laten. En misschien dat ik dan ook dat donkergroen van je schouders kan krijgen en er wat zonnig geel voor in de plaats brengen – dat is blijdschap. Ik bedoel, als je wilt, kun je me alles over je scheiding en zo vertellen. Ik denk echt dat het je goed zal doen om het van je af te praten want het is niet verstandig om, weet je wel, alles in je op te kroppen. Dat is niet goed voor je karma, weet je wel?'

Het was onmogelijk om nee tegen Darcie te zeggen. Daarbij vond ik het een onweerstaanbaar vooruitzicht om mijn donkergroen voor zonnig geel te kunnen verruilen – en wat moest ik anders de hele avond doen, afgezien dan van vol zelfmedelijden met Fluffy op de bank zitten en naar de aanbiedingen van pannensets op het shoppingkanaal kijken?

Eerlijk gezegd had ik er alles voor over om voor een paar uurtjes weg te kunnen van mijn zolder en bovendien was het, zoals Darcie al zei, beter voor mijn karma om mijn hart te luchten.

En dat deed ik dus.

En toen Fluffy en ik anderhalve fles later met moeite de trap op kwamen was mijn hart zó gelucht dat ik het gevoel had alsof er een frisse bries doorheen woei.

In jaren was ik niet meer zo lam geweest, en ik vertelde Darcie alles over Mark, van waarom ons huwelijk op de klippen was gelopen, tot hoe goed hij in bed was.

Ik vertelde haar zelfs precies hoe ik Fluffy van die zwerver had gered.

Het hele verhaal.

Het ware verhaal.

Het verhaal waarvan ik me heilig had voorgenomen om het nooit aan iemand te vertellen.

O, wat deed het ertoe dat ze de ware toedracht kende? Met die gedachte probeerde ik mezelf gerust te stellen terwijl ik mijn hoofd weer aan de balken van het plafond stootte en mezelf zwaar in bed liet vallen.

Alsof Darcie het ooit aan iemand zou vertellen.

Natuurlijk niet. Ze was mijn nieuwe beste vriendin.

Hoofdstuk 24

Dankzij Darcie veranderde mijn leven van alleenstaande hondenbezitster al snel in een draaglijke routine. En datzelfde gold voor Fluffy. Zo ongeveer dan. In de weken dat hij bij mij was, kwam ze hem van maandag tot zaterdag rond het middaguur halen voor een stevige wandeling met Brandy en vier of vijf andere honden. Ik wist niet wáár ze gingen lopen of wat ze met hen deed, maar tegen de tijd dat ze hem terugbracht, was hij dermate uitgeput dat hij aan een stuk door sliep tot zeven uur, wanneer ik thuiskwam en hem opnieuw uitliet. Volgens Vlad, die nog altijd bezig was met de afwerking van de parterreflat, blafte mijn hond niet meer wanneer hij alleen thuis was. En hij molde ook mijn schoenen niet meer, maar liet ze gewoon liggen waar ik ze had laten vallen. Meestal, dan.

Het toeval wilde dat Darcie familie in Islington had, bij wie ze 's zondags vaak op bezoek ging, de dag waarop Mark en ik Fluffy uitwisselden. Dus het gebeurde wel eens dat ze hem, aan het eind van de week dat ik hem had gehad, op weg naar haar tante in het Workhouse afleverde. En als ze de zondag daarop weer bij haar tante was, dan pikte ze Fluffy op de terugweg voor me op en leverde ze hem bij mij thuis af. Daardoor hoefde ik Mark nu ook niet meer zo vaak te zien en werd mij ook de pijnlijke aanblik bespaard van hoe Fluffy hem bij het weerzien na zeven Markloze dagen zonder ook maar een blik achterom bij wijze van spreken om de hals vloog. Dát alleen al was de zestig pond die ik Darcie per week betaalde dubbel en dwars waard.

Hoe irritant ze soms ook kon zijn – haar eindeloze monologen bezorgden me nogal eens een flinke hoofdpijn, en haar new-age filosofie die, afgezien van haar geloof in kleurenaura's, ook UFO's, boeddhistische chanting en samenzweringstheorieën rond 9/11 omvatte – was ze, wanneer Fluffy in Islington was, vaak mijn enige gezelschap. Ik had de neiging om 's avonds na mijn werk thuis te blijven, maar Darcie kwam nogal eens onverwacht langs, en dan sleepte ze me mee naar de singlesbar om de hoek waar ze urenlang haar beklag deed over de mannen in haar leven of het gebrek daaraan en tegelijkertijd probeerde om er eentje te versieren. Hoewel ze beweerde dat ze allergisch was voor E-nummers, rood vlees, aardappelen, zuivelproducten, granen en pasta tenzij die van spelt was gemaakt, had ze geen enkel probleem met alcohol en maakte ze met gemak een hele fles, of zelfs twee flessen, rode huiswijn soldaat. Soms was ze volkomen lam wanneer we weggingen, en als ik dan met haar mee naar huis liep, moest ze vaak overgeven in de goot. Van dat braken zei ze dat het even goed was voor het ontslakken van het spijsverteringskanaal als een koffieklysma.

Algemene nood maakt vijanden tot vrienden, en in ons geval tot drinkebroers, dus ik accepteerde ook haar kanten die me minder bevielen. Uiteindelijk was ze niet alleen goed voor Fluffy, ze was er ook voor mij. Tijdens haar sollicitatiegesprek had ze beloofd een video te maken waarop te zien zou zijn hoe fijn Fluffy het bij mij vond, en ze hield woord. Voor zover het mij betrof was ze een schat – net zoals Mark was geweest toen ik hem pas had leren kennen.

In de tweede week van augustus liep bij Haines and Hampton de zomeruitverkoop, die in juli was begonnen, op zijn eind. De restanten van kleding die het afgelopen seizoen 'in' was geweest – vreemde rokken in onmogelijk grote maten, bedrukte, felgele mini-jurkjes, avant-gardecreaties zoals de groengele jumpsuit met driekwart broekspijpen, oranje ceintuur en met mink afgezette mouwen die zijn jonge Engelse ontwerper en onze winkel heel wat publiciteit had bezorgd maar desondanks geen koper had gevonden – hadden inmiddels een korting van vijfenzeventig procent en hingen weg te kwijnen achter in de betreffende designerafdelingen. Hoewel het buiten tegen de vijfentwintig graden liep, Manny de portier het jasje van zijn uniform had uitgetrokken en de airconditioning binnen op volle toeren draaide, was de aanvoer van dikke winterjassen, kasjmieren truien en wollen jurken met lange mouwen – de nieuwe wintermode – al volop aan de gang.

Aangezien veel van onze meer vermogende klanten begin juli weggingen en pas in september weer terugkwamen, was het bij ons op personal shopping verschrikkelijk stil. Zo af en toe kwamen er toeristen – meestal Amerikanen – die advies wilden hebben, maar die zich vrijwel altijd wild schrokken van de waarde van de dollar tegenover het pond, alles daardoor onbetaalbaar vonden en uiteindelijk niets kochten. Maar deze middag had zich een nieuwe Engelse klant aangemeld, een zekere mevrouw Redman uit Brighton, die, toen Charlotte haar telefonisch een sessie met Eva had aangeraden, uitdrukkelijk te kennen had gegeven dat ze door míj geholpen wilde worden.

Aangezien ik tijdens de lunchpauze achter de computer was gaan zitten om de verkoopcijfers te bestuderen, had ik Charlotte gevraagd om mevrouw Redman, wanneer ze arriveerde, naar onze ruimste paskamer te brengen. Om klokslag twee uur, het tijdstip dat onze nieuwe klant had geboekt, klopte Charlotte op de deur van mijn kantoor en keek ze om het hoekje. 'Mevrouw Redman is er, Annie. Ze wacht binnen op je.'

'Dank je, Charlotte,' zei ik, en ik voegde er fluisterend aan toe: 'Wat is ze voor iemand?'

Charlotte schudde haar hoofd. 'Modenachtmerrie uit de provincie,' fluisterde ze terug.

Bij mezelf glimlachend begaf ik mij naar de grote paskamer, waar een tengere, eenvoudige vrouw van middelbare leeftijd voor de plafondhoge spiegel stond. Ik moest even slikken. Met haar donkerblauwe platte schoenen, bruine panty, knielange bruine mantelpak en witte schoudertas die ze over een arm had hangen, was ze het evenbeeld van mijn schoonmoeder.

Ze glimlachte aarzelend en deed een stapje naar mij toe. Het wás mijn schoonmoeder. 'Hallo, Annie, lieverd,' zei ze.

'Jackie! Wat kom jíj hier doen?'

'Ik – ik wilde je spreken.'

'Heeft Mark je gevraagd om te komen?'

Ze keek me ontzet aan. 'O, nee! Hij weet niet dat ik hier ben. En ik hoop dat je hem dat ook niet zult vertellen. Hij zou het me nooit vergeven.'

'Goed.' Ik ging naar haar toe en zoende haar op beide wangen. 'Moet je horen, Jackie, ik vind het heerlijk om je hier te zien, maar ik ben op het moment nogal druk. Ik verwacht een klant die elk moment hier kan zijn. En eigenlijk dacht ik dat jij haar was.'

Ze keek me wat beteuterd aan. 'Ik bén het ook.'

'Maar daar begrijp ik niets van. Zij heet mevrouw Redman. Wilde je soms stiekem een make-over hebben?'

'O, nee!' Jackie lachte en liet haar blik over haar mantelpak gaan. Ineens herinnerde ik me dat ze datzelfde pakje op onze bruiloft had gedragen en dat het haar beste kleren waren. 'Ik vrees dat ik me dat niet kan veroorloven en dat ik het hiermee zal moeten doen. En daarbij, al die prachtige dingen die ik op weg hiernaartoe heb zien hangen zijn veel te mooi voor de keuken – en ergens anders kom ik niet. Ik heb jurken gezien die meer kosten dan wat Dennis en ik in twee weken in de pub verdienen! Nee, lieverd, ik kom alleen maar voor jou. Ik wist niet of je me zou willen ontvangen als ik je regelrecht zou bellen om je dat te vragen, dus heb ik tot mijn schande besloten om het op deze manier te doen – door onder een valse naam een afspraak te maken!'

Ik moest lachen om het idee dat mijn schoonmoeder, het eerlijkste mens dat ik kende, een truc als deze had verzonnen. 'Dat had je toch niet hoeven doen. Ik zou natuurlijk met je hebben afgesproken.'

'Och, schat!' Het volgende moment vloog ze me om de hals en drukte ze zich innig tegen me aan. Haar tranen vielen op mijn schouder. 'Ik heb je zo vaak willen bellen,' snikte ze. 'Maar

Dennis zei steeds dat ik me niet moest bemoeien met dingen die me niet aangingen. "Laat die kinderen het zelf nu maar uitzoeken," zei hij.'

'Ja, maar daar brengen we niet zo bijster veel van terecht, wel?' zei ik. En toen kreeg ik ook tranen in mijn ogen. Nadat ik ze had weggeknipperd, keek ik haar glimlachend aan. 'O, Jackie, wat heerlijk om je te zien.' En dat was ook zo. Omdat mijn schoonouders zo ver buiten Londen woonden en zeven dagen per week in hun pub werkten, waren Mark en ik alleen maar zo heel af en toe eens een weekendje of een zondagje bij hen geweest. Maar elke keer was ik weer getroffen geweest door Jackies warmte en enorm grote hart. Ze had voor iedereen een goed woordje over, de thee stond altijd klaar en meestal ook met een dikke plak verrukkelijke, zelfgebakken cake erbij. Ik weet niet hoe vaak ik tegen Mark had gezegd dat, als ik ooit de ideale schoonmoeder – of móéder – zou moeten verzinnen, het Jackie zou zijn geweest. 'Ik heb je gemist,' zei ik terwijl ik haar opnieuw omhelsde.

'Ik jou ook, Annie.'

'Kom zitten.' Ik nam haar mee naar de grote, witte bank. 'Wil je iets drinken? Een glaasje Bollinger? Kijk niet zo geschokt – dat krijgen al onze klanten hier aangeboden.'

'Je weet toch dat ik geen alcohol drink.'

'Een kopje thee dan? En een paar sandwiches?'

'Nou, dat lijkt me heerlijk. Ik had voor onderweg een paar boterhammen klaargemaakt, maar ik ben ze vergeten. Je kon er in de trein wel krijgen, maar die zagen er afschuwelijk uit en bovendien waren ze schrikbarend duur.'

'Ben je helemaal uit Norwich gekomen, alleen om mij te zien?'

'Ik zou de hele wereld afreizen als ik jou en Mark kon helpen om het weer goed te maken.'

Ik wipte snel even naar de receptie, waar Charlotte bezig was haar lange blonde haren te kammen en zichzelf in een handspiegel te bekijken – iets wat ze bij elke gelegenheid deed. Toen ze me zag, hield ze hem snel onder haar bureau. 'Mag ik je ergens mee helpen, Annie?'

'Volgens mij bedoel je, "Kán ik je ergens mee helpen?" En ja,

Charlotte, dat mág je en dat kún je. Denk je dat je een kopje thee en een paar sandwiches kunt regelen voor mevrouw Redman?'

'Natuurlijk, Annie. Geen probleem.'

'Dank je. En voor mij ook graag een kopje thee. En, Charlotte?'

'Ja?'

'Je ziet er zoals gewoonlijk beeldschoon uit. Het is echt niet nodig om vijftig keer per dag in de spiegel te kijken.'

Ze werd knalrood. 'Dank je, Annie.'

Toen ik de paskamer weer binnenkwam, zat Jackie met een tissue haar tranen weg te vegen. Ik ging dicht naast haar zitten. 'Eigenlijk vroeg ik me af waarom ik maar niets van je hoorde,' bekende ik.

'Nou, zoals ik al zei, Dennis zei dat ik me er niet mee moest bemoeien. Maar ik ben er ontzettend door van streek. En Dennis eigenlijk ook. Je weet hoe dol we op je zijn.'

'En ik op jullie.'

'Maar Mark is onze zoon en we moeten achter hem staan, ongeacht wat hij heeft gedaan. Niet dat ik niet verschrikkelijk boos op hem was toen hij het ons vertelde. Je weet wel, van die verhouding die hij heeft gehad. Ik kan gewoon niet begrijpen waarom hij zoiets vreselijks heeft gedaan – en dat terwijl hij getrouwd is met iemand zoals jij! Maar om daarom nu te scheiden? Ik weet wel dat ik dit niet zou mogen zeggen, maar...' Ze keek me heel ernstig aan. 'Zou je niet kunnen proberen om hem te vergeven, Annie?'

Ik nam haar hand. De verleiding was groot om haar te vertellen dat het niet de eerste keer was geweest dat haar dierbare zoon van het rechte huwelijkspad was afgeweken, maar ik wist dat ze er alleen maar nog meer door van streek zou raken. Dus ik zei: 'Daarvoor is er intussen te veel gebeurd.'

'Je bedoelt die verschrikkelijke toestand rond Fluffy?'

'Ja, onder andere.'

Ik liet haar hand los toen Charlotte op haar naaldhakken binnenkwam. 'Hier is uw thee, mevrouw Redman. En uw sandwiches. Ik heb de korstjes er zelf voor u van afgesneden,' voegde ze er trots aan toe, alsof ze een chic maal had bereid.

'Dank je, lieve kind, maar dat was echt niet nodig.'

'Mijn docente huishoudkunde zei altijd dat het er zo veel mooier uitziet, en dat vind ik zelf ook. U niet?' Ze zette het blad zorgvuldig op de witte salontafel en keek mijn schoonmoeder met een stralende glimlach aan. 'Mag ik een kopje thee voor u inschenken?'

Jackie beantwoordde haar lach. 'Nee, dank je, lieverd. Ik hou van lekker sterke thee, dus ik laat het nog maar even trekken, als je dat goed vindt.' Toen Charlotte weer weg was, zei ze: 'Wat een aardig meisje. Zulke voortreffelijke manieren, en ze heeft ook zo'n beschaafde stem. Hier werk je dus, Annie. Ik moet zeggen, het is wel reuze chic.'

'Nu je hier toch bent, waarom laat ik je niet wat van onze kleren zien?'

'O, maar die kan ik niet betalen!'

'Nou en? Gewoon voor de grap, bedoel ik. Je kunt niet naar Haines and Hampton komen en dan niets passen!'

Gedurende het halve uur daarop liepen Jackie en ik samen door de winkel en selecteerden we kleren van de nieuwe najaars-collectie – dingen die zij mooi vond en andere waarvan ik dacht dat ze haar goed zouden staan. En toen, in de grote paskamer, liet ik ze haar aantrekken – hoe bizar ze ook waren. We konden er geen van tweeën over uit, zo chic als ze eruitzag in de rood-satijnen avondjapon van Hervé Léger, of in de met bont afge-zette winterjas die ik voor haar had uitgezocht, en helemaal nadat ik haar er een paarsrode lippenstift bij op had laten doen. 'De verleiding om hem te kopen is groot,' zei ze, vol verwonde-ring in de spiegel kijkend. 'Ik voel me net een filmster.' Toen keek ze op het prijskaartje. 'Hóéveel? Nee, ga weg, ik voel me een armoedzaaier!'

De tijd vloog om. Dit was de eerste keer dat ik ooit met mijn schoonmoeder alleen was geweest – en helaas zou het waar-schijnlijk tevens de laatste keer zijn. Ik ontdekte dat ik verschrik-kelijk met haar kon lachen. Bij het passen van de kleren was ze even enthousiast als een kind dat de verkleedkist heeft open-getrokken. En voor we het wisten was het alweer halfvier –

tijd voor mijn volgende klant, en voor haar om de trein te halen.

'Nou, toen ik vanochtend van huis ging had ik nooit verwacht dat ik zo'n heerlijke middag zou hebben,' zei ze terwijl ze me stralend aankeek. 'Ik heb genoten, Annie. Ik voel me een heel stuk opgekikkerd.'

'Ik vond het heerlijk om je te zien, Jackie. En ik heb er ook van genoten.'

'Het spijt me alleen dat ik je niet jaren geleden op je werk ben komen bezoeken en dat er zoiets verschrikkelijks voor nodig was om me naar Londen te krijgen.' Haar gezicht betrok toen ze haar armen om me heen sloeg, en ze slaakte een diepe zucht. 'Weet je, Annie, je hoort nu bij de familie, en ik wil je niet kwijt. En Dennis en Marks zussen ook niet.'

'Dank je,' bracht ik met moeite uit. Ik had een brok in mijn keel.

'En ik vermoed dat Mark dat ook niet wil.'

'Nou, als dat zo is, dan laat hij dat wel op een heel rare manier blijken.'

Ze drukte zich nog even tegen me aan en liet me toen los. 'Relaties die zo sterk zijn als die van jullie kom je niet vaak tegen, lieverd. Het is niet gemakkelijk om getrouwd te zijn, dat weet ik. Soms moet je je over je trots heen zetten. Maar als je doorzet, blijkt het uiteindelijk toch de moeite waard. Het is tussen mij en Dennis ook niet altijd van een leien dakje gegaan.' Ze nam me onderzoekend op. 'Ik hoop dat je erover na wilt denken.'

'Dat zal ik doen, maar stel je er niet te veel van voor.'

'Je weet het maar nooit, Annie. Jij en Mark kunnen op dit moment verschrikkelijk boos op elkaar zijn – je vertrouwt hem waarschijnlijk niet en jullie denken mogelijk alle twee dat er niets meer te redden valt. Maar ik weet zeker dat jullie, als je maar bereid bent om echt je best te doen, het toch weer bij zullen leggen en dat jullie deze toestand – en dat is natuurlijk zwak uitgedrukt – te boven komen. En ik zou dit waarschijnlijk ook niet moeten zeggen, maar ik weet heel zeker dat Mark, ondanks alle bitterheid die er op het moment tussen jullie is, diep in zijn hart nog heel veel van je houdt.'

Ik schudde mijn hoofd. Ik wou dat het waar was, maar het was onmogelijk. Een poos geleden zou ons huwelijk misschien nog te redden zijn geweest, maar inmiddels was er zo veel gebeurd dat er niets meer te herstellen was. Scheiden was de enige optie die ons restte.

Hoofdstuk 25

Een week later, op vrijdagmiddag, was ik weer bij meneer Williams op kantoor. Het was er zo warm en benauwd dat hij de hoge schuiframen open had gedaan en, na zich uitputtend verontschuldigd te hebben, zijn donkergrijze colbertje had uitgetrokken en over de rugleuning van zijn stoel had gehangen. 'Mag ik?' vroeg hij nu, met zijn hand op zijn donkerblauwe stropdas.

'Gaat u gerust uw gang,' zei ik. 'Al trekt u alles uit.'

'Ha! Ik denk niet dat ik zo ver zal gaan.' Na de knoop van de das wat losser te hebben getrokken, pakte hij de opgevouwen zakdoek van zijn bureau en veegde er de zweetdruppel mee weg die zich in een van zijn woeste wenkbrauwen had genesteld. 'Ik weet dat we uw verklaring al hebben doorgenomen, en ook de vragen die u volgende week van de advocaat van uw man kunt verwachten. Maar voor u hier vandaag weggaat, mevrouw Curtis, is er één ding dat ik nog tegen u wil zeggen.'

'Ja? En dat is?'

Hij haalde diep adem. 'Er is nog tijd om het af te blazen.'

Ik keek stomverbaasd naar de gestalte achter de stapels papieren op het mahoniehouten bureau. Ik had altijd al gemeend dat hij een tikje excentriek was, maar nu had ik het gevoel dat hij echt helemaal gek was geworden. 'U bedoelt dat er nog tijd is om mijn scheiding af te zeggen?'

Hij schudde zijn hoofd en er dwarrelde sneeuw op zijn schouders. 'Nee, hoewel dat natuurlijk ook een mogelijkheid zou zijn. Nee, ik bedoelde de hoorzitting van volgende week.'

'Maar dat is – wat? – over zes dagen. Ik ben er al helemaal klaar voor en ik dacht dat u dat ook was.'

'O, natuurlijk ben ik dat, mevrouw Curtis.' En dat was hem geraden ook, dacht ik, want ik had zojuist zijn meest recente, astronomisch hoge rekening betaald. 'Maar het feit dat we op het randje van de afgrond van de Grand Canyon zijn aanbeland, betekent nog niet automatisch dat we onszelf ook in de afgrond moeten storten. Het is juist in ons belang – het is in het belang van elk echtpaar dat wil scheiden, om precies te zijn – om de rechtbank te mijden. Heel wat zaken worden op het laatste moment nog geregeld – op de trappen van de rechtbank zelfs nog. Als u wilt, kan ik nu de telefoon opnemen en de advocate van uw man bellen met het voorstel om op het laatste moment alsnog tot een akkoord te komen.'

Ik ging voor het open raam staan en keek uit over Lincoln's Inn Fields waar groepjes toeristen en kantoorpersoneel bij elkaar op het gras zaten. Velen leken gewoon lekker in het zonnetje te zitten en hun boterham te eten. Mensen die een normaal leven hadden en daarvan genoten. Een leven zonder zorgen. O, wat verlangde ik ernaar me weer zo te kunnen voelen. Maar ik kon me niet voorstellen dat dat ooit zou gebeuren. Ik kon niet verder vooruitdenken dan die hoorzitting van donderdag.

'Wat we ook kunnen doen,' ging Williams verder, toen ik geen antwoord gaf, 'is maandag een gesprek aangaan met meneer Curtis en mevrouw Greenwood, waarin we proberen een compromis te bereiken. Een beetje geven en nemen. Fluffy afwegen tegen uw Banksy. Volle voogdij over de hond in ruil voor een iets groter aandeel in de flat. Ik noem maar wat.'

Ik draaide me naar hem om. 'Geeft u mij een goede reden waarom ik Mark ook maar een haarbreed tegemoet zou willen komen. Het enige wat ik wil is Fluffy. Degene die er helemaal naast zit, is Mark.'

Zijn blik dwaalde van mijn gezicht naar de vage schaduw van mijn beha die door de dunne zijde van mijn Derek Lam-blouse te zien was. 'Ik heb u al vaker gezegd,' zei hij, 'dat uw situatie niet geheel klip en klaar is. U staat wel heel sterk, mevrouw Curtis –'

'Natuurlijk,' viel ik hem in de rede.

Hij hief zijn hand op om mij het zwijgen op te leggen. 'We hebben heel wat bewijzen die we de rechter voor zullen kunnen leggen, we zullen het hebben over het feit dat uw man niet van werken houdt, over zijn herhaalde ontrouw, het feit dat hij niet bereid is om bij te dragen aan de niet geringe uitgaven die u als echtpaar hebt, enzovoort, enzovoort. En verder hebben we die intrigerende film.' Hij pakte de dvd die Darcie met haar mobiele telefoon had gemaakt. '"Een Dag uit het Leven van Fluffy",' las Williams het etiket voor. 'Ik heb hem gisteravond bekeken. De scène die mij het meeste aansprak, was die van u terwijl u in die roeiboot in Hyde Park aan het picknicken bent.'

'O ja, dat hebben we een paar zondagen geleden gefilmd.'

'Ik heb nooit geweten dat honden reddingsvesten aan moesten.'

'Dat was een idee van Darcie. Ze dacht dat het een goede indruk zou maken als we hem dat aantrokken, want ze wilde niet dat de rechter zou denken dat ik geen rekening met zijn gezondheid en veiligheid hield.'

'Ah, ja. Juffrouw Darcie Wells. Een vrouw met vele talenten, schijnt. Ik moet zeggen dat haar getuige-deskundigeverklaring wel eens van doorslaggevend belang zou kunnen zijn, ook al praat ze dan misschien een beetje veel. Het enige waar ik niet zo weg van ben is dat deel over Fluffy's – hoe noemde ze dat ook alweer? Zijn *kleurenaura*.' Hij bladerde door de stapel papieren die hij voor zich had liggen en haalde er Darcies verklaring uit. 'Het stond op pagina vier, als ik me goed herinner. O, ja.' Hij zette zijn bril goed en schraapte zijn keel. 'De eerste keer dat ik Fluffy en mevrouw Curtis samen zag,' las hij met een opzettelijk eentonige stem voor, 'zag ik meteen al aan de heldere, goudgele aura rond zijn kwispelende staart dat hij een blije en tevreden hond was. Maar toen ik hem onlangs namens mevrouw Curtis moest afleveren bij de flat van meneer Curtis, kon ik onderweg goed zien hoe het geel langzaam maar zeker plaatsmaakte voor een lelijk dof grijs, waaruit bleek dat Fluffy het afschuwelijk vond om van zijn vrouwtje gescheiden te zijn.' Williams keek me aan.

'Ik weet niet goed hoe de rechter die donderdag zitting heeft daarop zal reageren.'

'Hoezo? Wat is hij voor iemand?'

'Nou, om te beginnen is het een vrouw, hoewel haar gedrag zodanig is dat je dat niet altijd zou denken. Mevrouw Khan, de rechter, is een bijzonder aantrekkelijke vrouw van in de vijftig. Goed figuur, beeldschoon gezicht. Maar ze mist de eigenschappen die je van een vrouw zou verwachten – vriendelijkheid, empathie, genegenheid, dat soort dingen. De welbekende termen dragonder en manwijf zijn ontoereikend om haar mee te omschrijven. Ze wordt achter haar rug om Djengis Khan genoemd.'

'Nou, dat klinkt als een goed begin.'

'Dat ben ik met u eens. Ik heb alleen geen idee hoe ze op deze zaak zal reageren. Het probleem is, zoals ik u al eens heb verteld, dat er in dit land geen precedent is voor voogdijzaken waarin honden de hoofdrol spelen. Honden, katten, tamme krokodillen – het zijn gewoon roerende goederen, meubels, voor wat de wet betreft.'

'Nou, in dat geval hebben we toch zeker niets te vrezen, wel? Ik bedoel, ik heb Fluffy met mijn eigen geld van die zwerver gekocht, en op dat moment kénde ik Mark nog niet eens. Dus hij is mijn hond. Punt uit. En dan heb ik gewonnen.'

'Dat is natuurlijk ons beste scenario. Maar volgens uw zeggen, hebt u Fluffy slechts enkele dagen voor de ontmoeting met uw man gekocht. En tijdens de duur van uw huwelijk heeft uw man meer tijd met de hond doorgebracht dan u. Inmiddels weten we dat zijn advocaten hún zaak baseren op het feit dat meneer Curtis, op grond van zijn kwalificatie van hondenuitlater –'

'Kwalificatie? U bedoelt dat hij weet hoe hij een riem vast moet houden?'

'– dat hij op grond van zijn beroep, en zijn rol als voornaamste verzorger van Fluffy, veel geschikter is om voor Fluffy te zorgen dan u. En hij heeft er ook veel meer tijd voor.'

Soms vroeg ik me af voor wie meneer Williams eigenlijk was. 'Maar de laatste tijd hebben we Fluffy gedeeld, niet? En zoals uit de dvd blijkt, kan ik, met de juiste hulp, uitstekend voor hem zorgen. Fluffy vindt het fijn bij mij. Hij is bij mij net zo blij en gelukkig als bij Mark.' Dat zei ik nu wel, maar helemaal geloven deed ik het niet.

Williams aarzelde even, pakte een fijnschrijver die op zijn vloeiblad lag en draaide hem tussen zijn vingers. Kennelijk had hij besloten om zijn Mont Blanc ver buiten mijn bereik te houden. 'Nee, twee dingen tegelijk, dat kan niet, mevrouw Curtis. Of u vraagt de rechter om rekening te houden met Fluffy's wensen en zijn welzijn – bijna alsof hij een kind van u beiden zou zijn – of u vraagt haar hem als roerend goed te beschouwen, hetgeen hij volgens de Engelse wet ook is. Maar waar we ook voor kiezen, er is geen enkele garantie dat mevrouw Khan in uw voordeel zal beslissen. Haar besluit zal afhangen van haar stemming. Ze zou wel eens iets kunnen beslissen waar u helemaal niet blij mee bent, en dan gaat u er, vergeleken met de huidige situatie, alleen nog maar verder op achteruit. Dus het enige wat ik u kan aanraden is: *in dubiis non est agendum*.'

'Pardon?'

'Waar het resultaat niet duidelijk is, is handelen onverstandig. En ik heb u er in de loop van de voorbije maanden al herhaaldelijk op gewezen dat deze officiële zitting u niet alleen wel eens al uw geld kan gaan kosten, maar dat het bovendien voor beide partijen een bijzonder onplezierige ervaring kan zijn – nee, niet kán zijn, dat wórdt het. "Contumeliam si dices, audies," om met Plautus te spreken.'

Ik had sterk het vermoeden dat hij me met dat Latijn om de oren sloeg om me het gevoel te geven dat ik een enorme domoor was. En het laatste wat ik op dat moment nodig had, was dat ik me nog ellendiger ging voelen dan ik al deed. 'Meneer Williams, spreekt u alstublieft Engels tegen mij.'

'"Hij die beledigt, zal beledigd worden." Met andere woorden, we kunnen erop rekenen dat we alle verwijten die we hem naar het hoofd zullen slingeren, in gelijke mate van zijn advocate terug zullen krijgen.'

'Ik heb niets verkeerd gedaan. En Mark dus wel. Wat heb ik te vrezen?'

'Ja, wat? Als u echt heel zeker weet dat u het door wilt zetten, dan is het enige wat mij nog rest u erop te wijzen dat u vooral kalm moet blijven tijdens de zitting. Vergeet u niet dat u onder ede staat, en denkt u eraan dat u zich niet door de advocaat van uw man van uw stuk laat brengen – wat er ook gevraagd of gezegd wordt, u dient te allen tijde rustig te blijven. Houdt u uw antwoorden kort en duidelijk. En voor wat uw uiterlijk betreft...' zijn blik zakte opnieuw naar mijn half doorschijnende blouse '...netjes, damesachtig en...'

Ik stond op het punt Williams eraan te herinneren tegen wie hij het had – als er één ding was dat ik niet nodig had van hem, was het wel een kledingadvies. Maar juist op dat moment ging de telefoon.

'Wat is er, Sarah?' vroeg hij. 'Ik zit met een cliënt. O? Aha. Nou, in dat geval, verbind haar dan maar door.'

Hij legde zijn hand op het mondstuk, trok zijn wenkbrauwen op en keek me aan. 'Grappig genoeg is het juffrouw Wells,' zei hij. 'Ze zegt dat het dringend is. Ik raad u aan te gaan zitten terwijl ik me laat vertellen wat ze van ons wil.'

Ik ging zitten. Ik luisterde. Het was geen goed nieuws.

Hoofdstuk 26

'Maar Darcie,' snikte ik die avond in mijn BlackBerry, 'waarom heb je besloten om niet voor mij te getuigen?'

Het was de eerste keer dat Darcie niet goed leek te weten wat ze moest zeggen – het duurde buitengewoon lang voor ze ten slotte antwoord gaf op mijn vraag. 'Nou, Annie, dat heb ik niet zomaar plotseling besloten,' hoorde ik haar na lange seconden zeggen. 'Ik heb er echt eeuwen over lopen piekeren. Van, je weet wel, zelfs nog voor ik jou ontmoet had, liep ik al met het gevoel dat ik in een situatie verzeild zou raken waar ik me buiten zou moeten houden. En ik weet zeker dat ik je al eerder verteld heb dat ik in dat opzicht nogal helderziend ben.'

Op de een of andere manier klonken haar woorden als een smoes. 'Ja, maar tot nu toe leek je anders helemaal geen last te hebben van dat gevoel,' zei ik. 'En uiteindelijk heb ik je ook helemaal nooit gevraagd of je voor me wilde getuigen. Je hebt zelf aangeboden om me te helpen, om die dvd te maken en om als getuige-deskundige voor me op te treden. Dat was allemaal jouw idee.'

Ze zuchtte. 'Ja, maar weet je, Annie, ik hou er nu eenmaal van om mensen te helpen, echt waar. Je weet dat ik een vriendelijk en gul mens ben, en het is ook zo fijn wanneer, weet je wel, de mensen je dankbaar zijn en zo? Maar toen ik bij die advocaat was en de zaak met hem had doorgesproken en mijn verklaring had afgelegd, wist ik ineens van dat ik me zooo had vergist.'

Ik voelde me boos worden. Had ze dat niet eerder kunnen bedenken? 'Hoe kan het nou een vergissing zijn om mij te helpen in mijn strijd om de voogdij van Fluffy?'

'Nou, omdat, weet je wel, het niet iets is wat bij mijn werk hoort. Ik hoor me niet te bemoeien met echtscheidingen en zo. Ik voelde me echt heel ellendig toen ik thuiskwam van die advocaat van jou. Je weet wel, vies. Ik was mezelf niet meer. Brandy merkte het meteen, nog voor ik goed en wel binnen was. Ze is zo gevoelig, die schat, ze heeft alles altijd meteen in de gaten. Ze was van, *getver!*, toen ze me zag. Wil je wel geloven dat ze me niet wilde begroeten, maar dat ze maakte dat ze naar de keuken kwam? Dus ik ben haar achternagegaan, en ik zei van "Hé, Brandy-baby, wat is er?" En toen vluchtte ze naar de slaapkamer en kroop ze weg onder het bed bij al mijn vuile onderbroeken en sokken, en dat heeft ze nog nooit eerder gedaan. Ik begreep er niets van. Maar toen keek ik in de spiegel en drong het tot me door wat er met me was, en waarom ze voor me was gevlucht.'

Ik werd stapelgek van dat mens. 'Hoe bedoel je dát nou weer?' vroeg ik met een zucht. 'Wat wás er dan met je?'

Darcie aarzelde even en verklaarde toen op dramatische toon: 'Mijn regenboogaura was weg! Nou ja, hij was niet weg, natuurlijk, maar hij was veranderd! Ik was geen sterrenmens meer. Al mijn zuivere aurakleuren waren, zeg maar, uitgelopen en verbleekt. Het violet. Het paars. Het indigo. Er was geen spoortje magisch zonnegeel meer over. En in plaats daarvan kwamen er alleen nog maar van die lelijke donkergrijze en groengele stralen uit mijn kruin. En ik had een zwarte halo. Zwart, Annie! En je weet natuurlijk wel wat dat betekent, hè?'

'Nee.' Inmiddels kostte het mij de nodige moeite mijn kalmte te bewaren. 'Wat betekent dat?'

'Een zwarte aura is zuiver kwaad.'

Darcie zweeg, en zelf was ik ook totaal sprakeloos. Ik nam het mezelf verschrikkelijk kwalijk dat ik zo'n geschifte tante in dienst had genomen om mijn hond uit te laten. Ze was van kleur veranderd en daardoor zat ik nu zonder getuige die kon verklaren dat ik in staat was om voor mijn hond te zorgen. Geweldig.

'Meneer Williams zegt dat je ook hebt gevraagd of je de dvd kunt intrekken,' ging ik verder.

'Nou, dat hoort er natuurlijk bij, Annie. Het is uiteindelijk allemaal bewijsmateriaal, toch? Maar die achterlijke debiel zei dat ik dat niet kon omdat, hoewel ik, weet je wel, alles met mijn mobiel heb gefilmd, de dvd van jou is.'

Opnieuw verviel ze in een voor haar abnormaal stilzwijgen en maakte ik van de pauze in het gesprek gebruik om te proberen de situatie van haar kant te bekijken. Daar slaagde ik niet in. 'Nou, ik wou alleen maar dat je me dit alles eerder had verteld,' zei ik geïrriteerd.

'Ja, dat had ik natuurlijk kunnen doen, maar ik wilde je niet, weet je wel, van streek maken.'

Intussen was ik zo ver dat ik haar wel kun wurgen. Maar in plaats daarvan zei ik, op een zo begripvolle toon als ik maar kon opbrengen: 'Maar zie je dan niet in dat ik geen al te beste indruk op de rechter zal maken als mijn hondenuitlaatster van het ene op het andere moment heeft laten weten dat ze niet meer voor me wil getuigen? Toe, Darcie, zou je je niet alsnog willen bedenken? Ik heb jouw verklaring echt nodig.'

'Ik wil wel, maar ik kan het niet, Annie. Ik moet mijn regenboogkleuren terug zien te krijgen, en echt, ik behoor me niet te bemoeien met dingen die me, weet je wel, niets aangaan.'

Ik dacht dat het gesprek was afgelopen, maar toen zei Darcie: 'Ik bedoel, weet ik veel, het kan best zijn dat Fluffy op den duur veel beter af is bij Mark, of niet soms?'

Ik kreeg het op slag ijskoud. 'Wat wil je daar precies mee zeggen?'

'Nou, omdat Mark altijd thuis is,' ging ze verder. 'En als hij niet thuis is, loopt hij met de honden op de hei, terwijl jij, nou ja, jij bent altijd op je werk, toch? Ik bedoel, Annie, is dat nou wel zo goed voor die arme Fluffy?' Ik beet op mijn lip en had even nodig om te verwerken wat ik haar hoorde zeggen. 'Maar, hé, weet ik veel?' voegde Darcie er even later nog aan toe. 'Ik ben ten slotte maar een buitenstaander.'

En ik dacht nog wel dat ze een echte vriendin was. 'Nou, ik

kan je wel zeggen dat ik goed van de kaart ben door wat je hebt gedaan – door je zo op het allerlaatste moment terug te trekken,' zei ik.

'Het spijt me. Maar ik kan nu eenmaal niet tegen mijn principes ingaan.' Ik wilde haar vragen wat die principes van haar inhielden toen ze ineens, alsof het voorgaande gesprek helemaal niet had plaatsgevonden, heel vrolijk zei: 'Ik ga zondag weer naar mijn tante. Wil je dat ik Fluffy op de terugweg bij Mark ophaal en hem bij jou aflever?'

'Nee dank je. Dat wil ik niet.'

'Dan hoef je, weet je wel, Mark niet meer te zien voor de hoorzitting op donderdag. Voor mij is het geen moeite en Brandy zou het gewoon helemaal te gek vinden als Fluffy met ons mee naar huis kon rijden. Volgens mij is ze smoor op hem. Ze heeft hem deze week echt gemist. Ze ziet Max al helemaal niet meer staan – weet je wel, de boxer waarover ik je vertelde? Arme Max. Telkens wanneer hij haar ziet is hij van: "Hé, Brandy, hou je dan niet meer van me?" Dus weet je zeker dat je niet wilt dat ik hem voor je oppik?'

'Ja.'

'Nou,' zei ze, 'ik kan alleen maar hopen dat je er niet al te erg door van streek raakt, van dat je Mark zo kort voor de hoorzitting nog moet zien.'

Hoe kon Darcie dat zeggen terwijl ze me juist had verraden? Of zo voelde het in ieder geval. 'Moet je horen, je komt deze week toch nog om Fluffy tussen de middag uit te laten, toch? Van maandag tot woensdag? Donderdag neem ik hem mee naar de rechtbank, dus dan heb ik je niet nodig. Ik bel je donderdagavond om je te vertellen hoe het is gegaan.'

'Natuurlijk, Annie, je kunt op me rekenen. Alsof ik je ooit zou laten zitten.'

Ik hing op, haalde de open fles Pinot Grigio uit de koelkast en ging met een groot glas ervan op het balkon staan. De straatverlichting gaf de avondhemel een oranje gloed en beneden me reden, pal achter elkaar, drie harmonicabussen langs – drie dikke rode slangen die over het asfalt kropen. Voor de bar op de

254

hoek stond een groepje, met flessen wodka bewapende, tetterende wilde meiden, en verderop in de straat was een stel dat een verschrikkelijke ruzie had, zó erg dat ik alles wat ze elkaar naar het hoofd slingerden woordelijk kon verstaan. *Dat heb je wel! Nietwaar! Vuile gore klootzak! Slet!* Ik draaide me om en keek door de dubbele balkondeuren mijn woonkamertje in. Het was er een bende. De vloer lag bezaaid met tijdschriften, een van de kussens was van de bank gegleden en de vuile vaat stond hoog opgestapeld op het aanrecht.

Terwijl ik een vleug vislucht opving van de Risotto van Wilde Zalm en Waterkers die ik gisteravond in de magnetron had opgewarmd, werd ik ineens gegrepen door een gevoel van twijfel en wanhoop. Ooit had ik plezier in het leven, en had ik een duidelijk doel gehad. Nu had ik het gevoel alsof ik elke dag door een modderrivier stroomopwaarts moest waden. Ik probeerde mezelf gerust te stellen met de gedachte dat het de volgende week om deze tijd voorbij zou zijn – de officiële zitting zou achter de rug zijn en mijn oude huis zou te koop staan. En het voornaamste was nog wel dat Mark dan tot mijn verleden zou behoren. Vanaf dat moment kon ik weer door met mijn leven en kon ik een nieuw bestaan opbouwen.

Maar wat zou de rechter beslissen? Zou er, na het betalen van alle kosten en het deel dat Mark zou krijgen, nog voldoende geld over zijn om een beetje fatsoenlijke flat van te kopen?

En vooral: zou ik Fluffy mogen houden?

Sinds ik had besloten om met mijn zaak naar de rechter te gaan, begon ik te twijfelen, en was ik er ineens niet meer zo zeker van dat ik de strijd om Fluffy zou kunnen winnen.

En zelfs al zóu ik winnen, wat dan? Darcies woorden hadden een gevoelige snaar geraakt. Zou Fluffy bij mij wel gelukkig zijn? Of zou het, zoals zij had gezegd, niet eerlijk voor hem zijn?

Kon ik een hond wel aan, in mijn eentje?

Hoewel ik me aan de ene kant verschrikkelijk eenzaam had gevoeld toen ze Fluffy de vorige zondag naar Mark had gebracht, had ik me aan de andere kant ook wel een beetje opgelucht gevoeld in de wetenschap dat ik een week lang geen rekening met hem zou hoeven houden. Ik gaf het niet graag toe, maar eigenlijk vergde het wel een boel van mijzelf om zo veel tijd aan hem te moeten besteden. Het was niet alleen de stress van 's ochtends heel vroeg op moeten staan om voor dag en dauw een lange wandeling met hem te maken, of om na het werk zo snel mogelijk thuis te komen om hem eten te geven en opnieuw met hem te wandelen, nee, het was meer dan dat – er was nog iets wat ik niet goed onder woorden kon brengen.

Toen Mark en ik samen in het Workhouse hadden gewoond, was Fluffy op de een of andere manier veel minder afhankelijk geweest. Hij ging zijn eigen gangetje. Zo kon hij onder de tafel naar kruimeltjes zoeken of gewoon uren bezig zijn met het vernielen van zijn speeltjes. Soms stond hij dan ook zomaar op en liep naar de slaapkamer om onder het bed te kijken of er soms iets lag om kattenkwaad mee uit te halen – ja, hád ik het niet gedacht! – of ging hij languit genietend voor de prachtige gashaard liggen doezelen.

Maar nu hij en ik met ons tweetjes waren en we om de week samen zaten opgesloten op deze minizolderetage, voelde ik me verschrikkelijk schuldig telkens wanneer ik de deur achter me dichttrok en hem alleen liet. En zelfs wanneer ik wel thuis was, lag Fluffy me meestal vanaf het kleine stukje beschikbare vloer tussen de bank en de keuken met zijn snuit tussen zijn voorpoten verwijtend aan te kijken. Wanneer ik thuis was deed ik wat ik kon om hem te stimuleren. Ik gooide ballen voor hem tegen de muur, ging op handen en knieën verstoppertje met hem zitten spelen, of ik stopte koekjes in enveloppen en oude sokken zodat hij die, op zoek naar de verborgen schat, aan stukken kon scheuren. Ik sprak tegen hem, aaide hem, knuffelde hem, en zelfs als hij allang met Darcie had gelopen, ging ik 's avonds, als het weer het maar een beetje toeliet, nog zeker een uur lang met hem wandelen – zowel om aan de claustrofobisch kleine flat te ontsnappen als om hem de nodige lichaamsbeweging te geven.

Alleen wat ik ook deed, het voelde nooit natuurlijk, en daarbij was Fluffy niet meer zo vrolijk als hij oorspronkelijk was geweest. En mij gehoorzamen deed hij al helemaal niet meer. Ik vroeg me wel eens af of hij boos was om het feit dat hij als een pion tussen twee huizen heen en weer werd geschoven en gedwongen was om bij mij in Fulham te zijn. Groeiden we uit elkaar omdat we elkaar de helft van de tijd niet zagen? Of was ik, zonder dat te beseffen, bezig om mijn hond ongelukkig te maken?

Ik liep terug naar binnen, ging weer op de bank zitten en dronk mijn glas leeg. Ik herinnerde me wat Clarissa had gezegd over dat Mark en ik Fluffy als wapen gebruikten om elkaar over en weer pijn mee te doen. Op het moment zelf had ik dat vurig ontkend – zelfs tegenover mijzelf – maar nu ik er nog eens over nadacht, begon ik me toch af te vragen of die woorden van haar geen kern van waarheid bevatten. Of zelfs meer dan alleen maar een kern.

Wiens belang had ik de laatste tijd eigenlijk gediend?

Dat van Fluffy of dat van mijzelf?

Hoofdstuk 27

'Hallo?'

'Ik ben het.'

Het was zondagmiddag en ik stond voor het hoge, ijzeren hek van het Workhouse. Ik was gekomen om Fluffy bij Mark te halen. Ik droeg een oude, strakke Levi's met een kort, strak T-shirtje van de Topshop en de naaldhakken met open teen van Jonathan Kelseys die Mark, in onze glorietijd, ooit eens mijn 'neuk me'-schoenen had genoemd. Ik had urenlang geaarzeld over wat ik aan zou trekken. Ik had iets nodig waarin ik me zelf-verzekerd kon voelen ten aanzien van wat ik van plan was, maar dat me ook, na afloop daarvan, een goed gevoel zou bezorgen. Tegen de tijd dat ik me ten slotte had aangekleed, had ik zo on-geveer al mijn kleren aangehad en leek de flat wel een drukbe-zochte Wibra op zaterdagmiddag.

Mark zoemde open en ik nam de lift naar boven. Terwijl de lift omhoogging, kon ik gelijktijdig de moed in mijn schoenen voe-len zakken. Ik herinnerde me al die keren in de goede oude tijd dat Mark en ik hier hadden staan zoenen. Op een keer, toen we thuis waren gekomen van een filmvoorstelling in het park, lieten we ons zo meeslepen door onze hartstocht dat we elkaar tussen de beide verdiepingen in zo ongeveer de kleren van het lijf had-den gerukt. Pas toen we halfnaakt op bed vielen, drong het tot ons door dat we ons weer moesten aankleden om onze arme, wanhopige hond te laten plassen.

Ik was de lift nog niet goed en wel uit of Fluffy kwam de gang af gerend en sprong als een bezetene tegen me op. Hij was de afgelopen zeven dagen bij Mark geweest en hij leek waanzinnig van vreugde om me te zien. Met zijn tong uit zijn bek met vlijmscherpe tanden stond hij op zijn achterpoten aan mijn broek te krabbelen alsof hij het liefst in mijn armen was gesprongen.

Toen ik me bukte om hem te knuffelen, keek ik over zijn kop heen naar Mark, die, in een slobberige zwarte bermuda en een ruimvallend mouwloos T-shirt, op zijn blote voeten de gang op was gekomen en nonchalant – en verleidelijk – tegen de deurpost stond geleund. Met zijn gespierde armen, zijn lange, ongekamde haar en zijn peinzende gezicht had hij zó een model voor Calvin Kleins aftershave kunnen zijn, en ik nam het mezelf kwalijk dat ik me nog steeds zo tot hem aangetrokken voelde.

'Hoi.' Toen ik overeind was gekomen en naar hem toe liep, liet hij zijn blik van top tot teen en terug over mijn gestalte gaan, en toen ik bij hem was gekomen, voegde hij eraan toe: 'Leuke kleren.'

Ik voelde dat ik knalrood werd. Verdorie! Het was helemaal niet mijn bedoeling geweest om hem te laten denken dat ik speciaal voor hem aandacht aan mijn uiterlijk had besteed, dus toen ik langs hem heen naar binnen ging, zei ik het eerste wat me te binnen schoot. 'Ja, Fluffy en ik zijn uitgenodigd voor de lunch.'

Hij deed de deur achter me dicht. 'O ja? Door wie?'

Ik draaide me glimlachend naar hem om. 'Iemand die jij niet kent.'

'Aha. Dus dan is het inmiddels al zo ver tussen ons, hè?'

'Hoe ver bedoel je, Mark?'

'Dat je me al niet meer wilt vertellen met wie je gaat lunchen.'

Ik trok mijn wenkbrauwen op. 'Wil je dat dan echt weten?'

Hij haalde zijn schouders op. 'Het kan me geen barst schelen.'

'Dat bedoel ik, Rhett.'

Hij grijnsde met tegenzin om mijn toespeling op *Gejaagd door de Wind*, stak zijn handen in zijn zakken en keek naar de vloer. Er viel een lange stilte. 'En... hoe is het met je?' vroeg hij ten slotte.

'O, dat gaat wel... Ik red me. Vooral gezien het feit dat het nog maar zo kort te gaan is tot de zitting. En jij?'

'Net zo.'

Het speet me dat ik Darcie had gezegd dat ze Fluffy niet hoefde te halen. Ik dacht aan wat mijn schoonmoeder had gezegd toen ze me was komen opzoeken – dat Mark diep in zijn hart nog steeds van me hield en dat het ons misschien wel zou lukken de strijdbijl te begraven en een nieuwe start te maken. Die arme Jackie had het volkomen mis. Sinds december waren Mark en ik van elkaar vervreemd – nee, erger nog, we waren elkaars vijanden geworden. Zelfs Fluffy scheen het te merken – hij was midden tussen ons in gaan zitten, precies halverwege die nare spanning die er tussen ons hing, en keek van de een naar de ander alsof hij niet snapte waarom we zo ver van elkaar af stonden.

'Hoe heeft hij zich gedragen?' vroeg ik.

'Geweldig. We zijn twee keer per dag met de andere honden voor een lange wandeling de hei op geweest. Ik heb er twee nieuwe honden bij. Een Duitse herder en een boxer, alle twee uit Kentish Town.'

'Spannend.'

Mark keek me fel aan. 'Je hoeft heus niet meteen zo sarcastisch te doen, Annie. Ik probeer alleen maar de kost te verdienen.'

Ik herinnerde me wat Jackie had gezegd over trots en hoe je je daar soms overheen moest zetten. 'Het spijt me,' zei ik. 'Ik wilde je niet kwetsen. Het is alleen dat – nou, om eerlijk te zijn, Mark, ik vind dit reuze moeilijk. Om hier weer te zijn, en om je te zien.'

Hij knikte. 'Wil je koffie, voor je er weer vandoor gaat voor die lunch met wie het ook mag zijn?'

'Een glaasje water, graag. Eigenlijk had ik ook iets met je willen bespreken.'

'O?'

'Mag ik gaan zitten?'

'Dat hoef je niet te vragen,' zei Mark over zijn schouder, terwijl hij naar het aanrecht liep om het water voor me te halen. 'Het is nog altijd jouw huis.'

260

Zo voelde het niet. Vroeger zou ik op de bank zijn geploft, mijn schoenen hebben uitgeschopt en mijn benen onder me hebben getrokken. Nu voelde ik me een indringer in mijn eigen huis en zat ik stijf op het randje. Ondertussen haalde Mark, alsof ik een officiële gast was, ijsblokjes uit het speciale vakje van de Amerikaanse koelkast – die even groot was als mijn hele keuken in Fulham – en vroeg hij of ik een schijfje citroen in mijn water wilde.

Gelukkig deed Fluffy tenminste normaal. Hij zette zijn voorpoten op mijn knieën en keek me grinnikend aan. Ik krabde hem achter zijn oren. Mark gaf me het glas en ging toen, met zijn voeten op de vloer, op het andere uiteinde van de bank zitten. Opnieuw viel er een bijzonder pijnlijke stilte, en toen zeiden we in koor: 'Moet je horen...'

We zwegen.

'Jij eerst,' zei Mark.

'Nee, jij.'

'Nee, jij.'

'Goed dan.' Ik haalde diep adem. 'Wat ik wilde zeggen was, dat het niet zo hoeft te zijn.'

'Zoals wat?' Hij keek me recht aan. 'Dat we niet hoeven te scheiden, bedoel je?'

'Nou, eigenlijk,' ging ik langzaam verder, 'bedoelde ik dit gevecht om Fluffy.'

'O.' Hij keek weg.

'Ik... Ik heb nagedacht, Mark.' Ik zweeg.

'En?' drong hij uitdagend aan.

'Ik ben van gedachten veranderd.'

'Hoe bedoel je?'

Ik haalde diep adem en sprak de woorden waar ik de hele nacht over had liggen piekeren: 'Ik wil dat jij hem houdt.'

Mark draaide zich met een ruk naar me toe. Hij was bruin, maar trok bleek weg. Ik zag duidelijk dat hij niet goed wist in hoeverre hij me moest geloven. 'Is dit de een of andere valstrik?' vroeg hij. 'Want als dat zo is, Annie...' Ik schudde mijn hoofd omdat ik mijn stem niet vertrouwde. 'Wil je dat ik Fluffy hou?'

Ik knikte. Zijn mond viel open. Hij was overdonderd. 'Ik... ik snap het niet.'

'Je had gelijk,' bekende ik. 'Fluffy is beter af bij jou.' Het onderwerp van ons gesprek keek glimlachend en vol vertrouwen naar mij op. Hij had geen idee waar ik het over had. Ik slikte de brok weg die ik in mijn keel had gekregen. 'Ik... ik ben te weinig thuis om behoorlijk voor hem te kunnen zorgen.'

Er viel een lange pauze. Toen zei Mark mijn naam. Het volgende moment zat hij naast me en drukte mijn hand. 'Annie, ik weet niet wat ik moet zeggen,' mompelde hij. 'Dank je. Ik weet hoe moeilijk dit voor je is. Ik beloof je dat je hem altijd mag zien als je daar behoefte aan hebt. Altijd, Annie.'

Ik knikte. Inmiddels rolden de tranen onbeheersbaar over mijn wangen. Voor iemand die niet kon huilen, had ik de laatste tijd heel wat waterlanders vergoten. 'Heb je een tissue voor me?' snotterde ik. Mark liet mijn hand los, snelde naar de keukenkastjes en scheurde een paar meter keukenrol af. 'Nou, zó veel zal ik heus niet huilen,' zei ik, door mijn tranen heen, terwijl ik het papier van hem aannam.

Hij schonk me een waterig glimlachje. 'Ja, maar ik misschien wel.'

En het volgende moment zaten we zij aan zij tegelijkertijd te grienen en te lachen om hoe bespottelijk we ons gedroegen. Een minuut eerder hadden we elkaar nog gehaat, maar nu was het alsof er een gat was ontstaan in de muur van vijandigheid die we om ons heen hadden opgetrokken. Er maakte zich een waanzinnige opluchting van mij meester, maar op hetzelfde moment was ik me bewust van een intens verdriet. Ik wist dat ik de juiste beslissing voor Fluffy nam, maar dat betekende nog niet dat het niet verschrikkelijk pijn zou doen.

Nadat ik mijn tranen had gedroogd en mijn neus had gesnoten en Mark hetzelfde had gedaan, zei ik: 'Mark, wat had je zoeven willen zeggen, toen je mij voor liet gaan?'

'Alleen dat ik helemaal gestoord word van deze hele scheidingstoestand, Annie.'

'Ik weet wat je bedoelt.'

'Echt? Ik haat het. Ik kan het niet uitstaan om jouw vijand te zijn. Ik wou dat dit nooit was gebeurd. En ik weet dat het mijn schuld is. Ik heb me als een stomme lul gedragen – letterlijk, kun je wel zeggen – maar ik kan er nog steeds niet bij dat het in zo'n korte tijd zo krankzinnig geëscaleerd is. En het ergste van alles, Annie, is dat...' Hij zuchtte. 'Dat ik je mis.'

Ik had mensen wel eens horen zeggen dat hun adem ergens van stokte, maar ik had nooit begrepen wat ze daar precies mee bedoelden. Nu wist ik het. Het voelde alsof ik geen lucht meer kon krijgen, alsof ik zojuist een marathon had gelopen en mijn longen op springen stonden.

'Ik mis al die kleine dingen van ons samenzijn,' ging Mark verder. 'Ik mis het om als eerste wakker te worden, 's ochtends, en een kopje cappuccino voor je te maken. Ik mis het zoals je de handdoek op de vloer van de badkamer laat vallen, en de troep die je achterlaat wanneer je naar je werk gaat. Ik mis de sms'jes die ik je stuurde wanneer je op de zaak was, en ik mis de wetenschap dat je 's avonds weer thuis zult komen. Maar wat ik vooral mis, is je gezelschap. Jij, ik en Fluffy, wij drietjes samen.' Hij keek me weer aan. 'Ik denk dat ik hem niet wilde afstaan omdat... nou, omdat ik jou niet los wilde laten.'

Ik kon mijn oren amper geloven. 'O, Mark,' kwam het ademloos over mijn lippen.

'En je mag best weten, Annie...' Hij haperde even. 'Ik ben mezelf niet, zonder jou.'

'Meen je dat?'

'Ik voel me onvolledig. En, voor wat de scheiding betreft, ik had nooit verwacht dat het zo verschrikkelijk zou zijn.'

'Ik ook niet,' fluisterde ik.

'En ik wou het niet eens.'

'O, nee?' vroeg ik met een klein stemmetje.

Opnieuw schudde hij zijn hoofd. We keken elkaar aan, en deze keer wendden we onze blik niet af. Het volgende moment zaten we met de armen om elkaar heen geslagen. En het voelde alsof ik thuiskwam.

'O, lieveling!' fluisterde Mark, terwijl hij mijn nek, mijn wan-

gen en ten slotte mijn lippen kuste. 'Ik heb je toch zo verschrikkelijk gemist.'

'Echt?' vroeg ik.

Hij hield op me te kussen en knikte. 'Ik hou zo veel van je,
Annie. Kom mee naar bed.'

En dat hoefde hij geen tweede keer te zeggen.

Hoofdstuk 28

'O!' verzuchtte Mark, terwijl hij me in het holletje van zijn arm trok. 'Dat was erg, erg lekker!'

Ik gaf hem een por in zijn ribben. 'Lékker?'

'Sorry. Fantastisch. Onvoorstelbaar. Overdonderend. En hoe was het voor jou?'

'Och, het ging wel.'

Mark was even stil. 'Je bent een monster!' zei hij toen, en begon me te kietelen. Met mijn geschreeuw om hulp maakte ik Fluffy wakker, die naast ons op de vloer in slaap was gevallen. Vervaarlijk grommend – laat niemand het wagen om aan zijn bazinnetje te komen! – sprong hij op bed, bereid om mijn belager te lijf te gaan. Maar toen hij zag dat het Mark was, besloot hij onze pret te delen, klemde het laken tussen zijn kaken en trok het, wild met zijn kop schuddend alsof het een wilde rat was, van ons af.

Een paar minuten later liet ik ze touwtrekkend met een opgerolde krant achter en ging naar de badkamer voor een plas. Toen ik na afloop mijn handen waste en ze afdroogde aan de nogal vuile handdoek aan het rek – nu Mark hier alleen woonde nam hij het kennelijk niet meer zo nauw – keek ik mijzelf in de spiegel boven de wastafel aan en grijnsde. Die lieve Jackie had gelijk gehad, dacht ik. Ons huwelijk was nog te redden. Sterker nog, onze liefde was nog springlevend. Het enige wat ervoor nodig was geweest, was dat ik de eerste stap naar Mark toe had gedaan, en dat we ons alle twee over onze bespottelijke trots heen hadden gezet.

Ik was extatisch van pure opluchting. En wat was het heerlijk om weer terug te zijn in mijn schitterende flat! Straks zou ik mijn spullen uit Fulham halen – ik wilde zo lang en zo optimaal mogelijk van deze momenten genieten – en ik wilde ook nooit meer van Mark gescheiden zijn. Ondanks alles wat er was gebeurd en alles wat we elkaar hadden aangedaan, hielden we nog altijd van elkaar. En dat liefde alles overwon, was bekend. Godzijdank dat we op het nippertje nog tot inzicht waren gekomen.

Ik zag er evenwel niet uit! Ik had een knalrode kin van al dat zoenen, mijn mascara was uitgelopen en mijn wangen waren rood van het schuren. En mijn haren zaten zo door de war dat ik wel Amy Winehouse in een windtunnel leek. Omdat ik niet wilde dat Mark me zo zou zien, en zeker niet nu we net hadden besloten om weer bij elkaar te komen, spatte ik koud water op mijn kin, veegde de mascara weg met een tissue en wilde mijn borstel pakken. Die lag natuurlijk niet op zijn vaste plaats naast de wastafel. Hij lag in Fulham. En ook al zat Marks haar dan altijd vreselijk in de war, hij móest ergens een borstel of een kam hebben, dacht ik, en ging op zoek.

Enkele minuten later keerde ik, in de badjas die ik hem ooit eens voor Valentijnsdag cadeau had gegeven, terug naar de slaapkamer en ging op de rand van het bed zitten. Mark duwde Fluffy weg en trok me tegen zich aan, maar ik hield me zo stijf dat hij me even later weer losliet. 'Wat is er, liefste?'

Ik ging rechtop zitten en keek hem aan met een totaal uitdrukkingsloos gezicht. 'Sinds wanneer gebruik jij Protect and Perfect?

Mark fronste zijn voorhoofd. 'Protect en wat, engel?'

Ik toonde hem de doffe plastic verpakking van de antirimpelcrème. 'Dit stond in het badkamerkastje.'

Er volgde een stilte die naar mijn idee net even iets te lang duurde. Mark slikte, en zei: 'Die moet van jou zijn.'

'Nee, dit is niet van mij. Ik heb al mijn crèmes meegenomen toen ik hier weg ben gegaan.'

'Nou, maar deze moet je dan zijn vergeten.'

'Onmogelijk. Ik gebruik het spul elke dag. Bovendien gebruik ik altijd de grotere verpakking, en die zit in een glazen pot. En dan deze hier?' Ik deed mijn andere hand open en toonde hem een flesje met een pompje als dop. 'Van L'Oreal. "Infallible. Met Co-resistium Technologie",' las ik van het etiket. '"Bestrijdt tekenen van vermoeidheid".'

Mark trok bleek weg. Toen zei hij: 'O, dát. Ja, nou, ik voelde me totaal uitgeput de vorige week, en toen heb ik de drogist in Upper Street om iets van een extra oppepper, iets van vitamine, gevraagd en zo.'

'En toen heeft hij je dit gegeven?' Hij knikte. 'En werkt het?'

'Ja, ik voel me weer een stuk fitter.'

'Dat is mooi.' Hij loog. En toen zei ik: 'Het is foundation, Mark.'

'Wat?'

'Je weet wel – make-up. "Voor een blijvend stralend resultaat",' las ik verder voor. 'En de kleur is "vanilla".'

We keken elkaar strak aan. Mark beet op zijn lip en haalde diep adem. 'Goed, nou, ik heb een paar keer iets met een meisje gehad. Maar ik zweer je dat dat afgelopen is, nu jij en ik weer samen zijn. Het was gewoon maar een oppervlakkige flirt.'

Ik had het natuurlijk allang begrepen, maar nu ik het hem hardop hoorde zeggen, voelde ik me nog misselijker dan ik tot op dat moment was geweest. 'Het moet meer dan oppervlakkig zijn geweest, als zij haar spullen hier in de badkamer laat staan.'

'Echt, Annie. Ik wist niet dat ze hier dingen had neergezet.'

Mijn maag voelde alsof er een gat ter grootte van mijn Downtown in ontstond. 'Je hebt met haar geslapen. Hier. In ons bed.'

Dit was geen vraag, maar een feit. Mark ging tegen het hoofdeinde zitten en sloeg zijn armen in een defensief gebaar over elkaar. 'Het is al heel lang niet meer óns bed, Annie. Jij bent hier weggegaan. Je was van me aan het scheiden, weet je nog?'

Ik voelde me als verdoofd. Hij had gelijk. We waren aan het scheiden. Hoewel ik nog altijd de hypotheek van deze flat betaalde, kon mijn man, zonder zich ook maar een sikkepitje schuldig te voelen, in ons bed slapen met wie hij wilde, en ik had geen enkel recht meer om me jaloers of bedrogen te voelen. Maar dat nam niet weg dat ik dat toch deed.

'Wie is ze?' vroeg ik. Hij wendde zich af. 'Wie, Mark?'

Hij zuchtte. 'Het doet er niet toe, Annie. Het is geen relatie.'

'Nee?'

'Nee! Ze is gewoon iemand die ik een paar keer geneukt heb, dat is alles.'

'En dat is zeker ook wat wíj net hebben gedaan, hè? Gewoon *neuken*?' riep ik boos. 'En als je al iemand anders hebt, waarom ben je dan met mij naar bed geweest?'

'Omdat jij en ik nog steeds van elkaar houden,' snauwde hij terug. 'Omdat wíj belangrijk zijn.' Hij zuchtte opnieuw, en toen hij me weer aankeek, leek hij verscheurd te worden door woede en schuld. 'Ik heb je nergens toe gedwongen, Annie. Je wilde het net zo graag als ik.'

En hij had gelijk, verdomme. Dat maakte me nog bozer – op hem en op mezelf. 'Ik zou nooit met je naar bed zijn gegaan als ik van tevoren had geweten dat je iemand anders had. En dat wist je natuurlijk best, ja toch?' Hij zei niets. 'Heb je me daarom niets over haar verteld?'

Hij zuchtte ongeduldig. 'Ik heb het je niet verteld omdat het niet ter sprake is gekomen. En omdat ik geen relatie met haar heb. Ze is niet belangrijk!'

'Ach, nou dát heb ik vaker gehoord.' Ik stond op en begon tussen de kleren op de vloer koortsachtig naar mijn Agent Provocateur-slipje te zoeken, dat die schoft me van het lijf had gerukt toen we naar bed waren gegaan. Met de badjas nog aan trok ik het slipje aan, en vervolgens mijn spijkerbroek.

'Wat doe je?' vroeg hij.

'Wat dacht je? Ik ga naar huis.' En ik vergat voor het gemak maar even dat dít mijn huis was, de flat waar ik nog steeds voor betaalde. Ik haalde mijn beha onder zijn schoenen uit en stampvoette naar de badkamer om hem daar aan te trekken. Ondertussen was die hufter uit bed gekomen. Hij kwam me in zijn nakie achterna en sloeg zijn armen van achteren om me heen terwijl ik mijn beha stond vast te maken.

'Annie?' vroeg hij vleiend. 'Ik dacht dat we hadden besloten om het nog een keertje te proberen.'

'Laat me los, alsjeblieft!'

Hij probeerde mijn nek te kussen. 'Hé, kunnen we hier niet volwassen over doen?'

'Ik bén volwassen! Laat me los!' Toen hij dat niet deed, haalde ik uit met mijn elleboog.

Dat werkte, want hij deed een stap naar achteren en masseerde zijn ribben. 'Au! Dat doet echt pijn!'

'Mooi.' Ik stormde de slaapkamer weer in, waar Fluffy bezig was met het kapotscheuren van een tissue die hij op de grond had gevonden. Over de bende heen stappend trok ik mijn T-shirt aan. Juist op dat moment begon Marks Nokia in de woonkamer te rinkelen. Diedeliedie-ie-die, diedeliedie-ie-die, diedeliedie-ie-die! Hij aarzelde, maar kwam niet in beweging. 'Neem je niet op?' vroeg ik, terwijl ik de pinnetjes van mijn oorknopjes door de gaatjes in mijn lelletjes ramde. 'Misschien is het je vriendín wel!'

'Ik heb je toch gezegd dat ze mijn vriendín niet is!'

'Nou, je geliefde dan, of wat dan ook.'

'Annie, toe! Je hoeft op niemand jaloers te zijn!'

'Hoe durf je!' krijste ik. *'Ik ben niet, ik herhaal, niet jaloers!'*

Zijn Nokia zweeg. Maar toen, toen ik naar de woonkamer was gegaan om mijn Jonathan Kelseys te zoeken, begon hij opnieuw. Diedeliedie-ie-die, diedeliedie-ie-die, diedeliedie-ie-die. Degene die belde liet zich duidelijk niet zo gemakkelijk afschepen, dacht ik, terwijl de glimmende zilveren mobiel vibrerend over de glasplaat van de salontafel danste. 'Neem op!' riep ik.

'Nee, dat wil ik niet!'

'Nou, dan doe ík het!'

'Waag het niet!'

Mark probeerde me voor te zijn, maar ik was als eerste bij de tafel en griste hem er vanaf. Ik rende ermee naar de kleine wc en het lukte me de deur af te sluiten voordat hij bij me was. Het schermpje lichtte op met een mobiel nummer. Ik meende dat het mij bekend voorkwam, maar kon het niet meteen plaatsen. Ondertussen stond Mark tegen me te schreeuwen en op de deur te bonzen. Ik drukte op de groene toets, en nog voordat ik de kans had gekregen om hallo te zeggen, hoorde ik een vrouwenstem die zei: 'Hé, seksbroek! Is ze, weet je wel, al langs geweest om Fluffy te halen?'

Even was ik sprakeloos.

'Hallo?' zei de vrouw. 'Mark, schat? Hallo? Hoor je mij?'

'O ja,' zei ik, 'ik hoor je uitstekend.'

Er viel een geschokte stilte aan de andere kant van de lijn.

'Inderdaad, Darcie, ik ben het, Annie,' ging ik verder. 'En niet ophangen, alsjeblieft. Ik ben blij dat je belt, want ik wil je iets vertellen.'

'O? W-wat?' stotterde ze.

'Je bent ontslagen.'

Ik drukte op het rode knopje en maakte een einde aan het gesprek. Ineens was alles me volkomen duidelijk. Mark moest het begrepen hebben, want toen ik uit de wc kwam zat hij, spiernaakt en met zijn hoofd in zijn handen, op de bank.

'Mark, hoe kón je?' zei ik zacht.

Hij schudde zijn hoofd. 'Geen idee. Het spijt me verschrikkelijk. Het is gewoon gebeurd. Ik denk dat ik me eenzaam voelde. En ik miste je.'

'O, hou op, zeg!'

Hij keek op. Er lag een intens berouwvolle uitdrukking op zijn schijnheilige gezicht. 'Geloof me, Annie. Twee weken geleden kwam ze langs om Fluffy te brengen. Die avond voelde ik me echt heel erg down. Ze hield maar niet op tegen me te praten, en uiteindelijk heeft ze zich opgedrongen. Darcie is iemand tegen wie je geen nee kunt zeggen. En ik hoef jou heus niet te zeggen hoe ze is. Je kent haar!'

'Duidelijk niet zo intiem als jij.'

'Het spijt me,' mompelde hij. 'Verdomme, dit moet verschrikkelijk lijken.'

'Líjken is niet het goede woord. Ik had nooit gedacht dat je echt zo vals en doortrapt was.'

'Waar heb je het over, Annie?'

'Je hebt het met opzet gedaan, niet?'

'Wat?'

'Je bent met haar naar bed gegaan opdat zij zich terug zou trekken als mijn getuige-deskundige.'

'Wat? Ik wist niet eens dat je een getuige-deskundige had!'

Ik moest bijna lachen. 'En dat moet ik geloven?'

'Ik zweer het je, Annie!' Opnieuw schudde hij zijn hoofd, en toen mompelde hij: 'Ik weet niet waarom je haar zojuist ontslagen hebt.'

'Oe-hoe, goeiemorgen? Op welke planeet leef jij eigenlijk?'

'Ze zorgt toch heel goed voor Fluffy? En ze heeft niets verkeerds gedaan.'

'Nou, een verhouding hebben met de echtgenoot van je werkgever is reden genoeg om iemand eruit te gooien. Tenminste, zo zie ik het.'

'O, allemáchtig nog aan toe!' riep Mark. 'Over een paar dagen ben ik je ex!'

'Inderdaad, en hoe eerder hoe beter!' riep ik terug. 'Maar op dit moment zijn we nog getrouwd, niet?'

'Moet je horen, het spijt me. Ik geef toe dat het een ernstige vergissing was. Een verschrikkelijke vergissing.'

'Je meent het.' Ik pakte mijn tas en liep met nijdige stappen naar de gang. Fluffy kwam achter me aan gedribbeld, en ik deed hem aan de riem. 'Kom op, Fluffy, we smeren hem.'

Mark kwam me achterna. 'Ga alsjeblieft niet zo weg, Annie! Alsjeblieft! We moeten praten.'

Ik draaide me naar hem om. 'Waarover?'

'Over de toekomst. Over ons!'

Ik keek hem ongelovig aan. 'Mark, er is geen *ons* meer,' zei ik. 'We hebben geen toekomst. We zien elkaar in de rechtbank.'

Fluffy achter me aan trekkend en verblind door de tranen van vernedering, verliet ik de flat, smeet de deur achter me dicht en rende de trap af.

Hoofdstuk 29

Met nog maar enkele dagen te gaan tot de beslissende zitting, veel te doen op de zaak en geen hondenuitlater, bracht ik een aanzienlijk deel van de maandag en dinsdag in taxi's tussen de winkel en Fulham door. Het was een nachtmerrie. Mijn werk leed eronder, en Fluffy en ikzelf ook. Zelfs Vlad leed eronder. Op dinsdag ontstond er een lek in een flat op de tweede verdieping, waardoor de etage eronder blank was komen te staan. Hij was gekomen om een deel van de keuken te demonteren om te zien waar het lek zat. Het versplinteren van meubelplaat, in combinatie met de muziek van een Poolse punkgroep die luid door zijn iPhone schalde, was niet in staat de herrie van Fluffy's blaffen te overstemmen.

'Ik krijg barstende koppijn van die hond,' zei Vlad toen ik die dinsdagavond om zeven uur eindelijk thuiskwam van mijn werk. Hij zat op zijn knieën op de overloop en was bezig met het lostrekken van het laminaat dat hij nog maar pas had gelegd. Mijn blik bleef even rusten op het zichtbare deel van een prachtige bouwvakkersbil.

'Het spijt me verschrikkelijk,' zei ik terwijl ik snel doorliep naar boven. 'Ik wilde eerder thuis zijn, maar het lukte me niet om tijdig weg te komen.'

Hij hield op met werken en trok de oortelefoon los. 'Die oude trut van nummer drie heeft geklaagd. Het blaffen gaat haar op de zenuwen werken, ze gaat de gemeente bellen, geluidsoverlast, huisdieren zijn niet toegestaan, enzovoort, enzovoort, enzovoort. Ik zeg tegen haar: "Hé, ik ben de huisbaas, dame, en ik maak hier de regels. En deze hond is van de baas van mijn zus, dus sodemieter op, oude tang!"' Vlad lachte vriendelijk. 'Misschien heb ik dat anders gezegd, Annie, maar toch, ik heb haar gezegd dat ze niet moet zeuren. Zeker weten.'

'Het spijt me heel erg!'

'Hé, je hoeft heus niet mijn hielen te likken, hoor je? Het arme dier verveelt zich zo alleen.' Terwijl hij dat zei klonk er vanboven een hartverscheurende kreet, gevolgd door een razendsnel gekrabbel aan de deur waar Fluffy onderdoor probeerde te graven.

'Vlad, ik zweer je dat ik alle schade zal vergoeden. En ik zweer je ook dat dit niet eeuwig zo door zal gaan,' zei ik terwijl ik verder doorliep naar boven. 'Het is alleen dat die verrekte hondenuitlaatster van mij... Nou ja, laten we maar zeggen dat ze me deze week heeft laten zitten en dat ik Fluffy niet mee kan nemen naar mijn werk.'

'Ja, ik hoor van Eva wat er is gebeurd toen je hem naar binnen hebt gesmokkeld. Hele toestand, hè?'

Toen ik de voordeur naderde en Fluffy hoorde of rook dat ik het was, ging het janken en krabbelen weer over in bezeten blaffen. Ik had de deur nog niet op een kiertje of hij schoot langs me heen naar buiten en rende de trap af. Tegen de tijd dat ik zijn riem had gevonden, was hij al bij Vlad op de overloop en waren ze als twee jonge honden aan het dollen.

'Hé, Fluffy, jij lastig beest, hè?' zei Vlad. 'Weet je, Annie? Ik werk hier morgen de hele dag. Mijn vriend kan mij helpen. Hij hoeft niet de hele dag opgesloten te zitten en iedereen gek te maken met zijn geblaf. Ik zal voor hem zorgen.'

'O, Vlad! Meen je dat? Je bent een engel!'

De volgende ochtend vertrok ik haastig naar mijn werk. Ik had de deur van de flat op een kiertje laten staan en Fluffy was in de half gedemonteerde keuken op de tweede verdieping bij Vlad gebleven, waar ze zich samen te goed deden aan een ontbijt van broodjes met Poolse worstjes. 'Zul je goed op hem letten?' had ik gevraagd.

'Geen probleem. Hij en ik, wij amuseren ons best.'

'Dank je, Vlad. Dank je!'

'Heb je Fluffy bij mijn broer gelaten?' riep Eva verbaasd uit toen ik haar over de oplossing voor die dag had verteld.

'Waarom vraag je dat zo?' vroeg ik, met een angstig voorgevoel. 'Denk je dat dat onverstandig was?'

Ze glimlachte kort. 'Nee hoor, helemaal niet. Je hoeft je geen zorgen te maken. Ik weet zeker dat Vlad tegenwoordig veel betrouwbaarder is dan vroeger.'

Waar had Eva het over? Maar er was geen tijd meer om door te vragen. Mijn agenda die ochtend zat vol met mijn cliënte die op het ministerie werkte, een televisiepresentatrice en de onlangs gedumpte echtgenote van een Russische oliemagnaat. 'Ha, wraak-shoppen!' had George Haines opgetogen uitgeroepen toen ik hem vertelde dat zij een afspraak had. 'Dat wordt vast een rekening van zes cijfers!' En daarna, om halftwee, zou mijn lievelingscliënte, Marion Barclay, langskomen om zich te verkleden en het Armani-mantelpak en de Burberry-blouse aan te trekken die ik de hele zomer voor haar had bewaard. 'Ik kom van huis en ga regelrecht door naar dat sollicitatiegesprek,' had ze me de vorige ochtend telefonisch laten weten. 'Ik weet wel dat ik het niet tot het laatste moment had moeten uitstellen allemaal, maar we zijn nog maar net terug uit Italië. Weet je zeker dat alles voor me klaarhangt?'

'Ja ja, mevrouw Barclay, maakt u zich geen zorgen. De naaister heeft de veranderingen aangebracht, het pakje is geperst en hangt in een plastic hoes aan de achterkant van de deur van mijn kantoor op u te wachten. Alles is geregeld. En ik ben hier om u met aankleden te helpen.'

'Annie, je bent een schat.'

Na mevrouw Barclay werd ik voor een belangrijke bespreking in George's kantoor verwacht. Alexis Collins, de redactrice van *Zine* – het meest invloedrijke en exclusieve online modeblad van de VS – was voor twee dagen in Londen. George ging met haar lunchen bij Nobu en dan zouden ze samen terugkomen naar de zaak. 'Ik weet niet waarom hij dat doet,' had ik tegen Eva gezegd. 'Er wordt van haar gezegd dat ze nooit iets eet. Sterker nog, ze zeggen dat ze geen maag en zelfs geen ingewanden heeft.

En ook geen hart.' Alexis, die beroemd was om haar ranke gestalte en haar schoonheid maar berucht om haar veeleisendheid – een journalist had haar ooit eens gekarakteriseerd als een 'pruik op een stokje' – overwoog voor het voorjaarsnummer een hoofdartikel aan Haines and Hampton te wijden. En als ze dat deed, zou die publiciteit ons geheid bergen met goud opleveren. Het was mijn taak om George te helpen indruk op haar te maken met onze kennis ten aanzien van de allernieuwste modetrends.

Dus alles bij elkaar had ik geen moment om aan Fluffy te denken. Dat wil zeggen, tot aan het moment waarop ik, om halfeen, bezig was de rekening op te maken voor de gedumpte echtgenote van de Rus – een bedrag van bijna honderdvijfduizend Engelse ponden, die ze betaalde met de American Express van haar ex – en mijn BlackBerry begon te rinkelen. Marks naam lichtte op en ik vroeg me af wat hij uitgerekend vandaag van me wilde.

Ik drukte op het groene knopje en snauwde: 'Ik heb het verschrikkelijk druk. Als je me iets te vertellen hebt, zal dat tot morgen op de rechtbank moeten wachten.'

'Nou, dat is pech, want ik moet je nu spreken,' zei Mark, even kortaf.

'Waarover?'

'Waar is Fluffy?'

'Bij mij thuis, natuurlijk.'

'Nou, Annie, ik ben bang dat hij op het moment ergens anders is. Maar ja, als je nooit thuis bent, dan kun je dat natuurlijk ook niet weten, wel?'

'Doe niet zo onbeschoft. Ik zorg heel goed voor hem!'

'Ja, hoor.'

'Moet je horen, ik ben op mijn werk. Weet je wat dat is, werk? En ik heb hem een paar uur geleden thuis achtergelaten.'

'Nou, dat kan zijn, maar daar is hij nu niet meer.'

'Natuurlijk wel!' Ik aarzelde. 'En hoe weet jij dat, trouwens?'

'Omdat ik zojuist ben opgebeld door het politiebureau van Kensington, waar ze Fluffy hebben.'

'Doe niet zo idioot! Dat bestaat niet!'

'Nou, toch is het zo. Het schijnt dat hij een uur geleden in het Natuurhistorisch Museum is opgepakt, waar hij een bot van een dinosaurus te pakken had gekregen.'

Ik lachte een tikje bitter. 'Oké, zo is het wel genoeg. En het is zo ongeveer de slechtste grap die ik ooit heb gehoord.'

'Ik kan gewoon niet geloven dat je me niet gebeld hebt om te zeggen dat je hem kwijt was!'

'Ik heb je niet gebeld omdat ik hem niet kwijt ben. Hij is thuis!'

'Echt? En voordat hij naar het museum is gegaan, heeft hij kennelijk ook nog een stuk pizza gestolen in een broodjeszaak op Old Brompton Road. En verder is hij ook nog gesignaleerd in de kelder van de Conran Shop, waar hij met zijn staart een kostbare glazen vaas heeft omgegooid.'

'Ik begrijp er niets van,' zei ik. 'Ze moeten de verkeerde hond voor zich hebben. En waarom hebben ze jou gebeld?'

'Omdat het nummer van mijn mobiel op zijn halsband staat, weet je nog? En op zijn microchip.'

'Nou, het kan gewoon niet waar zijn! Ik heb vanochtend, voor ik naar mijn werk ging, een heel eind met hem gelopen, en daarna heb ik hem in de flat gelaten. Of liever, in huis, maar bij Vlad.'

'Wie is Vlad?' vroeg Mark achterdochtig.

Ineens voelde ik me verschrikkelijk beroerd. Had Vlad de voordeur open laten staan en was Fluffy ontsnapt? Maar het Natuurhistorisch Museum was kilometers uit de buurt van waar ik woonde. Hoe had hij zo ver kunnen komen? En zou Vlad me niet gebeld hebben als Fluffy hem was gesmeerd?

'Annie, wie is Vlad?' vroeg Mark opnieuw.

Wat had Eva daarstraks ook alweer gezegd, over Vlad die nu betrouwbaarder zou zijn dan vroeger? 'Mijn huisbaas,' antwoordde ik. 'De projectontwikkelaar. Eva's broer. Hij moest vandaag in huis werken en hij heeft aangeboden om op Fluffy te passen. Maar Fluffy moet ontsnapt zijn. O god, wat vreselijk. Het spijt me verschrikkelijk.'

'Hoe heb je zo verdomd onverantwoordelijk kunnen zijn om hem aan een vreemde toe te vertrouwen?' brulde Mark door de telefoon.

'Vlad is geen vreemde! En ik was ervan overtuigd dat hij goed op Fluffy zou passen.'

'Nou, maar dat bleek dus een vergissing, hè? En het is nog een wonder dat hij niet onder een auto is gekomen!' Hij slaakte een wanhopige zucht. 'Nou ja, je moet hem in ieder geval meteen bij de politie gaan halen. Het is het bureau op Earls Court Road.'

'Wat?' Ik keek op mijn Dolce & Gabbana. Het was tien over een. 'Ik kan niet, Mark! Ik ben met een belangrijke klant bezig en om halfdrie komt de volgende. En dan heb ik een afspraak met een redactrice van een belangrijk modeblad. Ik heb nog geen seconde tijd vanmiddag.'

'Nou, dan heb je pech,' zei hij, 'want ik zit in Islington, en ik moet naar het centrum voor een afspraak met mijn advocate. Vanwege ónze scheiding. En kennelijk heeft Fluffy zojuist geprobeerd om een vrouwelijke inspecteur of zo te naaien. Dus als hij niet binnen het komende halfuur of zo gehaald wordt, sturen ze hem naar het asiel in Battersea. En daarmee, Annie, zul je morgen op de rechtbank natuurlijk geen al te beste beurt maken, denk je niet?'

Hoofdstuk 30

Tegen de tijd dat ik Fluffy van het politiebureau had gehaald, was het twee uur. Manny hield die middag de wacht bij de personeelsingang, en als Cerberus die de poort van de hel bewaakte, stond hij in een zee van uitgetrapte peuken een sigaret te roken. Zijn ogen werden groot toen hij me met mijn inmiddels bijzonder opgewonden hond uit de taxi zag stappen. Ik zette me schrap voor wat er ging komen.

'Hé, Annie, doen we het vandaag dan meteen maar zonder tas?' vroeg hij, terwijl hij zijn sigaret, na er nog een laatste trekje van te hebben genomen, weggooide en uittrapte met zijn hak.

'O, had je het nog niet gehoord? Grote tassen zijn niet meer in,' merkte ik geestig op en stevende ondertussen met vastberaden stap op de deur af. 'En Fluffy paste niet in dit kleine ding.'

'Erg leuk. Bijzonder gevat.' Hij ging tussen mij en de deur in staan. 'Je weet dat hij hier niet meer naar binnen mag. Als je hem nog een keer mee naar binnen neemt, gooit meneer Haines je eruit.'

Dat had ik aan niemand verteld, maar onder het personeel deden nieuwtjes razendsnel de ronde. 'Waar heb je die onzin vandaan?' vroeg ik.

'Van de tamtam,' zei hij, zonder een spier te vertrekken.

Ik nam hem onderzoekend op. 'Zeker van Eva, hè? Of van George's secretaresse?'

'Je weet best dat je me dat niet hoeft te vragen, want ik zeg het toch niet.'

'Nou, het kan me ook niet schelen! Toe, laat me er nu maar

door alsjeblieft,' smeekte ik toen hij me de doorgang bleef versperren. 'Laat me naar binnen.'

Langzaam schudde hij zijn hoofd. 'Niet met dat wilde beest. Dat is jouw baan niet waard. En de mijne ook niet.'

'Maar deze keer komt niemand erachter,' bleef ik koppig aandringen. 'Ik zweer je dat hij deze keer geen kattenkwaad uit zal halen. En je hoeft niet meteen zo bedenkelijk te kijken. En als George er toch achter mocht komen, dan zweer ik je dat ik de volledige verantwoordelijkheid zal nemen.' Ik keek op mijn horloge. Over enkele minuten moest ik bij George zijn en ik zou Fluffy eerst nog naar mijn kantoor moeten brengen. Ik moest gewoon naar binnen. 'Toe nou,' smeekte ik wanhopig. 'Lieve Manny! Ik zou hem nooit hebben meegebracht als het geen noodgeval was geweest.'

Hij nam me peinzend op en kneep zijn ogen half samen. 'Wat is dat toch, met jou en die noodgevallen? Als ik me goed herinner, had je er een paar jaar geleden ook al een.'

'O ja?'

'Ja, en die keer heb je, vlak voor mijn neus, de taxi ingepikt die ik voor een klant had aangehouden. Toen zei je dat je man ergens over was gevallen, of zo. En wat voor noodgeval is dit?' Ondanks zijn achterdochtige gezicht voelde ik dat hij op het punt stond mij mijn zin te geven.

'Nou, als je dat per se wilt weten, dan wil ik je wel vertellen dat Fluffy vanochtend van huis is weggelopen.'

'Ach, lieverd, wat verschrikkelijk. Behandel je hem dan zo slecht?'

'Het is een lang verhaal en ik zou je er graag alles over vertellen, maar ik krijg een klant. Ik beloof je dat je het straks, als ik klaar ben met werken, uitgebreid van me zult horen. Toe, maak het me nu alsjeblieft niet nog moeilijker dan ik het al heb. Ik kom bij de politie vandaan waar ik Fluffy heb opgehaald, en daar deden ze ook al niet echt aardig tegen me.'

'Als meneer Haines erachter komt dat ik hem heb gezien...'

'Maar je hebt hem niet gezien, of wel?' Ik schonk hem mijn, naar ik hoopte, meest onweerstaanbare glimlachje en zei: 'Sluit je ogen. Toe dan! Alsjeblieft!'

Manny slaakte een lijdzame zucht. Toen kneep hij zijn ogen dicht en ik liep met Fluffy onder mijn arm geklemd langs hem heen, waarbij ik alleen maar heel even bleef staan om hem een zoen op de wang te geven. 'Zie je wel? Je hebt helemaal niets gezien,' zei ik terwijl ik het ijzeren hek van de ouderwetse goederenlift opentrok en Fluffy erin zette. 'Als meneer Haines er ooit achter komt – wat niet zal gebeuren – kun je dat met een zuiver geweten tegen hem zeggen.'

'Ja, hoor!' zei Manny, en hij gaf me een knipoog. 'Je staat bij me in het krijt, Annie.'

'Je zegt het maar. Wat je maar wilt,' riep ik en trok het lifthek met kracht achter me dicht.

Ik stapte uit op de tweede etage en nam de gang achterlangs naar personal shopping. Toen Charlotte ons via de deur van het magazijn de receptieruimte binnen zag komen, sprong ze op en slaakte een opgewonden gilletje. 'O, daar is de handtassengeest weer.' Ze kwam, in haar denim overall met ultrakorte pijpen en bonte Office plateauzool-veterschoenen met open neus, achter haar bureau vandaan, liet zich op haar blote knieën vallen en sloeg haar armen om Fluffy's hals. 'O, wat een schatje is hij toch!' Ze keek grinnikend naar me op. 'Maar is dat wel verstandig, Annie? Ik bedoel, heeft meneer Haines niet gezegd dat hij je zou ontslaan als je hem nog eens mee naar binnen bracht? O, help! Dat word ik niet geacht te weten, wel?'

'Waarom niet?' vroeg ik. 'Iedereen in de winkel schijnt het te weten. Moet je horen, Charlotte, ik heb je hulp nodig.'

'Natuurlijk, Annie! Je weet toch dat ik alles voor je doe.'

'Dank je. Ik zet Fluffy in mijn kantoor en ik wil dat hij daar blijft,' zei ik. 'Dus hou de wacht, wil je? Bewaak de receptie met je leven. Laat niemand erdoor. Het is van levensbelang dat niemand Fluffy vindt en dat hij deze keer niet ontsnapt, hoor je?'

'Oké! O, te gek, Annie. Hemel, wat spánnend! Ik voel me net als in een film van James Bond. Je weet wel, die met Daniel Craig. Maar, Annie?' Ze was me naar de deur van mijn kantoor gevolgd.

'Ja?'

'Wat doe je met hem als meneer Haines en Alexis Collins naar beneden komen?'

'Die komen niet hier. Ik heb om drie uur met ze afgesproken in George's kantoor.'

'O.' Ze maakte geen overtuigde indruk. 'Weet je dat heel zeker, Annie?'

'Ja, Charlotte, dat weet ik heel zeker.'

'Oef! Wat een opluchting! Want Tamara heeft net gebeld en gezegd dat hij en Alexis Collins over vijf minuten hier zouden zijn.'

Tamara was George's secretaresse. 'Zijn ze dan niet naar Nabu om te lunchen?'

'Nou, dat was wel de bedoeling, maar Tamara vertelde dat Alexis de lunch op het allerlaatste moment heeft afgezegd en dat ze hun afspraak vervroegd heeft. Kennelijk is ze gisteren in de Mandarin Oriental Spa bij een craneosacraal therapeute geweest, en die heeft Alexis verteld dat ze allergisch is voor schelpdieren. Dat Alexis allergisch is, bedoel ik. Niet die therapeute.'

'O help! Wanneer zei je dat ze beneden komen?'

'Nou, Tamara had het over vijf minuten, maar dat is inmiddels al – ik weet niet – tien minuten geleden?'

'Verdomme!' Pure paniek maakte zich van mij meester.

Charlotte beet op haar lip. 'O, Annie! Kom je nu heel erg in de problemen? Mag ik je helpen?'

'Dat mag je en dat kun je. Als je een revolver hebt, mag je me ter plekke fusilleren. Dan hoeft George dat straks niet meer te doen. Waar is Eva?'

'Aan het lunchen. Ze zei dat ze met een halfuur terug zou zijn, maar ik weet niet meer precies hoe laat ze is weggegaan.'

Fluffy begon ondertussen ongeduldig te worden. In plaats van dat hij doodmoe was, hadden zijn uitstapje naar het Natuurhistorisch Museum en zijn verblijf in een politiecel hem juist extra energie gegeven. Zijn ogen hadden een wilde gloed en hij trok dartel aan de leren ceintuur van Versace die ik, bij wijze van noodriem, had meegenomen naar de politie. Ik liet hem in mijn kantoor braaf zitten en zei hem dat hij onder geen voorwaarde zou mogen blaffen. Een snelle zoektocht in mijn bureauladen leverde me drie volkorenkoekjes en een pak oude vanillebiscuits op. Hij sprong op, maar ik wilde ze nog niet meteen aan hem geven. Ik zou ze tot het allerlaatste moment bewaren om hem mee stil te houden zodra George en Alexis waren gearriveerd.

Net toen ik overwoog om Tamara te bellen met het voorstel om het gesprek toch maar in George's kantoor te laten plaatsvinden, hoorde ik zijn schallende stem en wist ik dat het daar nu te laat voor was. 'En hier zijn we dan op onze afdeling personal shopping. Deze lieftallige jongedame is, eh...'

'Ik ben Charlotte, mevrouw. De receptioniste. Hoe maakt u het? Hebt u een fijne dag?'

Ik zette het pakje vanillekoekjes op de vloer. Fluffy kon zijn geluk niet op. Terwijl hij zich erop stortte, liep ik de gang op en zag nog net hoe Charlotte een kniebuiging maakte voor een broodmagere vrouw van onbestemde leeftijd, die een lange, kastanjebruine pruik droeg en een zonnebril met een reusachtig wit montuur. Dus dit was de beroemde Alexis Collins, het mode-icoon van de New York Upper East Side dat zich uitsluitend, en van top tot teen, in Chanel hulde. En ze maakte haar reputatie waar: geelgroene schoenen van Chanel, een zwarte, ondoorschijnende panty met een motiefje van Chanel en het zwart met witte mantelpakje met splitten dat tot Chanels collectie van dit seizoen behoorde. Onder het pakje droeg ze een blouse van oranje zijde, terwijl haar grote, geelgroene tas eveneens tot Chanels nieuwe collectie behoorde en haar ringen, collier en oorbellen waren voorzien van het dubbele C-logo van diezelfde firma. Het verbaasde me dat ze het niet op haar strakke, vol botox gespoten voorhoofd had getatoeëerd. Overigens was dát – het driehoekje voorhoofd tussen de onderkant van haar pony en haar overdreven geëpileerde wenkbrauwen – op haar mond na het enige wat van haar gezicht te zien was.

'Ach, zulke charmante Engelse manieren!' teemde ze. 'En wat heb je een beeldige blanke huid.'

'Dankuwel,' antwoordde Charlotte op hetzelfde toontje. Kennelijk voelde ze zich gesterkt door het compliment, want ze voegde eraan toe: 'Mijn moeder heeft me geleerd mijn gezicht met regenwater te wassen en dat doe ik nog steeds. Ze zegt dat dat de huid zacht maakt.'

'Maar is regenwater dan niet gíftig?'

Charlotte trok een bedenkelijk gezicht. 'Ik geloof van niet. In ieder geval niet de regen die op ons landgoed in Shropshire valt, waar mammie het opvangt. Ze laat haar chauffeur altijd een fles naar Londen brengen wanneer ze hier zijn.'

'Ach, wat heerlijk, en zo typisch Brits, nietwaar, George, schat?'

'Inderdaad. Ah, Annie!' riep George opgelucht uit op het moment dat hij me bij de deur van mijn kantoor ontwaarde. Ik was daar blijven staan om te luisteren naar hoe Fluffy de koekjes tussen zijn vlijmscherpe tanden vermorzelde. 'Kom, laat me je aan Alexis voorstellen.'

Met een geforceerd sereen glimlachje liep ik naar de receptie, waar ik me door George liet voorstellen. 'Ik wilde juist naar boven gaan, naar uw kantoor, meneer Haines,' zei ik. 'Ik heb een mooie selectie van onze collecties gemaakt om aan mevrouw Collins te laten zien. Ik kan ze meenemen, want ik denk echt dat we bij u boven rustiger kunnen praten dan hier.'

'Nee, nee, integendeel!' Alexis keek rond in onze ontvangstruimte met de luxueuze moderne witte banken en het hoogpolige tapijt. 'Ik ben veel liever hier, en dan is het maar een beetje minder rustig.'

'Alexis wilde veel liever naar beneden, naar de afdeling, niet?' zei George, en hij gaf haar een vaderlijk klopje op de rug.

Haar Rouge Noiret-lippen glimlachten onder de zonnebril. 'Ja, Annie, ik hou er namelijk van om het vak op straat en onder het volk te ervaren. Het is nu eenmaal niet mogelijk om vanuit een ivoren toren een vinger aan de pols van de mode-*zeitgeist* te houden, toch?'

'Daar zit wat in,' beaamde ik. Het lag op het puntje van mijn tong om te zeggen dat onze luxe afdeling nou niet bepaald representatief was voor 'de straat' of 'het volk', maar in plaats daarvan zei ik: 'Maar ik heb een rek vol prachtige modellen voor u geselecteerd en het is geen enkele moeite voor me om dat mee te nemen naar boven.'

'Nou, maar hier kan het ook,' zei George. 'Ga zitten, Alexis.'

'Kunnen we niet beter naar een van onze paskamers gaan?' haastte ik me te opperen. 'Daar hebben we meer privacy.'

'Hier zitten we best,' zei Alexis. 'We hebben geen privacy nodig. We zijn uiteindelijk niet hier om te neuken, hè, George? We willen alleen maar kleren bekijken!'

George, die tot in het diepst van zijn wezen geschokt was, probeerde te lachen, maar kreeg het niet voor elkaar. 'Eh, Alexis, mag ik je een glaasje champagne aanbieden?'

De Chanel-bonenstaak met pruik ging zitten en sloeg haar benen over elkaar. 'Lieveling, ik drink geen alcohol. Ik drink alleen maar water.'

'Perrier? Ik geloof dat we ook Buxton hebben, niet, Annie? Met koolzuur of gewoon?'

Alexis huiverde. 'Nee, nee! Net als de moeder van deze charmante jongedame heb ik ook altijd mijn eigen voorraadje bij me.' Ze schonk Charlotte een glimlach. 'Denk je dat je me aan een leeg glas zou kunnen helpen? Gesteriliseerd, als het kan.'

'Gesteriliseerd? Ja, natuurlijk, mevrouw.'

Charlotte liep weg om een glas te halen en Alexis haalde een donkerblauw flesje uit haar tas. 'Zie je dit, George? Dit is water van Groenland. Het is ruim honderdduizend jaar oud.'

'Hemeltjelief!'

'En daarmee is het ouder dan de mens en de milieuvervuiling, en dat maakt het tot de meest zuivere substantie op aarde. Zuiverheid in een fles, en elke druppel kost meer dan een Château Margaux.'

'In dat geval, geef mij dan maar die Bordeaux.'

'Neem nu maar gerust van me aan dat deze "eau" elke cent waard is – en dat zijn me er nogal een paar. Een liter van dit vocht per dag en je hebt het eeuwige leven. Je zou het echt eens moeten proberen. Ik zeg je, het heeft mijn leven veranderd. Als ik op reis ben, zoals nu, dan neem ik het altijd mee. Dit is mijn laatste flesje. De hemel weet wat ik moet doen zodra het op is. Sterven van de dorst is vermoedelijk de enige optie.'

George knikte. 'Interessant! Eh, Annie, misschien zou je ons

nu willen laten zien wat je hebt uitgezocht? O – wat is dat geluid?'
Er klonk een enorme herrie vanuit mijn kantoor.

'O, dat zijn de schoonmakers maar,' zei ik snel. God, wat was Fluffy aan het vernielen? 'De vloerbedekking krijgt een beurt. Ik ga wel even zeggen dat ze ermee moeten ophouden, goed?'

'Nee, nee, dat is niet nodig. Ik was alleen maar nieuwsgierig.'

'Het is maar een kwestie van een seconde, heus.'

'Laat maar, Annie.' George sloeg op zijn dij. 'Breng ons nu maar liever dat rek met die schitterende, allernieuwste creaties!'

Charlotte kwam terug met een glas voor Alexis' gesmolten ijswater en ik haastte me naar het magazijn voor het rek met kleren die Eva en ik de vorige dag hadden uitgezocht. Er zaten lange jersey kokerjurken van Marios Schwab bij, vrolijke, bonte jurkjes van Duru Olowu, een paar gewatteerde jasjes van Giles Deacon die zo uit een sciencefictionfilm afkomstig leken – kortom, de kleren die volgens ons niet zouden misstaan op de e-pages van *Zine*. Tegen de tijd dat ik onze afdeling weer op kwam, stond er een vrouw bij de receptie. Ze had zich al aan George voorgesteld als een van onze klanten en Alexis Collins zat met ontzetting naar haar te kijken.

Het was Marion Barclay. Zenuwachtig als ze was omdat ze vreesde te laat op haar belangrijke sollicitatiegesprek te zullen komen, was ze tien minuten vroeger verschenen dan we hadden afgesproken. Ze droeg een onflatteuze, oude spijkerbroek, een armoedig bruin fleecevest en sportschoenen. Haar goede schoenen zaten in een zakje van de supermarkt, dat ze onder haar arm hield geklemd. Juist op dat moment kwam Eva terug van de lunch. Zij kon George en Alexis de kleding tonen, want ik moest mevrouw Barclay met aankleden helpen.

'Moet je me toch zien!' riep Marion Barclay uit toen we op weg gingen naar mijn kantoor om haar kleren te halen. 'Ik had zo'n haast om het huis uit te komen, dat ik gewoon maar het eerste het beste heb aangetrokken wat ik te pakken kon krijgen.' Ze trok haar fleecevest uit. 'Dit ding is van mijn man. Niet bepaald chic!'

'Nou, nog even en u zult er fantastisch uitzien voor dat sollicitatiegesprek van u,' zei ik. 'Ik ga alles even voor u pakken.'

Zonder erbij na te denken deed ik de deur van mijn kantoor open, en reikte erachter om de kleren te pakken. En op hetzelfde moment schoot Fluffy naar buiten.

Vol energie als gevolg van alle suiker in de koekjes draafde hij naar de receptie. Ik liet Marion Barclay staan waar ze stond en ging hem achterna. 'Wie voor de duivel!' brulde George toen Fluffy op de bank sprong, over zijn dijen naar Alexis Collins liep, tegen haar op sprong, haar glas met honderdduizend jaar oud water omver stootte en vervolgens zijn snuit in het kruis van haar rok drukte om de vloeibare ijsberg op te likken.

'Mijn water!' krijste Alexis terwijl ik Fluffy bij zijn halsband probeerde te pakken.

Hij was me echter te snel af. Hij sprong van de bank en vloog de winkel in. Zonder de tijd te nemen om de situatie aan George uit te leggen – wat zou ik hem trouwens moeten vertellen – volgde ik mijn hond, links en rechts verbaasde klanten opzij duwend, naar de roltrappen en naar de eerste etage.

'Neemt u mij niet kwalijk! Stop, Fluffy! Pardon, mevrouw! Kom ogenblikkelijk hier terug!'

Fluffy, die wist dat ik hem achternazat en zich niet wilde laten pakken, snelde door het verkooppunt van Burberry waar hij een paspop die kleding van de nieuwe collectie aanhad – een kort jasje van bruine kasjmier en een donkerbruine legging – omver duwde, die vervolgens op vier andere paspoppen viel die de een na de ander als dominostenen omverkukelden. Ik probeerde ze recht te zetten, maar ze bleven omvallen, dus ik besloot het verder aan de verkoopsters over te laten die haastig kwamen aangesneld om te zien wat er aan de hand was. 'Ik moet er door! Er is een wild beest ontsnapt!' riep ik, terwijl ik nog net zag hoe Fluffy de hal van de liften en het trappenhuis in rende.

Tegen de tijd dat ik daar arriveerde, zag ik nog juist de liftdeuren sluiten. De luide stemmen en de geschrokken kreten die ik uit de lift hoorde opklinken, zeiden me voldoende. Ik keek naar de digitale display om te zien waar de lift zou stoppen. Hij passeerde de begane grond en zakte verder naar de kelder. In plaats van op de volgende lift te wachten, maakte ik dat ik naar de trap kwam en vloog naar beneden.

Ik kwam bij de herenafdeling de kelderverdieping in. Zoeken bleek niet nodig, want de opschudding in de hoek van het Italiaanse restaurant zei meer dan voldoende. Ik duwde de matglazen deurtjes open van het minimalistisch ingerichte lokaal met zijn gebleekte, lindehouten meubilair en witlinnen tafelkleden. De verstrakte gezichten van de gasten en van de maître waren alle op de keuken in het hart van de ruimte gericht. Het doorgaans spectaculaire schouwspel van de koks in hun witte uniformen die achter de glazen wanden over de roestvrijstalen fornuizen en tafels stonden te sloven, werd overtroffen door een nog spectaculairder aanblik van mijn hond die kwispelend en met zijn tanden in een Parmaham op een van de werkbanken stond.

Diep ademhalend duwde ik de glazen klapdeuren van de keuken open, waar ik door de oorverdovend vloekende Carlo, de chef, werd ontvangen. Hij stond, met een uitbeenmes zwaaiend, over Fluffy gebogen. Ik baande me een weg door het opgewonden schreeuwende keukenpersoneel dat zich rond het tafereel had geschaard, greep Fluffy bij zijn halsband, wurmde de ham uit zijn bek en tilde hem in mijn armen. Ineens was het doodstil. Carlo gaapte me aan en zei: 'Je boft dat je hem hebt gevonden!' Door iedereen nagekeken verliet ik met hangend hoofd de keuken en het restaurant, terwijl Fluffy nog nagenietend zijn lippen likte.

Ik bleef hem in mijn armen houden – hij zou niet nóg een keer ontsnappen – en nam de klantenlift terug naar de tweede verdieping. Met lood in mijn suède enkellaarsjes liep ik mijn afdeling op. Ik wist dat ik George vroeg of laat onder ogen moest komen, en hoe eerder ik dat achter de rug had, hoe beter. En uiteindelijk had ik ook heel wat uit te leggen.

George was evenwel niet in mijn excuses geïnteresseerd. Hij had het te druk met het kalmeren van Alexis Collins, die over haar toeren was vanwege haar bedorven mantelpak, om nog maar te zwijgen over Marion Barclay, die lijkbleek en bijna in tranen nog steeds in het vest van haar man en haar spijkerbroek

bij de receptie stond. Ze zagen me aankomen en er viel een geladen stilte. Zelfs Eva, wier hand troostend op Marion Barclays
schouder lag, was stil. Mevrouw Barclay keek me aan alsof ze
me het liefste zou vermoorden en de uitdrukking op George's gezicht veranderde van woedend in bezeten. De enige die een beetje met me doen leek te hebben, was Charlotte. Vanaf haar plekje
achter de balie schonk ze me een waterig glimlachje, waarna ze
op haar onderlip beet.

'Wat is er aan de hand?' vroeg ik nogal dom. Alsof dat niet
duidelijk was. Maar het ergste moest nog komen. Eva wees met
een rukje van haar kin op mijn kantoor, en toen ik er, nog steeds
met Fluffy op de arm, naartoe liep, herinnerde ik me die vreemde
geluiden die ik er eerder had gehoord – de schoonmakers, zoals ik
tegen George en Alexis had gezegd. Maar wat had Fluffy gedaan?

Ik deed de deur open. Het Armani-pakje van mevrouw Barclay lag, in een knoedel en half uit de plastic verpakking, op de
vloer. De rok was gescheurd en het jasje zat onder de vlekken
van halfverteerde koekjes. Van de blouse van Burberry waren alleen nog maar een mouw, vijf knopen en een kraagje over.

Het mantelpak voor mevrouw Barclays sollicitatie was volledig verwoest.

En met mijn carrière was het al niet veel beter gesteld.

Hoofdstuk 31

De volgende ochtend was de hoorzitting. Mark en ik arriveerden op exact hetzelfde moment bij de rechtbank in Fleet Street. Hij werd vergezeld door Greenwood en haar gedrongen, donkerharige collega-advocate, ik was met Williams en Simon, de jonge, lange bekakte advocaat aan wie Williams me een uur daarvoor had voorgesteld en die mij tegenover de rechter zou vertegenwoordigen.

Fluffy, die vol energie was na zijn avonturen in het Natuurhistorisch Museum en de winkel, was met mij meegekomen. Toen hij Mark zag sprong hij prompt enthousiast tegen hem op, en Mark bukte zich om hem over de kop te aaien. Ik wierp mijn man, die weldra mijn ex zou zijn, een blik toe alsof hij een dierenmishandelaar was, trok Fluffy bij hem vandaan, hees het hengsel van mijn Downtown wat hoger op mijn schouder en liep, als een prijsvechter op weg naar een belangrijke wedstrijd, met hoog opgeheven hoofd en omgeven door mijn juridische ploeg, in mijn zwarte Teenflo-broekpak de gang af.

Clarissa, mijn vader en Norma stonden voor de rechtszaal op mij te wachten. Ze stonden dicht bij elkaar, een eindje uit de buurt van Marks ouders. Dennis keek weg toen ik hem passeerde, maar Jackie en ik wisselden een verdrietig glimlachje en een korte groet.

'Hallo, Jackie.'

'Hallo, Annie.'

Mijn schoonmoeder, in haar donkergroene rok en perzikkleurige blouse, leek in de verste verte niet op de vrouw met wie ik zo had gelachen toen we haar die merkkleren hadden gepast. Was dat echt nog maar een paar weken geleden? Het leek eeuwen. De blije, vrolijke Jackie was verdwenen. Dit was de echte – ongecompliceerd, loyaal, realistisch en bezorgd – en zo mogelijk hield ik nog meer van haar. Ik wilde haar vertellen dat ik haar raad had opgevolgd en dat ik mijn best had gedaan om het weer bij te leggen met Mark, maar dat die poging op een ramp was uitgelopen. Maar daar kreeg ik de kans niet toe. De saamhorigheid die we hadden ervaren toen ze me op mijn werk was komen opzoeken, was eenmalig geweest. Mijn schoonmoeder en ik zaten in twee verschillende kampen.

Clarissa keek al even bezorgd. Ze had donkere kringen onder haar ogen en in haar verschoten jurk en blazer van donker linnen zag ze er, in het licht van de neonlampen, nog bleker uit dan anders. 'Natuurlijk kom ik, liever,' had ze me verzekerd toen ik gebeld had om te vragen of ze erbij wilde zijn op de hoorzitting. Zonder haar had ik het nooit kunnen opbrengen. Nu sloeg ze haar armen om mijn hals en omhelsde me innig.

'Ik ben misselijk van de zenuwen!' fluisterde ik. 'En ik ben doodsbang. Ik zou het liefst vluchten.'

'Onzin,' fluisterde ze terug. 'Je kunt het best. Weet je nog wat juffrouw Davis altijd zei?'

Juffrouw Davis was onze lerares klassieke geschiedenis geweest. Met haar grote, uitpuilende ogen en wipneusje had ze, zoals ze voor de klas vol verveelde meisjes heen en weer liep en ons over Griekse en Romeinse helden vertelde, net een chihuahua geleken. Ze had de gewoonte gehad om met haar liniaal op de tafels van duttende meisjes te slaan, en vooral Clarissa en ik hadden het vaak moeten ontgelden.

'Juffrouw Davis? Je bedoelt: "Als jullie twee niet ophouden met elkaar briefjes te sturen dan gaan jullie naar het hoofd"?' vroeg ik.

'Nee! Wat ik bedoel is: "Met je schild of er bovenop".' Dat waren, naar werd beweerd, de woorden waarmee de Spartaanse vrouwen hun zonen de strijd in zonden. 'Kom terug met je schild of er bovenop' betekende zoveel dat ze ofwel moesten winnen, en zo niet, dat ze een eervolle dood moesten sterven en naar huis zouden worden gedragen. 'Alhoewel ik in dit geval waarschijnlijk beter kan zeggen van: Met je hond of erop,' mompelde Clarissa, alvorens me los te laten.

De volgende die me omhelsde was mijn vader. Hij sloeg zijn arm om mijn schouders en drukte me tegen zich aan. 'En hoe is het met mijn mooie meisje?'

'Beter dan ooit.' Ik forceerde een glimlachje. Hoewel we in het verleden totaal verschillend over Mark hadden gedacht, was ik blij dat hij erbij was om me tijdens het laatste gevecht tot steun te zijn. In een van zijn op maat gemaakte grijze Savile Row-pakken, compleet met roodzijden pochet, zag hij er gewichtig en betrouwbaar uit – alleen al zijn aanwezigheid stelde me op mijn gemak. En dat gold ook voor Norma. Ze had haar uniform van superstrakke spijkerbroek, hooggehakte laarzen en ruimvallende truien verruild voor een kuis, donkerblauw mantelpak met knielange rok, en daaronder een stel lage hakjes. Toch zag ze er, met haar lange, ontkroesde haren, haar grote zilveren oorbellen en glimmende paarse oogschaduw, even sexy uit als altijd – vooral van achteren, door de manier waarop de rok om haar volumineuze achterwerk sloot.

'Ik vind het heel lief van je dat je bent gekomen,' zei ik toen we elkaar omhelsden.

'Natuurlijk ben ik er,' zei ze, met haar sterke armen om me heen. 'Je kunt altijd op me rekenen, meisje.' Het huilen stond me nader dan het lachen.

De rechter, mevrouw Khan, een tengere Aziatische schoonheid van begin vijftig, zat al achter de tafel toen we de rechtszaal binnengingen. Williams had niet overdreven toen hij had gezegd dat ze beeldschoon was – met haar scherpe gelaatstrekken, haar kleine, zuinige mondje en kille donkere ogen waarmee ze ongelooflijk fel kon kijken, wist ze iedereen angst en ontzag in te boezemen. En dat gold niet alleen voor de mensen, maar ook voor Fluffy, die haar, toen ik hem mee naar binnen trok, even aankeek, zijn oren plat in de nek legde en zacht grommend wegkroop onder de tafel die Williams, mijn pleitbezorger, en ik met elkaar deelden.

De rechter begon te verklaren dat dit, overeenkomstig het verzoek van Mark en mijzelf, een openbare zitting zou zijn – want als het een besloten zitting geweest was, had onze familie er niet bij aanwezig mogen zijn. Vervolgens kreeg mijn pleitbezorger het woord. Hij stond op, noemde de gronden van mijn verzoek tot echtscheiding – het feit dat Marks overspel had geleid tot een definitieve en onherstelbare breuk – en gaf een opsomming van de financiële regeling die ik had voorgesteld. Terwijl hij aan het woord was, bladerde mevrouw Khan in het dossier dat ze voor zich had liggen, waarbij ze zo nu en dan knikte, en af en toe het hoofd schudde. Meerdere keren pakte ze haar potlood op en krabbelde iets in de kantlijn. Maar toen mijn pleitbezorger bij het hoofdstuk Fluffy kwam, legde ze haar potlood neer en keek op.

'Zelfs de gedaagde heeft verklaard dat de eiser – en ik citeer de woorden van zijn advocate tijdens de eerste hoorzitting – "meer dan gul" is geweest in het door haar gedane financiële aanbod,' zei hij. 'Meneer Curtis is gezond van lijf en leden, maar haar aanbod is zodanig dat hij, als hij het geboden bedrag verstandig investeert, op dezelfde voet kan blijven voortleven als die waaraan hij, dankzij het harde werken van eiseres, gewend is geraakt. Ik wil u er nog even op wijzen dat meneer Curtis, toen het huwelijk vijf jaar geleden werd gesloten, geen geld heeft ingebracht en dat hij ook in de tussenliggende jaren geen substantiële of zelfs maar noemenswaardige inkomsten heeft genoten. Het enige wat mevrouw Curtis in ruil voor haar genereuze aanbod vraagt, is het behoud van slechts een van haar persoonlijke bezittingen – Fluffy, de hond die ze voor honderd pond van haar eigen geld heeft aangeschaft, voordat ze de gedaagde zelfs nog maar kende.'

Toen hij dat had gezegd, stond mevrouw Khan op, zette haar bril met zwart montuur af en keek langs haar elegante neus neer op Fluffy, die inmiddels met zijn snuit tussen zijn poten en met gesloten ogen aan mijn voeten was gaan liggen. 'Begrijp ik het goed, en zijn eiseres en gedaagde het alleen maar oneens over wie dát krijgt?' vroeg ze.

'Ja, mevrouw.'

Ze boog zich nog wat verder over de tafel heen om Fluffy beter te kunnen zien, en de zijkanten van haar paardenharen pruik vielen als de oren van een spaniël aan weerszijden van haar gezicht naar voren. Alsof Fluffy wist dat er over hem werd gesproken, spitste hij zijn oren, deed zijn ogen open en draaide ze in haar richting. Nadat hij haar lange seconden strak had aangekeken en nog eens zachtjes had gegromd, deed hij zijn ogen weer dicht en sliep verder. 'Wat voor ras is dat?'

Na overleg met Williams antwoordde mijn pleitbezorger: 'Hij is wat men een kruising noemt.'

'O, een vuilnisbakkie, dus.' Ze bewoog haar neusgaten en ging opnieuw, maar nu met een kaarsrechte rug, op haar leren rechtersstoel zitten. 'Het verbaast me dat íémand hem wil hebben,' merkte ze kortaf op. 'Als hij van mij was geweest, zou ik waarschijnlijk een dierenarts hebben betaald om hem te laten inslapen.' Ik moest me beheersen om niet op te springen en te protesteren, en ik vermoedde dat het Mark al net zo verging. Maar Williams legde zijn hand op mijn mouw. 'Wel, dan stel ik voor om die zaak nu uit te zoeken,' ging mevrouw Khan verder. 'Als meneer en mevrouw Curtis niets beters met hun geld kunnen doen dan het aan mij te spenderen, dan zullen we ze hun zin maar geven, niet?' Ze plooide haar lippen in een ijzige glimlach die mijn nekharen omhoog deed komen.

Toen mijn advocaat klaar was met zijn verhaal, was Marks pleitbezorgster aan de beurt. Ze sprak een poosje over hoe Marks rol als huisman mij in staat had gesteld om ongehinderd door huishoudelijke beslommeringen aan mijn carrière te werken en te bouwen. En toen begon ze aan een bezield betoog namens Fluffy.

'Vele honderden jaren lang is een huisdier in dit land beschouwd als een roerend goed, en dat is het feit waar mijn betoog op is gebaseerd. Daar staat evenwel tegenover dat we, in deze meer verlichte tijden, kunnen stellen dat onze relatie met dieren, en dan bedoel ik met name honden, veel complexer is dan onze relatie met, ik noem maar wat, een stoel, een auto of zelfs een huis. In die zin lijkt het me niet onredelijk de rechtbank te verzoeken deze zaak ruim te bezien, in die zin, dat bij de beslissing over de toekomst van deze hond ook rekening met zijn welzijn wordt gehouden. In de Verenigde Staten is het inmiddels alom geaccepteerd dat er rekening moet worden gehouden met het belang van het huisdier van een gezin, dat er al ruim honderdnegentig erkende juristenopleidingen zijn waar wetgeving gericht op dieren wordt gedoceerd. In dit verband wil ik graag wijzen op enkele echtscheidingszaken van bekende persoonlijkheden, in de Verenigde Staten, waarin eenzelfde kwestie aan de orde is gekomen als die waar we hier vandaag mee geconfronteerd worden. Om te beginnen is daar de zaak van actrice Drew Barrymore, die met haar ex-echtgenoot de voogdij over hun hond Flossie betwistte, en verder hebben we dan de zaak van...'

'Genoeg! Voldoende!' sneed de bevelende stem van Djengis Khan door de zaal. 'Dit is volkomen irrelevant geklets. Ten eerste zijn we hier níet in de Verenigde Staten, en ten tweede zijn meneer en mevrouw Curtis géén beroemdheden. En daarom zou ik – en ik neem aan alle aanwezigen hier net zo – het op prijs stellen als u zich wilt beperken tot de Britse wetgeving en de onderhavige kwestie. Anders zitten we hier eeuwen. Met andere woorden, beperkt u zich tot deze zaak.'

De advocate schraapte haar keel. 'Goed, mevrouw, dan zal ik mij tot dit geval beperken. De eis van mevrouw Curtis is in zijn totaliteit gebaseerd op het feit dat ze zegt dat de hond haar eigendom was op het moment dat ze gedaagde leerde kennen. Het is mijn taak om u ervan te overtuigen dat meneer Curtis evenveel, zo niet méér, recht heeft op het exclusieve bezit van Fluffy als zij. In de afgelopen vijf jaar heeft meneer Curtis vrijwel als enige voor de hond gezorgd. In zijn hoedanigheid van hondenuitlater heeft hij Fluffy minstens twee keer per dag uitgelaten. Het was meneer Curtis die altijd thuis was om Fluffy...'

'Met zijn huiswerk te helpen,' mompelde Williams zacht.

'... gezelschap te houden en met hem naar de dierenarts te gaan wanneer hij ziek was. En het was meneer Curtis die de hond heeft afgericht en hem te eten heeft gegeven, en die in alle opzichten voor hem heeft gezorgd. Als de rechtbank besluit om meneer Curtis de volledige voogdij over Fluffy te verlenen, betekent dit dat Fluffy's leven even stabiel kan blijven als het altijd is geweest, hetgeen zijn welzijn natuurlijk ten goede komt. Maar als Fluffy daarentegen aan mevrouw Curtis zou worden toegewezen, zou hem een onzekere toekomst te wachten staan. In dat geval zou hij zes dagen per week alleen zijn en zou hij urenlang als een gevangene in zijn eentje opgesloten zitten in een ongeschikte woning, en wandelingen in de vrije natuur – de natuurlijke habitat van een hond – moeten ontberen. We kunnen wel stellen dat hij in dat geval de hondenequivalent van een sleutelkind zou zijn.'

Djengis Khan zuchtte. 'Laten we honden niet met kinderen vergelijken, alstublieft. Het is heel wat anders om bij scheidende echtparen te bepalen wie de voogdij over de kinderen krijgt – dat is een serieuze zaak. Dit soort vergelijkingen zijn smakeloos en het zou ons allemaal goed doen om niet te vergeten dat een hond een hond is.'

Williams plooide zijn lippen tot een zuinig glimlachje. Het was duidelijk dat het voor ons de goede kant op ging. Maar wat we toen nog niet wisten, was dat Marks advocaten nog een bijzonder onaangename troef achter de hand hadden.

'Om kort te gaan, edelachtbare,' ging Marks pleitbezorgster verder, 'kan ik u zeggen dat er meneer Curtis zo veel aan gelegen is om Fluffy toegewezen te krijgen dat hij me heeft opgedragen te zeggen dat hij bereid is afstand te doen van de volledige financiële toezeggingen, in ruil voor de voogdij over de hond.'

Ik had blij moeten zijn, maar in plaats daarvan was ik diep verontwaardigd. Marks aanbod kwam neer op financiële chantage. Mijn vader dacht daar evenwel anders over, want hij sprong op en riep dwars door de rechtszaal: 'Neem het geld, Annie!'

'Stilte!' Mevrouw Khan sloeg met haar hamer op tafel. 'Stilte, of ik laat het publiek verwijderen.'

'Ik bén geen publiek, verdomme, ik ben haar vader!' mopper-de mijn vader, terwijl Norma hem weer op zijn stoel trok.

'Mevrouw Curtis,' zei rechter Khan, zich tot mij wendend, 'misschien kunnen we deze zitting kort houden. Meneer Curtis heeft u een aanbod gedaan dat u beslist niet kunt weigeren. Als u dat aanneemt en hem... Hoe heet dat dier ook alweer?' vroeg ze, nadat ze zich opzij had gebogen naar de griffier.

'Fluffy, edelachtbare.'

'Dank u. Als u Fluffy aan uw man geeft, betekent dat een enorm financieel voordeel voor u. U hebt dan geld genoeg om meer dan tien nieuwe honden van te kunnen kopen.'

'Maar ik wíl geen tien nieuwe honden!' riep ik uit. 'Ik wil al-leen Fluffy maar. Ik hou van hem, en honden in het algemeen in-teresseren mij niet! U zou toch zeker nooit tegen een moeder zeggen "Dan neemt u toch gewoon een ander kind!" of wel? Be-grijpt u dan niet hoe belangrijk Fluffy voor mij is?'

Ze keek me aan alsof ik een naaktslak was. 'Nou ja, dat is dui-delijk, want anders zou u hier nu niet zitten en hadden we ons deze vertoning kunnen besparen. Maar ik heb geen hond, en als moeder en grootmoeder kan ik niet begrijpen hoe u zo sterk aan een beest gehecht kunt zijn. Het is een zwaar emotioneel onder-werp, en de vraag is hoe de wet daar tegenover staat. Voor zover ik het zie zijn er twee vragen. Een: Wie is de feitelijke eigenaar van Fluffy? Degene die hem heeft gekocht of degene die voor hem heeft gezorgd? Twee: Moeten we de hond, zoals de wet dat voorschrijft, beschouwen als behorend tot het roerend goed, of moeten we rekening houden met zijn welzijn en wensen zoals we met kinderen doen? Als het meneer en mevrouw Curtis werkelijk om het welzijn van hun huisdier gaat, misschien dat we dan voor de tweede benadering moeten kiezen, en we met de hond moe-ten doen wat we doen met kinderen die oud genoeg zijn om hun eigen wensen kenbaar te maken – vooropgesteld natuurlijk dat de hond oud genoeg is om tot een verstandige beslissing te kun-nen komen. Hoe oud is dat dier eigenlijk?'

'Vijf jaar, edelachtbare,' zeiden Mark en ik in koor. 'Maar men gaat ervan uit dat elk jaar in een hondenleven gelijkstaat aan zeven jaar in een mensenleven. In die zin is Fluffy dus dertig jaar oud,' vervolgde Mark.

'Vijfendertig!' corrigeerde mijn vader hem op afkeurende toon. 'Die man is echt hopeloos!' voegde hij er, voor iedereen hoorbaar, tegen Norma aan toe. 'Hij kent zijn táfels nog niet eens!'

'Ik heb zelf ook een beetje onderzoek gedaan naar hoe dit soort zaken in de Verenigde Staten worden aangepakt,' zei de rechter, met alweer zo'n verschrikkelijk bitterzuur lachje van haar. 'De advocaten van meneer Curtis zijn niet de enigen die weten hoe je met zoekmachines als Google moet omgaan. Wat ik heb gevonden is de zogenaamde "roeptest", en die zou ik nu graag met u willen doen. Bij wijze van een beetje vermaak. Aangezien iedereen vastbesloten is om tijd te verkwanselen, vind ik dat ik zelf ook wel wat tijd mag verspillen.'

Ik probeerde de angst weg te slikken die mij overweldigde in het besef van wat de rechter bedoelde. En Mark had het ook begrepen. Even keken we elkaar aan, en ik wist dat we precies hetzelfde dachten – we dachten aan dat weekend dat we op de kinderen van Clarissa en James hadden gepast. Toen we die zondagmiddag laat weer thuis waren gekomen, waren we naar bed gegaan en hadden we naar een dvd van *The Awful Truth* gekeken, de film waarin Lucy en Gerry Warrener – oftewel Irene Dunne en Cary Grant – naar de rechter waren gestapt om hem te laten bepalen wie de voogdij over hun foxterriër, Mr. Smith, zou krijgen. En de rechter in die film had eveneens van de 'roeptest' gebruikgemaakt. Op dat moment waren we er honderd procent zeker van geweest dat zoiets ons nooit zou kunnen gebeuren. Maar nu bevonden we ons toch in exact dezelfde situatie.

'Meneer en mevrouw Curtis,' hoorde ik mevrouw Khan zeggen, 'zou u op willen staan en elk naar de andere kant van de zaal willen lopen?' Terwijl we dat deden, deed Fluffy zijn ogen open, hief zijn kop op en keek nieuwsgierig van de een naar de ander. 'U, meneer Curtis, een beetje dichter bij het raam, en mevrouw Curtis, u meer naar links. Dank u. Mooi! Meneer

Williams, mag ik u verzoeken met de hond naar het midden van de zaal te gaan? Precies. We willen deze test zo eerlijk mogelijk laten verlopen.'

Toen Fluffy midden in de rechtszaal naast Williams stond, realiseerde hij zich ineens dat er van alle kanten naar hem werd gekeken. Hij begon te stralen en vrolijk te kwispelen.

'Goed zo. Meneer en mevrouw Curtis, let u op. Ik tel nu tot drie, en dan wil ik dat u tegelijkertijd uw hond roept, zodat iedereen kan zien aan wie hij de voorkeur geeft. En op hetzelfde moment, meneer Williams, verzoek ik u de hond van de riem te laten. Zijn we er allemaal klaar voor?'

Nee, ik was er helemaal niet klaar voor. Er zou zo veel van het resultaat afhangen. Ik wou dat ik, net als Irene Dunne, het lievelingsspeeltje van mijn hond in mijn mof had verstopt, en ik kon het niet uitstaan van mezelf dat ik daar niet aan had gedacht. Ook had ik aan Darcies truc kunnen denken en stukjes bacon in mijn zak kunnen stoppen. Tegelijkertijd vroeg ik me af of ze Mark die truc had verteld – of dat hij zelf die bacon in haar zak had ontdekt. Maar dit was niet het moment om stil te staan bij wat ze samen hadden uitgespookt. Ik moest me met heel mijn wezen op Fluffy concentreren, om ervoor te zorgen dat hij naar mij toe zou komen, in plaats van naar Mark te gaan.

'Eén, twee, dríé!' zei mevrouw Khan.

Williams kreeg de clip van de riem niet meteen los, maar ondertussen waren Mark en ik al begonnen met luidkeels naar Fluffy te roepen. 'Fluffy! Fluffybal!'

'Hier, jongen, híér!'

'Fluffy, lieverd, kom bij míj! Lieverd!'

Fluffy keek eerst naar mij en toen naar Mark, en toen keek hij weer naar mij, en opnieuw naar Mark. Toen ging hij staan en wandelde doodbedaard naar Clarissa. Norma giechelde, waarop Clarissa haar voorbeeld volgde, en toen ook Marks ouders en alle anderen in de zaal. Alle anderen, met uitzondering van Mark, ikzelf en mevrouw Khan.

'Nou, zijn wens is overduidelijk!' zei ze, haar lippen tuitend. 'En ik kan niet zeggen dat ik hem dat kwalijk neem. Mevrouw, wilt u die hond?' vroeg ze aan Clarissa. 'U hoeft het maar te zeggen.'

Inmiddels waren we al iets van een uur bezig. Het door ons aangevoerde bewijsmateriaal werd onder de loep genomen en uitgekauwd, en de klok van het uurloon van de advocaten tikte vrolijk door. De manier waarop onze relatie ten overstaan van vreemden onderuit werd gehaald, was om misselijk van te worden, en er waren meerdere momenten waarop ik het liefst door de grond was gezonken. Mark en ik werden om beurten naar het getuigenbankje geroepen om vragen over elkaars gedrag te beantwoorden. Hoe vaak was Mark mij ontrouw geweest? In hoeverre had ik het huishouden aan hem toevertrouwd? Wist ik wel hoe de oven werkte? En hoeveel uur per week bracht ik eigenlijk thuis door?

Vervolgens kwam Marks advocate met een fotoalbum op de proppen en toonde ze foto's van Fluffy zoals hij speelde met de andere honden waarmee hij op Hampstead Heath ging wandelen. Verder liet ze een bandopname horen waarop we Fluffy hysterisch konden horen blaffen, en waarvan ze beweerde dat die heimelijk was gemaakt terwijl ik op mijn werk was, maar waarvan mijn advocaat Simon verklaarde dat die opname overal gemaakt kon zijn.

Mijn team sloeg terug met de vertoning van Darcies 'Een Dag uit het Leven van Fluffy'. 'Heel ontroerend,' luidde mevrouw Khans sarcastische commentaar toen de laatste beelden waarop ik met Fluffy in mijn armen op een bankje in Regent's Park zat, waren vervaagd. 'Al kan ik me niet voorstellen dat u hier een Oscar voor zult krijgen.' Ze bladerde haar aantekeningen door en keek toen weer op. 'Had de eiseres niet een getuige-deskundige aan het woord willen laten?'

'Inderdaad, edelachtbare,' antwoordde Simon. 'Het was dezelfde vrouw als degene die die film heeft gemaakt, juffrouw Darcie Wells, de hondenuitlaatster van mevrouw Curtis. Maar ik vrees dat juffrouw Wells zich op het allerlaatste moment heeft teruggetrokken.'

'Ze heeft zich teruggetrokken? Hoezo?'

Hij haalde diep adem en deed een stap naar voren als een acteur die op het punt staat een bom de zaal in te slingeren. 'Ze is van gedachten veranderd, edelachtbare, nadat meneer Curtis haar verleid heeft, kennelijk met de bedoeling haar zover te krijgen dat ze zou afzien van haar getuigenverklaring ten gunste van zijn vrouw.'

Jackie en Dennis slaakten een gesmoorde kreet. En Norma ook. Maar Mark sprong van zijn stoel en riep: 'Dat is een grove leugen!'

Djengis Khan keek hem over de rand van haar leesbril streng aan. 'Meneer Curtis, bemoeiing – en dat bedoel ik hier in de strikte betekenis van het woord – met een getuige is een serieuze misdaad. Ik verzoek u om een nadere verklaring. En houdt u er rekening mee dat u nog steeds onder ede staat. Wilt u beweren dat u geen seksuele relatie met juffrouw Wells hebt gehad?'

Mark was nobel genoeg om beschaamd te kijken. 'Nou ja, we hebben wel met elkaar geslapen,' bekende hij, terwijl hij vuurrood werd, 'maar dat was niet om die reden. Ik wist verdorie niet eens dat Darcie Annies getuige was. En hoe had ik dat moeten weten? Ze heeft het me nooit verteld!'

'U had het op dat moment waarschijnlijk ook te druk met het bespreken van andere zaken – zaken als de wereldpolitiek, neem ik aan,' zei de rechter kortaf. 'Mevrouw, meneer, hebt u verder nog opmerkingen?' vroeg ze vervolgens aan onze raadslieden.

'Ja, ik heb nog iets,' antwoordde Marks advocaat nadat ze weer was opgestaan. 'Ik wil mevrouw Curtis vragen om opnieuw in het getuigenbankje plaats te nemen.'

Wat nu weer? Williams en ik keken elkaar vragend aan, en na kort met Simon overlegd te hebben, zei de laatste: 'Bezwaar, edelachtbare. Het lijkt ons een onnodige verspilling van tijd om mevrouw Curtis opnieuw aan een verhoor te onderwerpen.'

'Deze hele zaak is één grote tijdsverspilling,' merkte Djengis Khan op. 'En het is totaal onnodig bovendien.' Ze wendde zich tot Marks pleitbezorgster. 'Mevrouw?'

Die schraapte haar keel. 'Aangezien het eigendom van Fluffy

zo essentieel is, edelachtbare, zou ik de eiseres nog op één punt een aantal vragen willen stellen.'

'Uitstekend. Bezwaar afgewezen. Maar houdt u het wel zo kort mogelijk.'

Wat had dit te betekenen? Ik keek Williams aan, die zijn wenkbrauwen fronste en zijn schouders ophaalde. Met een ietwat onaangenaam voorgevoel keerde ik terug naar het getuigenbankje. De rechter herinnerde mij eraan dat ik nog steeds onder ede stond, en Marks advocate begon met haar vragen. 'Mevrouw Curtis, zou u het hof met eigen woorden willen vertellen hoe u aan Fluffy bent gekomen?'

Ik keek naar Williams, die naar Simon keek. 'Bezwaar, edelachtbare,' zei deze meteen. 'De eiseres heeft daar al vragen over beantwoord.'

'Afgewezen. Geeft u antwoord, alstublieft.'

Ik aarzelde. Ik had een akelig wee gevoel in mijn maag, maar er zat niets anders op dan door te zetten. 'Zoals ik al eerder heb gezegd, ik heb hem in Camden Town van een zwerver gekocht. Fluffy was nog een pup, en de man mishandelde hem. Het dier was totaal uitgedroogd en hij was nagenoeg verhongerd.'

De vrouw duwde haar lange, zwarte haren achter haar oor en zette haar bril recht. 'En zou u het hof nogmaals willen vertellen hoeveel u die zwerver voor hem hebt betaald?'

Nu voelde ik me écht slecht op mijn gemak. Aller ogen waren op mij gericht. Ik schraapte mijn keel en zei: 'Honderd pond.'

'Even kijken of ik het goed heb begrepen, allemaal.' Ze schonk me een zelfvoldaan glimlachje. 'De zwerver zei: "U kunt deze pup krijgen voor honderd pond," en toen hebt u uw handtas opengemaakt en hem het geld overhandigd?'

Ik aarzelde, en antwoordde toen: 'Ja.'

'Aha.' Ze schraapte opnieuw haar keel. 'En had u op dat moment honderd pond in uw tas, mevrouw Curtis?'

'Ja,' stamelde ik, en ik voelde dat ik een kleur kreeg. 'Nou – nee,' voegde ik eraan toe. 'Ik had niet het volledige bedrag.'

Er viel een lange stilte waarin ik om me heen keek. Verbeeldde ik het me alleen maar, of werd er door iedereen op een vreemde

manier naar mij gekeken? Pap, Norma, Jackie, Dennis, Mark –
en zelfs Clarissa. En toen hoorde ik Marks advocate zeggen:
'Zou u dat misschien even nader willen toelichten?'

Ik maakte mijn blik los van de mensen op de tribune en keek
strak naar mijn handen. 'Ik had... nou, iets van dertig of veertig
pond op zak. En dat geld heb ik toen, bij wijze van aanbetaling,
aan die zwerver gegeven. Vervolgens ben ik naar de bank om de
hoek gegaan om de rest te halen.'

'Op een zondag?'

'Ja. Die bank heeft een geldautomaat.'

'Aha. En kunt u ons ook vertellen wat er daarna is gebeurd,
mevrouw Curtis?'

'Nou, ik... ik...' Er werd nog steeds naar mij gekeken. Ik aarzelde opnieuw. En terwijl ik dat deed kwam Simon opnieuw van
zijn stoel en riep: 'Bezwaar!'

'Afgewezen,' snauwde mevrouw Khan. 'Al zie ik persoonlijk
niet goed wat deze vragen voor zin hebben, en daarom verzoek
ik u snel terzake te komen. Wilt u de vraag beantwoorden, mevrouw Curtis?'

'Zal ik hem voor u herhalen, mevrouw Curtis? Wat hebt u gedaan nadat u het geld uit de geldautomaat had gehaald?'

Ineens kon ik amper nog ademhalen. Ze wist het! Ik had mezelf voorgehouden dat ze het onmogelijk kon weten. Hoe waren
Marks advocaten erachter gekomen? Hoe konden ze het weten,
als ik het aan niemand had verteld? Niet aan Clarissa, niet aan
mijn vader en zelfs niet aan Mark?

Niemand kende de ware toedracht van hoe ik aan Fluffy was
gekomen.

Niemand, afgezien dan van Darcie Wells.

Ik dacht terug aan die avond waarop we, nadat we elkaar hadden leren kennen, samen naar die singlesbar waren gegaan en we
te veel hadden gedronken. Hoewel ik normaal eigenlijk nooit
dronk, hadden we samen een hele fles wijn soldaat gemaakt, en
daarna hadden we zelfs nog een tweede besteld en die voor de
helft leeggedronken. De volgende ochtend was ik met barstende
hoofdpijn wakker geworden, en ik had me nóg ellendiger ge-

voeld toen ik me herinnerde dat ik haar dingen had bekend die ik nog nooit aan iemand anders had verteld. Op het moment zelf had ik die gedachte snel weer van me af gezet. Wat kon het uiteindelijk schelen? Het was bovendien ook zo lang geleden gebeurd allemaal.

En daarbij, Darcie stond aan mijn kant.

Alleen had ze een paar weken later een verhouding met Mark gekregen. En toen had ik haar ontslagen.

In gedachten zag ik haar opeens voor me – naakt in Marks armen nadat ze de liefde hadden bedreven, en op die gebruikelijke manier van haar tegen hem kletsend. Mark moet haar gretig hebben aangehoord – hij was altijd al een liefhebber van intieme gesprekken geweest. Ik kon haar bijna horen, zoals ze, met dat lieve kinderstemmetje van haar, haar gif had gespuid: 'Annie was van, weet je wel... en ze was van, je kent het wel... en toen deed die zwerver van, hé... en toen was Fluffy, wat dan ook.' Had ze elk detail van wat ik haar in die bar had verteld herhaald? Met inbegrip van die opmerking van mij dat Mark zo goed was in bed? En had Mark toen alles over de zwerver aan Greenwood verteld? Of was Darcie uit eigen beweging naar Greenwood gegaan om zich te wreken?

'Mevrouw Curtis? Kunt u ons alstublieft vertellen wat u toen hebt gedaan?'

Ik keek Marks pleitbezorgster strak aan. Het bloed bonsde even luid als een trommel in mijn oren. En zelfs als ze het wist, hoe zou ze dat dan moeten bewijzen? Ik zou toch heel gemakkelijk kunnen zeggen dat Darcie loog? Wie kon het tegendeel bewijzen? De enige die er die dag bij was geweest, was de zwerver zelf.

Clarissa had gelijk – vandaag was een kwestie van 'met je schild of er bovenop'. Ik hief mijn kin op, keek uitdagend om me heen en zei: 'Ik ben teruggegaan naar Jamestown Road, waar ik die zwerver had achtergelaten, en heb hem de rest van het geld gegeven.'

'Dank u, mevrouw Curtis. Ik heb verder geen vragen meer.'

'De getuige mag terugkeren naar haar plaats.'

Toen ik – opgelucht omdat ik dat achter de rug had – terugkeerde naar mijn plaats, zag ik Marks pleitbezorgster even heel triomfantelijk naar me glimlachen. Toen wendde ze zich tot de rechter. 'Edelachtbare, ik zou graag nog een laatste getuige willen horen.'

Mevrouw Khan geeuwde. 'Is dat echt nodig, mevrouw?'

'Hij is een uiterst belangrijke getuige. Meneer Joseph Holtby.'

'Wie is Joseph Holtby?' fluisterde Williams toen ik weer naast hem was gaan zitten.

'Geen idee,' fluisterde ik terug. 'Ik heb nog nooit van die man gehoord.' Ik reikte omlaag en aaide Fluffy, die intussen languit onder mijn stoel lag te slapen.

Simon stond op. 'Bezwaar, edelachtbare,' zei hij. 'Er is van tevoren niet gesproken over deze getuige. Mijn cliënte kent niemand die Joseph Holtby heet, en wat hij ook te vertellen mag hebben, kan op geen enkele wijze van invloed zijn op de beslissing van wie de hond krijgt toegewezen.'

'Integendeel, edelachtbare,' zei Marks advocate. 'De getuigenverklaring van meneer Holtby is van doorslaggevende betekenis. Niet alleen zal blijken dat eiseres niet in staat is om op fatsoenlijke wijze voor Fluffy te zorgen, maar bovendien dat ze niet eens zijn rechtmatige eigenaresse is. En bovendien heeft ze een valse verklaring afgelegd, en heeft ze, vanaf de dag waarop ze haar echtgenoot heeft leren kennen, tegen hem gelogen.'

'Onzin!' riep Clarissa. Ze sprong van haar stoel. 'Dat bestaat niet!'

Op hetzelfde moment was ook mijn vader opgesprongen. Hij had een knalrood hoofd gekregen. 'Hoe durf jij mijn Annie voor leugenaar uit te maken?' schreeuwde hij.

Zelfs Mark maakte een wat onthutste indruk. Hij trok Greenwood aan haar mouw en zei: 'Hé, nu gaan jullie wel een beetje te ver!'

'Stilte! Stilte! Wil iedereen blijven zitten, alstublieft! Stilte!'

Simon keek naar Williams, die zich tot mij wendde. 'Waar heeft ze het over?' vroeg hij zacht.

'Geen idee,' siste ik terug. Maar dat had ik wel.

'Goed, goed, mevrouw, in dat geval,' zei mevrouw Khan op lijdzame toon, 'laat u die getuige van u dan maar binnenkomen. En ik kan alleen maar hopen dat u hetgeen u zojuist over de eiseres hebt beweerd ook werkelijk hard kunt maken.'

'Dat kan ik, edelachtbare,' zei de pleitbezorgster. 'Ik roep meneer Jospeh Holtby naar de getuigenbank.'

Hoofdstuk 32

We draaiden ons allemaal om toen de dubbele deuren achter in de rechtszaal openzwaaiden. De man die binnenkwam liep mank. Hij moest ergens tussen de vijfendertig en vijfenvijftig zijn. Zijn lange, grijzende haar hing tot op zijn schouders en zag eruit alsof het met een snoeischaar was afgeknipt, en zijn kin zat onder de stoppels en opgedroogd bloed, een teken dat hij zich kort tevoren met een bot scheermes geschoren moest hebben. Een slechtpassend grijs colbertje hing scheef van zijn magere schouders. Te oordelen naar de manier waarop hij steeds maar aan de revers trok, was duidelijk dat hij zich er niet in op zijn gemak voelde, en ik vermoedde dat hij het, net als zijn veel te glimmende schoenen, die dag voor het eerst had aangetrokken. En dat was waarschijnlijk ook wel zo, want toen hij op ons toe liep zag ik een winkeletiket met prijskaartje onder de zoom uitsteken. Wie deze Joseph Holtby ook mocht zijn, hij had zijn best gedaan om zich voor zijn optreden in de rechtbank presentabel te maken, maar was daar, gezien ook zijn zwarte en gescheurde nagels, slechts ten dele in geslaagd.

'Herkent u hem?' vroeg Williams aan mij toen Holtby zich bij de rechter meldde.

'Ik geloof van niet,' zei ik, maar hoe langer ik naar zijn gezicht keek, des te bezorgder ik me voelde. Op zijn lip zat een dikke korst van een koortsblaar, en naar de vele littekens ernaast te oordelen, moest hij vaker last van blaren hebben. Hij had zware wenkbrauwen en vochtige, blauwe ogen waarvan de oogbal een gelige tint had.

Was hij het echt? Het leek onmogelijk, maar toen hij in het getuigenbankje ging staan om te zweren dat hij de waarheid en niets dan de waarheid zou vertellen, streek hij zijn haren naar achteren en zag ik het onmiskenbare Harry Potter-litteken op zijn voorhoofd.

Williams tikte me op mijn pols. 'Nou? Herkent u hem?'

Er was iemand die hem zeker herkende, zelfs na al die jaren. Hij trok zijn bovenlip op, legde zijn oren plat naar achteren en begon dreigend te grommen. Joseph Holtby wees op hem met zijn van de nicotine vergeelde vinger en riep: 'Seamus! Mijn kleine schattebout!'

Fluffy ontblootte zijn tanden, sprong op en wilde hem te lijf gaan, maar ik kon hem nog juist op tijd bij zijn riem grijpen om dat te voorkomen.

Marks advocate stond op. 'Meneer Holtby, mag ik u verzoeken om het hof wat over uzelf te vertellen?'

'Waarom wilt u iets van mij weten?' vroeg hij achterdochtig. 'Ik dacht dat ik hier als getuige was. Ik heb niks verkeerds gedaan.'

'Integendeel. Ik wil dat iedereen weet wie u bent. Kunt u ons vertellen waar u woont?'

'Ja hoor. Ik ben wat ze "zonder vaste woon- of verblijfplaats" noemen. Meestal hang ik rond in de buurt van Camden Town.'

'En hoe lang, eh, hangt u daar al rond, zoals u dat noemt?'

'Zes, zeven jaar, of zo.'

'En herkent u deze hond?'

Hij knikte. 'Ik zou hem overal herkend hebben aan de kleur van zijn vacht, en aan die opstaande pluk haar op zijn voorhoofd. Maar ik heb hem al niet meer gezien sinds hij een pup was. Hij is mijn kleine Seamus.'

'Kunt u vertellen wat u bedoelt met dat hij "uw Seamus" is?'

'Hij was van mij toen hij een pup was.'

'Bedoelt u dat u hem toen gekocht hebt?'

'Ja. Van een vriend.'

'En hoeveel hebt u voor hem betaald?'

'O, het bedrag weet ik niet meer, maar ik geloof dat het een pakje Silk Cut was.'

'En hoe lang hebt u hem gehad?'

'Een paar weken maar. Ik hield van hem alsof hij mijn eigen vlees en bloed was. En hij hielp me bij mijn werk.'

'Kunt u ons vertellen wat voor werk u doet?'

Hij krabde peinzend aan zijn hoofd. 'Ik zit in wat je de vermogensherverdeling zou kunnen noemen.'

'Kunt u daar iets meer over vertellen, alstublieft?'

'Ik ben een soort van Robin Hood. Ik vraag geld aan die mensen die het kunnen missen, en daar leef ik dan van.'

'Dus u bedelt, klopt dat?'

Hij maakte zich zo lang mogelijk. 'Het is eerlijk werk. En ik krijg geen baan, weet u. Ik ben arbeidsongeschikt,' zei hij tegen de rechter.

'Meneer Holtby, kunt u ons vertellen wat er met Seamus is gebeurd?'

Zijn ogen vonkten van woede. 'Hij is van me gestolen.'

Er klonk een collectieve gesmoorde kreet vanaf de tribune. Ik zat met neergeslagen blik, maar kon Williams naar me voelen kijken. 'Gestolen?' herhaalde Marks advocate.

'Ja, gestolen. Door een jongedame.'

'En waar heeft deze diefstal plaatsgevonden?'

'In Camden Town. Achter de bingo.'

'Kunt u vertellen wanneer dat was, en wat er die dag is gebeurd?'

'Het was een paar jaar geleden, op een zondag – ik was net uit de kerk gegooid waar ik had liggen slapen, want het was tijd voor de mis. Dus ik was een eindje gaan lopen tot ik een portiek vond waar ik kon gaan zitten. En ik wil er wel bij vertellen dat ik mogelijk wat te diep in het glaasje had gekeken.'

'En wat gebeurde er toen?'

'Ik ben in slaap gevallen. En toen ik wakker werd, stond die jongedame voor me, met Seamus in haar armen. Ze wilde er met hem vandoor gaan, maar ik had haar op heterdaad betrapt. Toen deed ze alsof ze hem van mij wilde kopen. Eerst zei ik nee, maar toen bedacht ik me omdat zij hem waarschijnlijk een beter bestaan zou kunnen bieden dan ik.'

'En hoeveel zei ze dat ze u voor Seamus wilde betalen?'

'Honderd pond.'

'Honderd pond?' herhaalde de pleitbezorgster. 'Dat is een heleboel geld, meneer Holtby.'

'Het zou voldoende zijn geweest om een nieuw leven mee te beginnen, tenminste, áls ze me betaald zou hebben. Ze gaf me een kleine aanbetaling, en toen rende ze weg terwijl ze zei dat ze niet meer bij zich had en dat ze de rest moest gaan halen en zo terug zou komen.'

'En kwam ze terug met de rest van het geld?'

'Nou, ik heb een hele tijd zitten wachten, maar ze kwam niet terug. En onder het wachten bedacht ik dat ik dat arme kleine dier eigenlijk helemaal niet wilde verkopen. Ik wilde hem niet kwijt, weet u? Ik dacht, Joseph, je hebt dit hondje nodig, hij is het enige wezen op de hele wijde wereld dat van je houdt. Dus ik bleef op haar wachten en wilde haar het geld teruggeven wanneer ze terug zou komen. En ik wachtte en wachtte. En ik denk dat ik weer in slaap moet zijn gevallen. En...'

'Ja?'

'En toen, een hele tijd later...'

Een hele tijd later... Mijn gedachten keerden terug naar die snikhete zondagmiddag. Ik stond in mijn witte spijkerbroek en een zwart T-shirt achter aan een lange, lange rij wachtenden voor de geldautomaat op de hoek van Parkway. Voor mij stond een lange, broodmagere goth in een nauwsluitende zwarte broek en een mouwloos shirtje. Op zijn arm had hij een tatoeage van een crucifix die werd opgehouden door een monsterachtige hand. Terwijl ik naar die semi-religieuze afbeelding stond te kijken, bedacht ik dat de zwerver, tegen de tijd dat ik aan de beurt zou zijn geweest en weer naar hem toe kon, mogelijk allang verdwenen zou zijn met mijn aanbetaling én de pup.

En inderdaad, toen ik mijn geld eindelijk had en zo snel als mijn hakken en de drukte op straat het maar toelieten weer naar Jamestown Road terugging en de hoek om kwam, zag ik dat de zwerver met het hondje, mijn dertig pond en zijn smerige blauwe slaapzak was verdwenen. Het enige wat er van hem over was,

was een doordringende urinelucht en een straaltje van een on- duidelijke, kleverige vloeistof op de stoep. Woedend rende ik naar de hoek van Arlington Road omdat ik dacht dat hij moge- lijk naar het opvangtehuis voor daklozen daar was gegaan, maar er viel geen spoor van hem te bekennen. In de overtuiging dat hij er binnen moest zijn, bleef ik er een poosje voor de deur staan, maar toen ik ten slotte de nodige moed had verzameld om aan te bellen en navraag te doen, zei de man die opendeed dat hij degene die ik beschreef kende, maar dat hij hem sinds die och- tend niet had gezien.

Het ging me werkelijk niet om het geld. Het enige wat ik wilde, was dat hondje redden. Ik dacht weer aan hoe het dier door die dronkaard mishandeld was, en zoals hij naar me had opgekeken – alsof hij me smeekte om hem te redden.

De daaropvolgende twee uur liep ik systematisch de hele buurt af en vroeg ik links en rechts of iemand de man met de pup had gezien, maar niemand kon mij helpen.

Het was kwart over vijf geweest toen ik bij Clarissa was weg- gegaan. Ik was een beetje aangeschoten geweest van de twee gla- zen Pimm's die ik had gedronken. Ineens werd het donker. Cam- den Market ging dicht en ik had al uren naar die zwerver lopen zoeken. Mijn voeten deden pijn – de bandjes van mijn sandalen sneden in mijn wreef. Ik had blaren onder mijn tenen, en hoewel ik bij een kiosk aan het kanaal een fles versgeperste jus d'orange had gekocht en er regelmatig een paar slokken van nam, had ik een barstende hoofdpijn en een totaal uitgedroogde keel. Uit- eindelijk besloot ik, intens verslagen, mijn zoektocht op te geven en koers te zetten naar het metrostation.

En toen zag ik het steegje naast de bingo – een smalle, donkere spleet tussen hoge bakstenen muren. Op een meter of tien vanaf de straat maakte het een scherpe bocht naar links zodat ik niet kon zien hoe het verder liep. Het was het soort steeg dat ik onder normale omstandigheden nooit in zou zijn gelopen, en al hele- maal niet 's avonds en in het donker.

Ik aarzelde en dacht aan de onaangename verrassingen die me in dat straatje te wachten konden staan. Maar de gedachte aan het hondje deed me mijn angst overwinnen, en ik dook met een vastberaden stap de duisternis in. Even voorbij de hoek liep de steeg dood op de nooduitgang van de bingo. Net toen ik me weer om wilde draaien, werd mijn aandacht getrokken door iets achter een grote afvalcontainer naast de deur. Met ingehouden adem tegen de stank ging ik eropaf. De zwerver zelf was er niet, maar zijn smerige slaapzak wel. Ik bleef ernaar staan kijken, en toen hoorde ik een zacht piepen dat onder die deken vandaan kwam.

Omdat ik weigerde dat smerige ding met mijn handen aan te raken, duwde ik hem met mijn voet voorzichtig een beetje opzij. Eronder lag een doorweekte kartonnen doos met 'Appels uit Nieuw-Zeeland' op de zijkant gedrukt en erin, in een bedje van zijn eigen vuil, lag de bibberende Fluffy.

Zonder erbij na te denken tilde ik hem op, klemde hem onder mijn arm en haastte me de steeg uit. Op de hoek van de straat botste ik pal tegen de zwerver op. Hij stonk zelfs nog erger naar whisky dan hij voorheen had gedaan, en hij had een tasje met flessen drank in zijn hand.

'Kijk uit!' zei hij. 'Hé, waar ga je heen?'

In plaats van te blijven staan, rende ik in één ruk door naar het metrostation.

Pas toen ik in de metro zat en op weg was naar huis, bedacht ik dat ik hem de rest van het geld had moeten toewerpen. Maar ik vertikte het om terug te gaan en hem opnieuw te moeten zoeken.

Hoofdstuk 33

'En is de vrouw die uw hond heeft gestolen hier vandaag in de rechtszaal aanwezig?' vroeg Marks advocate, toen Holtby klaar was met zijn verhaal.

Holtby wees me aan. 'Zij is het,' zei hij. 'Ik onthou elk gezicht.'

'Dank u, meneer Holtby,' zei ze. 'Ik heb verder geen vragen.'

Ik voelde mezelf rood worden van schaamte. Ik kon geen woord uitbrengen. Williams pakte zijn balpen, krabbelde iets op een papiertje en schoof het naar me toe. 'Geef vooral niets toe. Onder geen enkele voorwaarde,' stond er. Toen fluisterde hij iets in het oor van mijn pleitbezorger, die opstond en zich tot de rechter wendde.

'Edelachtbare, ik heb een paar vragen voor meneer Holtby.'

Mevrouw Khan keek op haar horloge en zuchtte. 'Dat is goed, maar zet u er wel een beetje haast achter, alstublieft. Het is bijna lunchtijd en ik weet zeker dat meneer en mevrouw Curtis er geen behoefte aan hebben deze kostbare zitting vanmiddag voort te zetten. Ik heb dat in ieder geval niet.'

Simon sloeg zijn armen over elkaar, stak zijn duimen onder zijn oksels en wendde zich tot Holtby. 'Meneer Holtby, bent u alcoholist?'

De zwerver stak zijn kin in de lucht en antwoordde trots: 'Ja, dat ben ik.'

'En had u de middag van die zogenaamde puppydiefstal gedronken?'

'Ik drink 's middags altijd een glaasje.'

'En kunt u zich nog herinneren hoeveel glaasjes dat die middag waren geweest?'

'Nee, dat ben ik vergeten.'

'Hebben we het over een enkele eenheid alcohol? Meer dan één? Twee? Drie eenheden, misschien? Vier? Zes? Acht?'

Holtby trok een bedenkelijk gezicht. 'Ik weet niet wat u met "eenheden" bedoelt, maar het kan niet meer zijn geweest dan een liter Strongbow-cider en een halve fles whisky.'

'Niet meer dan een liter Strongbow én een halve fles whisky?' Simon glimlachte. 'Dank u. Dus zou het redelijk zijn om te zeggen dat u op dat moment een tikje onder invloed verkeerde?'

Holtby keek beledigd. 'Nou, niet zo erg dat mijn geheugen eronder te lijden zou hebben gehad.'

'Meneer Holtby, kunt u op enigerlei wijze aantonen dat u ooit een puppy hebt bezeten, en dan met name het dier waar we het over hebben? Hebt u er een rekening van? Of een gezellige foto van u en uw hondje samen? Of moeten we u zomaar geloven? Het woord van een dakloze alcoholicus,' verklaarde hij, terwijl hij zich naar de rechter omdraaide, 'tegen dat van een hardwerkende vrouw die, vlijtig en gul als ze is, haar man jarenlang een luxeleventje heeft laten leiden.'

'Bezwaar, edelachtbare!' Marks pleitbezorgster stond op. 'Deze vragen zijn – '

'Afgewezen. Meneer Holtby, wilt u die vraag beantwoorden, alstublieft.'

'Nee, dat soort bewijzen heb ik niet.'

'En als ik u het voordeel van de twijfel zou geven en zou geloven dat u in het verleden eigenaar was van een puppy – desnoods van deze hond hier – kunt u dan wel bewijzen dat hij van u is gestolen? Bent u bijvoorbeeld naar de politie gegaan om aangifte te doen?'

Holtby trok een gezicht. 'Ik? Naar de politie? Nee, natuurlijk niet!'

Opnieuw kwam Marks pleitbezorgster van haar stoel. 'Bezwaar, edelachtbare. We hebben al vastgesteld dat meneer Holtby

indertijd dakloos en niet geheel nuchter was. Het is hoogst on-
waarschijnlijk dat de politie de man te woord zou hebben gestaan of dat ze hem zelfs maar serieus zouden hebben genomen.'

'Toegestaan. Komt u terzake alstublieft, meneer.'

'Ik probeer de feiten vast te stellen, edelachtbare. En die zijn,
ten eerste, dat meneer Holtby zelf toegeeft dat hij alcoholist is en
dat hij de middag waarop die zogenaamde diefstal heeft plaatsgevonden een aardige hoeveelheid alcohol had geconsumeerd.
Ten tweede, dat zelfs áls hij de waarheid vertelt en iemand zijn
puppy heeft gestolen, het nog helemaal niet automatisch vast-
staat dat mijn cliënte de dief was, of zelfs maar dat Fluffy de gestolen hond zou zijn. Gezien het feit dat puppy's groter worden
en sterk veranderen –'

'Ja, ja, ik zie wat u bedoelt. Misschien kunnen we veel beter
rechtstreeks aan mevrouw Curtis vragen wat zij op de bewering
van meneer Holtby te zeggen heeft.'

'Bezwaar, edelachtbare. Mijn cliënte is...'

'... bereid om het uit te leggen,' zei ik, terwijl ik opstond.

'Edelachtbare, ik maak bezwaar,' zei Simon.

'Bezwaar afgewezen. Als uw cliënte deze zaak op wil helderen,
dan zal ik haar daar niet van weerhouden. Deze zaak begint eindelijk interessant te worden.'

Williams draaide zich naar mij toe en fluisterde: 'Ik raad u
dringend aan om helemaal niets te zeggen, mevrouw Curtis.'

'Maar ik hoef me nergens voor te schamen.'

'Mevrouw Curtis, toe, luistert u naar mij. Ik weet wat ik zeg.'

Intussen had ik schoon genoeg van al zijn goede raad. Ik
schoot er niets mee op. Koppig, en een beetje roekeloos ook,
stond ik op en liep naar het getuigenbankje. De rechter knikte
me toe terwijl ik ging zitten. 'Dank u, mevrouw Curtis. Maar
voordat u het woord neemt, wil ik u eraan herinneren dat u onder ede staat.'

'Ja, dat weet ik.' Ik haalde diep adem en de waarheid rolde van
mijn lippen. 'Het is waar, Fluffy is meneer Holtby's puppy,' bekende ik. 'Ik heb Fluffy van hem gekocht omdat hij anders verhongerd zou zijn. Ik had met hem afgesproken dat hij honderd

pond van me zou krijgen, maar ik had maar dertig op zak, dus ik heb hem gegeven wat ik had en ben toen naar de bank gegaan om de rest van het geld uit de automaat te halen, zoals ik al eerder heb verteld. Maar toen ik weer bij de portiek in Jamestown Road kwam, was Holtby er met Fluffy én mijn geld vandoor gegaan. Hij had van míj gestolen. Ik heb urenlang naar hem lopen zoeken – niet omdat ik mijn geld terug wilde, maar omdat ik Fluffy wilde redden. Uiteindelijk vond ik hem – hij was achtergelaten in een kartonnen doos achter een afvalcontainer in een doodlopende steeg. Hij had geen water en geen eten, en hij lag in zijn eigen vuil. En hij jankte. U kunt zich niet voorstellen hoe wreed dat was. En toen heb ik hem meegenomen. En dat was geen stélen, want ik had meneer Holtby al dertig pond voor hem gegeven.'

'We hadden honderd afgesproken!' riep Holtby.

'En dat is ook de prijs die u vanochtend onder ede hebt genoemd als het bedrag dat u voor hem had betaald,' zei mevrouw Khan. 'Hebt u vanochtend dan gelogen, mevrouw Curtis?'

Ik keek onzeker om me heen. 'Nou, niet echt.'

'Ik heb u een simpele vraag gesteld. Wilt u alstublieft antwoorden met ja of nee.'

'Nou, in dat geval is het antwoord ja.' Ik zag Williams zijn handen voor het gezicht slaan. 'Maar het was niet echt een leugen. Ik bedoel, ik zou meneer Holtby de rest van het geld hebben gegeven als hij zich aan de afspraak had gehouden. Ik was alleen maar weggegaan om het voor hem te halen, verdorie nog aan toe!'

Rechter Khan keek me afkeurend aan. 'Hebt u er niet bij stilgestaan dat meneer Holtby wel eens van gedachten veranderd had kunnen zijn en had besloten dat hij zijn hondje niet wilde afstaan?'

'Nee, het enige waar ik aan kon denken was dat hij er met mijn geld vandoor was gegaan. En dat was ook zo!'

'Dus toen hebt u uit wraak die hond gewoon maar meegenomen?'

'Nee!' hield ik vol. 'Ik heb hem meegenomen omdat hij anders

315

binnen een paar uur dood zou zijn geweest. En ik hád al dertig pond voor hem betaald – meer nog, om precies te zijn, want eerder op de dag had ik meneer Holtby al geld gegeven om iets te eten voor zichzelf te kopen.'

'Dat was heel wat anders!' riep Holtby uit. 'Dat was een aalmoes voor de armen!'

Ik keek totaal verslagen om me heen. 'Het feitelijke bedrag dat ik heb betaald kan toch op zich niet zo belangrijk zijn?'

'Wat volgens u wel of niet belangrijk is, is niet relevant,' zei mevrouw Khan. 'Wat belangrijk is, is dat u gezworen hebt dat u de waarheid vertelde, maar dat u hebt gelogen. En daarmee hebt u meineed gepleegd.'

'Wát?' Ik kon mijn oren niet geloven en keek naar mijn vader. Hij zou vast opstaan en tegen de rechter zeggen dat ze zich vergiste. Maar pap beet op zijn lip en tuurde naar zijn knieën.

'Meineed geldt als een van de zwaarste misdrijven,' ging mevrouw Khan verder. Ze had de hele ochtend nog niet zo enthousiast geklonken. 'Er staat een gevangenisstraf van één tot zeven jaar voor, plus zware boetes. Ik zie mijzelf genoodzaakt u van dit misdrijf te beschuldigen, mevrouw Curtis. En voor wat de zitting ten aanzien van uw scheiding en de voogdij over uw hond betreft, mevrouw en meneer Curtis, bepaal ik dat hij op dit moment moet worden teruggegeven aan zijn rechtmatige eigenaar, meneer Joseph Holtby.'

Toen Holtby opstond, zijn gebalde vuist in de lucht stak en riep: 'Lang leve het Engelse recht!' kwamen Mark en ik gelijktijdig van onze stoelen en riepen in koor: 'Nee!'

'Dat kunt u niet doen!' riep Mark.

Ze wierp hem een vernietigende blik toe. 'Meneer Curtis, mag ik u erop wijzen dat ik het hier, in deze rechtszaal, voor het zeggen heb en dat ik kan doen wat ik wil zolang ik me maar aan de wet hou? En dat ik, als u nog zo'n opmerking maakt, én op die toon, u een straf zal opleggen wegens weigering de instructies van de rechtbank op te volgen?'

'Maar Annie verdient dat helemaal niet, zo'n veroordeling wegens meineed!' ging hij verder. 'En meneer Holtby heeft geen idee van hoe hij voor een hond moet zorgen. Hij kent Fluffy helemaal niet. En hij kan hem niet eens een behoorlijk thuis bieden.'

'Nou, meneer Curtis, het was uw advocaat die meneer Holtby als getuige heeft opgeroepen. U had dit eerder moeten bedenken. En als mijn uitspraak u niet bevalt, hebt u dat alleen maar aan uzelf te wijten. Zal ik mijn vonnis wijzigen en eisen dat de hond in plaats daarvan wordt afgemaakt?'

'Nee!' riepen we opnieuw in koor.

En ik voegde eraan toe: 'Edelachtbare, ik bedoel mevrouw, ik smeek u om Fluffy niet aan die man te geven. Geeft u hem toch alstublieft aan Mark!'

Rechter Khan keek me met een ijzige blik strak aan. 'Begrijp ik het goed, mevrouw Curtis, dat u, nadat u juist tienduizenden ponden van uw eigen geld aan deze bespottelijke zitting hebt vergooid, om nog maar te zwijgen over mijn kostbare tijd én het feit dat u op de koop toe meineed hebt gepleegd, nu wilt beweren dat ik mijn werk niet goed zou hebben gedaan?'

'Nee, natuurlijk niet, maar –'

'Mooi! En nu heb ik meer dan genoeg van dit circus, en ik herhaal mijn vonnis: in de zaak van Curtis versus Curtis gaat de hond naar meneer Holtby. Voor wat het bezit van het echtpaar betreft – zo er na het betalen van de kosten en de boete voor meineed die mevrouw Curtis zonder enige twijfel zal worden opgelegd nog wat over is – dat zal in gelijke delen tussen de eiser en de gedaagde moeten worden verdeeld. En nu adviseer ik u, meneer Holtby, om hier met die hond zo snel mogelijk zo ver mogelijk vandaan te gaan. Mevrouw Curtis, u meldt zich morgenochtend vroeg bij uw plaatselijke politiebureau voor de tenlastelegging. Doet u dat niet, dan zal er een arrestatiebevel voor u worden uitgevaardigd. Hebt u dat begrepen? Deze zaak is nu gesloten. Ik heb honger.' Ze verliet de rechtszaal en liet ons allemaal behoorlijk overdonderd achter.

Toen de deur achter haar was dichtgevallen, barstten alle aanwezige vrouwen – Clarissa, Norma en zelfs Jackie Curtis – in snikken uit. Mijn vader sprong op en vloog met gebalde vuisten op Mark af. Jackie zette het op een krijsen, Norma trok pap terug en riep: 'Niet doen, Bob! Niet doen! Je maakt alles er alleen nog maar erger op!' Clarissa was naar mij toe gekomen en had haar armen om me heen geslagen. Toen ik over haar schouder keek, keek ik recht in de ogen van Mark, en we bleven elkaar aanstaren over de puinhopen van ons huwelijk, terwijl we nauwelijks konden bevatten wat we hadden gedaan.

Williams beëindigde zijn overleg met Simon. 'Ik vrees dat dit niet het verwachte resultaat heeft opgeleverd,' mompelde hij terwijl hij opstond en zijn papieren op een stapel schoof.

'U meent het,' zei Clarissa woedend, terwijl ze mij losliet. 'Hoe hebt u dit kunnen laten gebeuren? Dit is een ramp voor Annie.'

'Ja, inderdaad, deze meineedkwestie is hoogst onfortuinlijk,' ging hij verder. 'Ik had haar nog wel zo op het hart gedrukt om vooral niets te zeggen. Ik vrees dat u opnieuw een advocaat nodig zult hebben, mevrouw Curtis. U hebt mijn e-mailadres en mijn telefoonnummer. Misschien dat we het er buiten even over moeten hebben. Ik weet zeker dat we het eens kunnen worden over mijn honorarium.'

Op dat moment kwam Holtby naar me toe, pakte me de riem af en begon Fluffy bij me vandaan te trekken. Fluffy zette zich schrap. 'Vooruit, stom beest,' mompelde de zwerver, het dier hardhandig mee rukkend naar de uitgang. Fluffy bleef zo ver mogelijk uit zijn buurt en gromde met ontblote tanden. Ik wist dat hij elk moment tot de aanval kon overgaan. En Mark wist dat ook. Hij haastte zich naar hen toe, en toen hij bij Fluffy was, sprong de hond tegen hem op.

'Kom, u wilt deze hond toch zeker niet écht hebben, wel?' vroeg Mark aan Holtby.

De zwerver keek hem strak aan. 'Hoe kom je daar zo bij?'

Fluffy begon weer te grommen. 'Ik koop hem van u,' zei Mark.

'U wilt hem kopen? Há, alweer iemand die mijn hond van me wil kopen. Nou, maar deze keer is hij niet te koop.'

'O, dat meent u niet! Hou op, Fluffy! Zit!'

'Dit hier is een waardevol dier, zeg ik u.' Holtby gaf opnieuw een harde ruk aan de riem. 'Dat moet wel, met alle moeite die u doet om hem te kunnen houden. En nu is hij weer van mij. Au! Donder op, vals kreng!' Fluffy had zijn kaken in een van Holtby's broekspijpen gezet.

'Stop, Fluffy!' riep Mark. Juist op dat moment boog Holtby zich naar voren en gaf Fluffy met zijn vuist een dreun op zijn kop. Fluffy viel kermend opzij, en het volgende moment greep Mark Holtby bij de revers van zijn jasje. 'Waag het niet deze hond ooit nog eens te stompen, te slaan of te schoppen, hebt u dat goed begrepen?' Toen hij Holtby losliet, wankelde de man naar achteren. 'En laten we ophouden spelletjes te spelen en ons tot de kern van de zaak bepalen,' ging Mark meesterlijk verder, terwijl hij Fluffy's riem pakte toen de hond de zwerver, blaffend en grommend, opnieuw te lijf wilde gaan. 'U zult nooit iets aan deze hond hebben – kijkt u zelf maar hoe hij zich naar u toe gedraagt! Dus hoeveel wilt u voor hem hebben?'

Met een onthutst gezicht sloeg Holtby het stof van zijn colbertje. Toen griste hij de riem weer uit Marks handen. 'Deze hond zorgt ervoor dat ik te eten krijg.'

'Hoeveel?' herhaalde Mark.

'Twintig.'

Nu was het Marks beurt om verbaasd te kijken. 'Twintig pond?' vroeg hij zacht.

'Ik geef u veertig!' riep mijn vader.

'Zestig!' schreeuwde Dennis.

Holtby liet zijn hoofd naar achteren vallen en schaterde het uit. 'Jullie denken zeker allemaal dat ik gek ben, hè? Alleen omdat ik af en toe een slok drink en geen huis heb. Twintig, veertig, zestig pond? Ha! Twintigduizend wil ik voor hem hebben!'

We slaakten collectief een gesmoorde kreet – zelfs mijn vader die zwaar op een van de banken ging zitten, naar voren boog en zijn hoofd op zijn handen steunde. 'Een komediant, verdomme! Dat ontbrak er nog maar aan!'

Ondertussen stond Mark mij aan te kijken. Hij was lijkbleek geworden. Toen wendde hij zich weer tot Holtby. 'Dat is bespottelijk,' zei hij.

Holtby haalde zijn schouders op. 'Nee hoor, het is gewoon een kwestie van vraag en aanbod. Je moet weten dat ik niet altijd zwerver ben geweest,' voegde hij eraan toe bij het zien van onze verbaasde gezichten. 'Ik was leraar vroeger – o ja, voor mijn vrouw me verliet en alles meenam, met inbegrip van de kinderen. Ziezo.' Hij verstevigde zijn greep op de riem. 'En nu heb ik, voor het eerst van mijn leven, eindelijk dan eens het monopolie op een product, en ben ik vrij om de prijs ervoor te bepalen. Als jullie het beest willen, kun je ervoor dokken. Ja of nee. Jullie mogen het zeggen.'

Mark keek me weer aan. Ik stond ondertussen te huilen. Arme Fluffy! Het was totaal hopeloos, allemaal. 'Ik voel me gechanteerd,' zei Mark tegen Holby. 'Moet je horen, je kunt vijfhonderd van me krijgen. Nou goed dan, duizend.'

'Wat?' riep Dennis ontsteld uit.

'Geen sprake van!'

'Vijfduizend, dan? Tien?' Gesmoorde uitroepen van iedereen.

'Jongen, gebruik je verstand!' riep Dennis. Hij liep naar Mark toe en pakte hem bij de elleboog. 'Zie je ze vliegen?'

Holtby liep weg en trok Fluffy achter zich aan.

Mark schudde zijn vader van zich af en ging de zwerver achterna. 'Vijftienduizend,' zei hij. Holtby liep door. 'Goed dan, dan kun je krijgen wat je wilt hebben,' zei Mark, toen Holtby bij de deur was gekomen. 'Twintigduizend pond.'

Holtby bleef staan. En draaide zich met een stralende glimlach om. Net toen hij Mark een hand wilde geven, hoorde ik mezelf roepen: 'Dertigduizend!'

'Annie!' riep Clarissa geschokt uit. 'Wat dóé je?'

'Hou je mond, Annie!' brulde mijn vader.

'Veertig!' riep Mark.

'Vijfenveertig!' schreeuwde ik.

Clarissa pakte me bij de arm. 'Hou op, verdomme!'

Opnieuw keek Mark me aan. 'Vijftigduizend!'

Ik aarzelde. 'Annie, niet doen!' siste Clarissa me toe. 'Zo veel geld heb je niet!'

Even kon je in de rechtszaal een speld horen vallen. Toen zei Holtby: 'Zei je vijftigduizend? Voor dit smerige mormel?' Mark knikte langzaam. Hij zag inmiddels lijkbleek. Holtby glimlachte en stak opnieuw zijn hand uit. Mark slikte, en schudde hem. 'Dat is een heel stuk beter,' zei Holtby. 'U bent nog eens een echte heer.'

Hoofdstuk 34

Het kon zijn dat ik een shock had, want even later stonden we op het bordes voor de ingang van rechtbank – ik, Norma, pap, Clarissa, Williams en Simon, en pap en Clarissa ondersteunden me. Ik kon me niet herinneren hoe we buiten waren gekomen en waarom ze me vasthielden. Het enige wat ik nog wist, was dat Mark en ik tegen elkaar hadden opgeboden voor het bezit van onze eigen hond, en dat Mark had aangeboden om vijftigduizend pond voor hem te betalen, hetgeen zo ongeveer het bedrag moest zijn dat hij, nadat we de advocaten en de rechtbank hadden betaald, aan onze scheiding zou overhouden.

'Wat een verspilling van de poen!' zei mijn vader. 'En die schoft van een Curtis? Ik vermoord die man!'

'Hou op, Bob,' zei Norma.

'Nee! Ik hou níét op! Hij heeft Annies leven verpest! Ik meen het, daar zal ik hem voor laten boeten, al is het mijn laatste daad op deze aarde. En jij, jongedame,' vervolgde hij tegen mij, 'liegen onder ede, het stelen van die hond, en het trouwen met die halvegare van een Mark – deze hele geschiedenis is van begin af aan één grote ellende geweest.'

Williams probeerde zich ermee te bemoeien. 'Kom, kom, meneer Osborne –'

Maar mijn vader liet hem niet uitspreken. 'En van u wil ik geen woord meer horen! Hebt u dat begrepen? U noemt zichzelf advocaat? Volgens mij komt u niet verder dan het herkennen van dat gele spul in een fles!'

Op dat moment kwamen Mark, zijn ouders en zijn advocaat naar buiten. Jackie was nog steeds in tranen. Mark zag bleker dan ooit en hij hield Fluffy's riem vast. Toen ze dichterbij kwamen, probeerde Fluffy als een gek kwispelend naar mij toe te komen, en toen mijn vader Mark zag aankomen, stormde hij op hem af.

'Achterlijke schoft die je bent!' Mijn vaders vuist trof Mark op de wang. Mark wankelde naar achteren en stootte Greenwoods aktetas uit haar hand. Terwijl al haar papieren wegwaaiden, stortte ik mij op mijn vader. Clarissa probeerde me tegen te houden en Fluffy sprong blaffend tegen ons op. Het volgende moment ging Dennis mijn vader te lijf, waarop Fluffy zijn scherpe kaken in paps op maat gemaakte colbertje zette en een deel van de mouw afscheurde, en pap opnieuw naar Mark uithaalde. Ik zag flitslicht afgaan – een paar passanten waren blijven staan om naar de vechtpartij te kijken en een van hen maakte met haar mobieltje foto's van ons.

Plotseling stortte Norma zich in de strijd en duwde Mark en pap uit elkaar. 'Ophouden!' riep ze. 'Zo is het meer dan genoeg!' Ze zette haar armen in haar zij, maakte zich zo lang mogelijk en keek ons woedend aan. 'Hoe komen jullie erbij je als een ordinaire straatbende te gedragen? Is deze ochtend niet al erg genoeg geweest? En wat sta jij daar verdomme eigenlijk te doen? Waar bemoei je je mee!' riep ze naar de eigenaresse van de telefoon, die nog steeds vrolijk plaatjes stond te schieten. 'En dat voor een volwassen vrouw! Je zou je moeten schamen! Ga naar huis en ruim de boel daar op!' Diep beledigd stak de vrouw haar mobieltje in haar zak en liep weg. Norma haalde diep adem en wendde zich tot mijn vader. 'Bob Osborne, heeft Annie niet al meer dan genoeg voor haar kiezen gehad vandaag zonder dit er ook nog bij te moeten hebben?'

'Norma, bemoei je er niet mee,' snauwde hij. 'Dit is een familiekwestie.'

Norma verstijfde. Het volgende moment streek ze haar pony uit haar gezicht, sloeg haar armen over elkaar en keek mijn vader uitdagend aan. 'O ja? En zou ik dan misschien even mogen weten wat ik dan ben, als ik geen familie ben? Ik mag dan misschien maar een paar jaar ouder zijn dan Annie, maar de hemel weet dat ik sinds de dag waarop ik haar heb leren kennen, van haar heb gehouden alsof ze mijn eigen kind was. Maar jij – jij hebt me altijd zo veel mogelijk op afstand van haar gehouden. O ja! Precies zoals je jezelf altijd op afstand van mij hebt gehouden.'

'Hou je mond, Norma, dit is niet de plek of het moment om...' begon mijn vader.

Hij had geen schijn van kans tegen deze nieuwe, vurige vrouw die nu haar armen vaneen deed en met de lange, roodgelakte nagel van haar wijsvinger op een bijna verachtelijke wijze in de revers van zijn colbertje prikte. 'Waag het niet mij te commanderen!' riep ze. 'Ik maak zelf wel uit wat ik doe! Wie ben jij om voor mij te bepalen waar ik het wel of niet over mag hebben? Je hebt níets over mij te zeggen. Ik ben de baas over mijzelf. Ik ben moeder en ik ben onderneemster, en ik heb schoon genoeg van de manier waarop je mij behandelt, alsof ik alleen maar een soort van – ik weet niet – een soort van lekker dier ben dat je erbij kunt hebben.'

Jackies mond viel open, en die van pap net zo. 'Ik heb nooit – '

Norma was niet meer te stuiten. 'En het komt je goed van pas, niet, om mij als tijdelijke speelpoes te hebben,' ging ze verder. 'Ik mag komen als je me wilt hebben en kan opdonderen als het je niet uitkomt. Maar daar heb ik genoeg van, weet je dat? En ik heb dit al veel te lang geslikt. Zal ik je eens wat zeggen? Je was van begin af aan tegen Annies huwelijk. En ik weet niet, maar als je wat aardiger tegen je schoonzoon was geweest, in plaats van altijd maar kritiek op hem te hebben, zou dit drama mogelijk nooit zijn gebeurd.'

Mijn vader kon zijn oren niet geloven. 'Aha, dus nu is dit allemaal mijn schuld? Het is mijn schuld dat mijn dochter, dankzij deze overspelige en aartsluie schoft, haar huis kwijt is en een strafblad krijgt?'

'Onze zoon is geen schoft!' viel Jackie hem in de rede.

'En het is zeker ook mijn schuld,' ging pap verder, 'dat ze met zijn tweeën duizenden en duizenden ponden aan deze stompzinnige scheiding hebben vergooid?'

Ik ging op de stoep zitten terwijl hij en Norma tegen elkaar bleven schreeuwen.

Ondertussen tikte Martha Greenwood op Williams' schouder. 'U hoort van mij in verband met de regeling. Misschien kunt u die betaling aan Holtby voldoen van het geld dat uw cliënt de mijne verschuldigd is.' Williams knikte afwezig, maar hij bleef als betoverd naar Norma staan kijken. Hij was volledig in haar ban, net alsof hij nog nooit iemand had gezien zoals zij. Greenwood wendde zich tot Mark. 'Ik denk dat het tijd is om te vertrekken.'

'Ik wil eerst nog even iets tegen Annie zeggen,' zei Mark. Hij kwam naar me toe en Fluffy liep, opgewonden aan zijn riem trekkend, voor hem uit. Terwijl hij mijn gezicht probeerde te likken, boog Mark zich over me heen en zei: 'Het spijt me.'

Ik keek op. 'Waarom zou het je spijten? Je hebt gewonnen. Dat wilde je toch?'

'Het enige wat ik wilde, was dat er goed voor Fluffy gezorgd zou worden. En je weet best dat jij dat niet kunt omdat je de hele dag op je werk bent.'

'Nou, dat zou nu geen probleem meer zijn geweest,' zei ik.

'Hoe bedoel je?'

'Nou, als je het per se weten wilt, ik ben gisteren ontslagen.'

'Wát?'

'En eigenlijk komt dat nog goed van pas ook,' voegde ik er bitter aan toe, 'want ik geloof niet dat ik voldoende vakantiedagen had om mijn gevangenisstraf uit te kunnen zitten.'

Mark had het fatsoen om ontzet te zijn. 'Verdomme! Dit is een regelrechte nachtmerrie geworden.'

Ja, dat was het – een nachtmerrie. Alle liefde die ik ooit voor hem had gekoesterd, was omgeslagen in pure haat die mij vergiftigde.

'Het spijt me echt heel erg, Annie.'

'Wat precies? Dat je vijftigduizend pond kwijt bent, of dat je mijn leven hebt verpest?'

'Je moet van me aannemen dat ik je heus niet onnodig in nog meer moeilijkheden wilde brengen. Mijn advocate wilde alles weten, dus toen Darcie mij vertelde wat jij haar had verteld, heb ik dat zonder meer aan haar doorgegeven. Was ik maar niet zo oerstom geweest! Als ik van tevoren had geweten wat dat tot gevolg zou hebben, zou ik er in geen miljoen jaar over begonnen zijn.'

Ik duwde Fluffy van me af en stond op. 'Nou, daar is het nu allemaal wel een beetje te laat voor. Doe me een lol en bespaar me je verdere excuses.'

'Maar echt, ik zweer het, het was nooit mijn bedoeling...' ging hij zonder al te veel overtuiging verder. In plaats van zijn zin af te maken, zei hij opeens: 'Ik wou dat we de klok terug konden draaien.'

'Nou, dat wil je vast niet zo graag als ik,' zei ik. 'En weet je tot op welk moment? Tot de dag waarop ik het nummer van *Wag the Dog Walks* heb gedraaid. Ik wou dat ik je nooit had gebeld.'

Mark beet op zijn lip. Toen zei hij: 'Neem jij hem maar.'

'Wat?'

'Hier. Fluffy is voor jou.'

Even was ik sprakeloos, maar toen zag ik opeens de ironie van de hele situatie en moest ik lachen. 'Na alles wat er gebeurd is? Je bent niet goed wijs.'

Hij bood me de riem aan. 'Hier, toe dan – pak aan.'

Ik keek hem woedend aan. 'Je hebt er zeker spijt van dat je al mijn moeizaam verdiende geld aan hem hebt uitgegeven, hè? Nou, het spijt me. In tegenstelling tot jou bezit ik geen vijftigduizend pond.'

Toen Marks gezicht zich in een grimas plooide, realiseerde ik me hoe lang het geleden was dat hij me liefdevol had aangekeken. 'Ik betaal Holtby,' zei hij. 'Ik bedoel, van mijn deel van de financiële regeling. Ik heb nooit geld van je gewild. Jij hebt erop gestaan dat ik het aan zou nemen.'

'Ik heb je anders geen bezwaar horen maken,' reageerde ik.

'Dat heb ik wel geprobeerd, maar je gaf me geen kans. Voor jou was het van begin af aan een voldongen feit dat we het op deze manier zouden doen.' Hij keek me even doordringend aan. 'En zo heb je tot op het allerlaatste moment de touwtjes van onze beurs in handen gehad. En neem hem nu maar, voor ik nog van gedachten verander.' Mark pakte mijn rechter, tot een vuist geballe hand, duwde mijn vingers open en drukte er Fluffy's riem in.

Op dat moment hoorde ik aan de overkant van Fleet Street een hondje keffen. Fluffy hoorde het ook. Hij spitste zijn oren, en alle drie keken we om. Tussen de langsrijdende auto's en bussen door zagen we een vrouw met een prachtige Cavalier King Charles spaniël lopen. Het hondje zwaaide parmantig en uitdagend met zijn staart als een stripper die met haar boa paradeerde. Fluffy zag de hond en begon te blaffen en aan de riem te trekken om erheen te kunnen. Ik duwde de riem weer in Marks hand. 'Bedankt, maar nee. Ik wil níets van jou hebben.'

Hij keek me stomverbaasd aan. 'Zelfs Fluffy niet?'

'Nee. En weet je ook waarom, Mark? Omdat ik, telkens wanneer ik hem zie, aan ons huwelijk zou moeten denken.'

Intussen was de parmantige staart van de spaniël al een heel eind verder, en Fluffy trok nog wanhopiger om naar het hondje toe te kunnen voor hij verdwenen zou zijn.

Mark wilde de riem opnieuw in mijn hand drukken. 'Neem hem nu maar, verdomme.'

'Ik wil hem niet!'

'Neem hem, zeg ik!'

'Nee!'

'Annie, pak aan!'

En terwijl we elkaar om de beurt de riem in de hand drukten, trok Fluffy zich los en vloog de stoeptreden af, de sexy teef aan de overkant van de straat achterna. Mark en ik renden achter hem aan en riepen dat hij moest blijven staan, maar hij luisterde niet – tegen zijn libido konden we niet op.

Met fladderende oren, wapperende zwart-witte pony en een vol verwachting kwispelende staart sprong Fluffy van het trottoir en rende regelrecht een rijdende auto tegemoet.

Hoofdstuk 35

Het was Kerstmis en voor het eerst sinds jaren vierde ik het niet in het Workhouse. De flat werd verkocht aan de een of andere gladjanus die door de crisis als gevolg van de sub-primehypotheken zijn baan was kwijtgeraakt, zijn dure penthouse in Clerkenwell niet meer had kunnen betalen en een – in vergelijking – armoedig flatje in een achterafstraatje van Islington had moeten kopen. 'De arme stakker is op zijn laatste miljoen aangewezen,' had mijn vader opgemerkt toen de man zijn laatste bod had uitgebracht. 'Ik heb verschrikkelijk met hem te doen! Het is weer net als vroeger, hè? Wie geen werk had, kwam in het armenhuis terecht.'

De makelaar die de transactie voor ons regelde, zei dat Mark en ik geweldig boften met het feit dat we al zo snel een koper hadden gevonden, ook al had hij dan zo veel minder geboden dan onze vraagprijs was geweest. In plaats van zo'n laag bod te accepteren, had mijn vader voorgesteld om Marks deel te kopen en de flat te verhuren tot ik de aflossing weer zou kunnen betalen. Maar ik had meerdere redenen om zijn genereuze aanbod niet te willen accepteren. Om te beginnen had ik het geld nodig om mijn advocaat en de proceskosten te betalen, om nog maar te zwijgen over de boete die ik wegens meineed opgelegd had gekregen – mijn veroordeling had niet lang na mijn echtscheiding plaatsgevonden. En verder moest ik Mark zijn aandeel van ons gezamenlijk bezit geven.

Ik wilde mijn oude flat ook nooit meer zien. De woning waar

ik ooit zo gelukkig was geweest, bevatte nu alleen nog maar pijnlijke herinneringen.

Mijn meubels stonden, samen met het grootste deel van mijn persoonlijke bezittingen, in een opslag ergens onder een fly-over van de North Circular Road, en sinds ik aan het begin van de maand uit de gevangenis was gekomen, was ik letterlijk dakloos.

Niet dat ik het zwaar had. Sinds mijn vrijlating woonde ik bij mijn vader in Hampstead Garden Suburb. In het verleden had ik het allemaal zo vanzelfsprekend gevonden, de luxe van onze vrijstaande, pseudo-Georgiaanse villa met zijn houten lambriseringen in de hal, zijn indrukwekkende open trap en ruime kamers – de woonkamer met zijn kroonluchters en chesterfieldmeubels, de gezellige televisiekamer met zijn comfortabele banken en boekenkasten, de eetkamer met zijn prachtige, ovale, mahoniehouten tafel met tien stoelen waar we zo goed als nooit op zaten omdat pap en ik altijd veel liever in de zonnige keuken hadden gegeten, of, gezellig naast elkaar met de voeten op tafel en de borden op schoot, in de televisiekamer.

Maar na mijn gevangenisstraf van tien weken was ik mijn oude thuis met heel andere ogen gaan zien. In de gevangenis had ik het grootste gedeelte van de tijd doorgebracht in een piepkleine, veel te warme cel waar ik, op mijn smalle bed liggend, alle vier de muren kon aanraken, terwijl mijn zicht op de buitenwereld – door het gewapende glas in het smalle, van tralies voorziene raam – beperkt was tot een hoekje van de binnenplaats. Zelfs Vlads zolderflatje was enorm geweest in vergelijking met de kleine cel, en het huis van mijn vader kwam me inmiddels voor als het Paleis van Versailles. Hier kon ik gaan en staan waar ik wilde, kon ik doen wat ik wilde wannéér ik dat wilde. Er was niemand die me zei hoe laat ik op moest staan of wanneer ik moest gaan slapen. Als ik daar behoefte aan had, kon ik de hele dag in mijn kamer blijven zitten lezen of naar de televisie kijken. Ik kon uren lui liggen weken in een heerlijk schuimbad. Ik kon zelf de deur opendoen in plaats van te moeten wachten tot er een cipier kwam om mij eruit te laten. Ik kon, gewoon voor de lol, de trap op en neer rennen, en wanneer ik trek had – en ook wanneer ik dat niet had – de goed gevulde koelkast in de keuken plunderen. Maar het heerlijkste vond ik, geloof ik, nog wel dat ik op elk willekeurig moment van de dag of de nacht zomaar de goed onderhouden tuin in kon stappen om de koude winterlucht diep in mijn longen te zuigen.

'Je kunt blijven zolang als je wilt, schat,' had mijn vader gezegd toen hij me twee weken eerder bij de gevangenis had opgehaald en me naar huis had gebracht. 'Het is nog steeds je thuis, en dat zal het altijd zijn.'

Mijn vader was sinds de officiële hoorzitting en mijn veroordeling wegens meineed mijn grootste steun geweest. Maar ondanks de luxe kon ik zijn huis niet meer als mijn huis beschouwen. Ik hoorde er niet meer thuis. Ik hoorde nergens thuis. De scheiding en mijn gevangenisstraf hadden een ander mens van me gemaakt.

Ik had toegegeven dat ik meineed had gepleegd, en de advocaten die mijn vader voor mij in de arm had genomen, hadden me er al voor gewaarschuwd dat ik mogelijk naar de gevangenis zou worden gestuurd. Aanvankelijk was mijn hele veroordeling, het feit dat ik naar de cel van de rechtbank werd gebracht om daar op transport te wachten en het idee dat ik naar de gevangenis zou gaan, me volkomen onwerkelijk voorgekomen. Ik dacht automatisch aan al die Amerikaanse films en series, en in die zin zou het ook vast niet lang meer duren voor er een aardige politieman of advocaat zou komen – misschien zelfs wel Atticus Finch uit *To Kill a Mockingbird* – om me uit de cel te halen met de mededeling dat het allemaal een grote vergissing was geweest en dat ik gewoon naar huis kon gaan. Want uiteindelijk was ik, de vroegere Annie Curtis en inmiddels weer Annie Osborne, toch zeker niet het soort mens dat in de gevangenis thuishoorde, wel? Ik was geen misdadigster, ik was een hardwerkende, brave modelburger. Ik had geen oude dametjes in elkaar geslagen, ik was geen joyrider die een verschrikkelijk ongeluk had veroorzaakt en ik had ook niet met een revolver zwaaiend een bank beroofd. Mijn enige misdaad was dat ik verschrikkelijk stom was geweest wat mijn scheiding betrof.

'Hoe lang heb je gekregen?' De zwerfster die in de wachtcel naast me op de bank zat, tilde haar vuile rok op en krabde haar puistige dij.

Ik slikte met moeite. 'Zes maanden.'

Ze lachte en toonde meer gaten in haar mond dan tanden en kiezen. 'Dat is geen straf, dat is een makkie,' zei ze. 'Over drie maanden krijg je *ARD*, dus met een beetje geluk ben je met Kerstmis alweer thuis.'

Ik had er geen idee van dat *ARD* mijn 'Automatic Release Date' – de dag waarop ik, op de helft van de periode waartoe ik was veroordeeld, automatisch in vrijheid zou worden gesteld – was, en haar adem stonk zo verschrikkelijk dat ik het haar niet wilde vragen. Ik was een voor mij totaal nieuwe wereld met eigen regels, een eigen vocabulaire en eigen afkortingen binnengegaan, en ik zou tot het einde van mijn straf nodig hebben om er in thuis te raken.

Ik wachtte als verdoofd op wat er zou gebeuren. We wachtten samen. Ik voelde me misselijk en vroeg of ik naar de wc mocht, maar ik moest een halfuur wachten voor er iemand kwam om me eruit te laten. Toen er eindelijk een agente kwam om met me mee te gaan, bracht ze me niet alleen tot aan de deur, maar ging ze zelfs met me mee naar binnen. Toen ik even later dubbel-gebogen van de buikkrampen op de wc zat, wist ik niet met wie ik meer te doen had – met mijzelf of met haar.

Weer terug in de cel, die ik met drie andere vrouwelijke ge-vangenen deelde, was het opnieuw wachten geblazen. Ten slotte ging de deur weer open en moesten we allemaal meekomen. Maar in plaats van dat ik met een verontschuldiging naar huis werd gezonden, kreeg ik handboeien om en werd ik naar boven, naar zo'n wit busje voor gevangenenvervoer – je ziet ze wel eens, achtervolgd door paparazzi op de televisie – gebracht. Ik had me altijd al afgevraagd hoe die busjes er vanbinnen uitza-gen, en wat er omging in de mensen die achter die verduisterde raampjes zaten. En nu was ik het zelf, die opgesloten zat in de kleine, naar urine stinkende ruimte. Het bankje was van keihard plastic en mijn zicht op de buitenwereld was wazig van de tranen. En het enige wat ik kon denken was: dit kan niet waar zijn.

We arriveerden bij wat eruitzag als een middeleeuws poorthuis voor een lelijk, modern gebouw met vele kleine, van tralies voorziene raampjes. Op een bord bij de ingang stond 'Highridge Prison' en op dat moment realiseerde ik me dat het inderdaad waar was allemaal en dat ik hier niet onderuit zou kunnen komen. Ik werd meegenomen naar een kamertje waar me alles werd afgepakt wat me het meest dierbaar was: mijn BlackBerry met zijn screensaver van Fluffy, mijn horloge van Dolce & Gabbana, mijn Downtown, mijn levenslust en mijn waardigheid. Alles, met uitzondering van de laatste twee, werd in verzegelde plastic zakken gestopt die ik, zo kreeg ik te horen, na afloop van mijn straf weer terug zou krijgen.

Ik was het door mijn werk van ándere mensen gewend dat ze zich tot op hun ondergoed uitkleedden, maar nu was ik het die zich, in een hokje met een gordijn ervoor, van haar kleren moest ontdoen. Na bijna een hele dag zenuwachtig rondhangen was ik bezweet en groezelig, en ik voelde me verschrikkelijk naakt en kwetsbaar, zelfs in het katoenen schort dat ik kreeg aangereikt. 'Mooi,' zei de gevangenbewaarster met haar harde gezicht toen ze met haar gehandschoende handen mijn mooie kanten beha oppakte en bewonderde. Toen voegde ze er met voldoening aan toe: 'Maar je mag hem niet houden.'

'Het is míjn beha!' protesteerde ik, terwijl ik mijn borsten met mijn handen bedekte.

Langzaam liet ze haar blik over mijn gestalte gaan. 'Hij heeft beugels,' zei ze.

'Nou en?'

'Daarmee is hij potentieel gevaarlijk voor jouzelf en voor de andere gevangenen.'

'Het is toevallig wel de beste beha die er voor mijn maat borsten te krijgen is,' zei ik terug. Ik begon mijn zelfbeheersing te verliezen. 'Dacht u werkelijk dat ik die beugels eruit zou pulken om er iemand mee dood te steken? Of om er een strop mee te maken om mijzelf aan op te hangen?'

Ze bewoog haar neusgaten. Ik had haar op het verkeerde been gezet, dat zag ik zo. 'Geweld en zelfbeschadiging zijn twee van de grootste problemen waarmee we hier geconfronteerd worden, Osborne,' snauwde ze. 'Dus als je de neiging mocht hebben jezelf om zeep te helpen, dan kun je vierentwintig uur zelfmoordwacht van me krijgen, oké?' Ik beet op het puntje van mijn tong en zij ging verder met het bestuderen van mijn beha. 'Je kunt hem alleen maar houden als je ons er de beugels uit laat halen.'

'Hebt u het merk gezien?' vroeg ik ontzet. 'Het is een Rigby and Peller! Hebt u er enig idee van hoeveel dat ding kost?'

Ik kreeg te horen dat ik me moest douchen in een open hokje waarvan de afvoer vol lag met haren. Ik zeepte me grondig in met een gel die naar een schoonmaakmiddel voor wc's rook. Tegen de tijd dat ik me afdroogde in de handdoek die me werd aangereikt, voelde ik me even groezelig als voorheen. Zonder beha, maar wel weer in mijn eigen zwarte broekpak met witte blouse dat ik die ochtend naar de rechtbank had aangetrokken, werd ik naar een vertrek gebracht waar de intake plaatsvond en waar ik mijn gevangenennummer te horen kreeg – en meteen weer vergat. Vervolgens werd ik naar een verpleegster gestuurd die van me wilde weten of ik medicijnen nam en of ik zelfmoordneigingen had. Tot nu toe had ik daar nog nooit aan gedacht, wilde ik zeggen.

Rammelende hekken, dichtslaande deuren, een oude vrouw die zachtjes vloekend langs schuifelde op haar sloffen, een explosie van woedende stemmen die door de met neonlampen verlichte gang galmden, flarden van Jay-Z vanachter een open deur – 'Show Me What You Got'. Groepen strak kijkende vrouwen die me ruw opzij duwden of me aanstaarden alsof ze mijn angst konden ruiken, een onbeschrijflijk misselijkmakende zoetzure stank die het midden hield tussen een oude, gebruikte tampon en braaksel, en een maaltijd van tomaten uit blik, kraakbeen, instant aardappelpuree en witte bonen die me deed denken aan wat we op de lagere school kregen voorgeschoteld. Ik probeerde er met gelatenheid op te reageren, maar kon niet voorkomen dat ik van pure weerzin moest kokhalzen. Het liefst was ik de gang weer door gerend om met mijn vuisten op de gevangenisdeur te bonzen en te krijsen: 'Ik zweer dat ik in het vervolg nooit meer zal liegen! Maar laten jullie me er nu alsjeblieft uit!' Ik zat nog maar twee uur in Highridge, maar het voelde als een martelende eeuwigheid. Hoe moest ik dit al die maanden uithouden?

Ik zou de hele tijd in mijn cel blijven, besloot ik, toen ik naar een oververhit hokje werd gebracht dat zo smal was dat ik, wanneer ik mijn armen spreidde, mijn handen tegelijkertijd plat op de linker- en rechtermuur kon leggen. Een tafeltje, een plastic stoel en pal achter het bed, door een halfhoog kamerscherm aan het oog onttrokken, la pièce de résistence: mijn eigen badkamer – een gebarsten wastafel en een stinkende wc met een gebarsten deksel.

Nadat ik op de rand van het bed was gaan zitten, trok ik mijn jasje uit en hing het over de rugleuning van de stoel. Aangezien er verder niets te doen was, staarde ik als verdoofd naar de lichtgroene wanden. Ik dacht aan mijn mislukte huwelijk, en ik dacht – en dat was nog veel pijnlijker – aan wat Mark en ik in de naam van liefde Fluffy hadden aangedaan. Ik voelde me verschrikkelijk schuldig en miste hem meer dan ik kon zeggen.

Een paar minuten later kwam er een vrouw van in de twintig binnen. Ze zei dat ze Tanya heette en vertelde dat ze haar hadden gevraagd om mij een beetje wegwijs te maken voordat de cellen voor de nacht op slot zouden gaan.

Ze nam me mee de gang door, en toen we vijf minuten later terugkwamen, was mijn jasje verdwenen.

Dat was de druppel. Ik was woedend en wilde de diefstal melden, maar Tanya greep me bij de arm en zei op waarschuwende toon: 'Dat zou ik niet doen, als ik jou was, schat. Daarmee maak je je leven hier tot een hel. Er is maar één manier om het hier te overleven, en dat is je kop houden, ogen in je rug hebben en ervoor zorgen dat je niet opvalt.'

Hoofdstuk 36

De eerste die me, twee weken na mijn opsluiting, kwam opzoeken was mijn vader. Het moment waarop ik hem de bezoekkamer binnen zag komen, stond ik mijzelf toe iets te doen wat ik me de afgelopen veertien dagen niet gepermitteerd had – ik huilde. Pap hield me dicht tegen zich aan en liet me snikken op de revers van zijn kostbare, op maat gemaakte camel jas. 'Och, Annie, Annie! Hoe heb je jezelf toch zo in de nesten kunnen werken.'

Ik maakte me van hem los, snoot mijn neus en ging tegenover hem aan het formica tafeltje zitten. In een troostend gebaar legde pap zijn hand op de mijne. Hij zag er fantastisch uit. Het was me nog nooit eerder opgevallen, maar zijn succes straalde van hem af. Zijn wangen en kalende hoofd glommen alsof er een ploegje schrobbende kappers overheen was gegaan. Zijn zongebruinde vingers waren opgetuigd met zijn gebruikelijke collectie gouden ringen, en zijn regelmatig geknipte nagels waren gewreven tot ze ervan glansden.

'Het is zo heerlijk om je te zien,' zei ik. 'En je ziet er even chic uit als altijd.'

Mijn vader liet zijn blik over mijn gestalte gaan. 'Ik wou dat ik hetzelfde van jou kon zeggen, lieverd, maar wat ik zie is een hoopje ellende.'

'Dank je, pap. Dat had ik nu net even nodig.'

Hij wipte naar achteren op zijn plastic stoeltje. 'Waar is mijn beeldschone Annie? Je hebt je verwaarloosd, schat. En dat nog maar na twee weken! En je haren zien er niet uit. Mag je die soms niet wassen hier? En wat is er met je gezicht? Je ziet verschrikkelijk flets.'

Ik legde mijn hand op mijn wang. 'Nou, het eten dat we hier krijgen is nou niet bepaald wat je gezond noemt. En daarbij, ik heb geen make-up op.'

'En waarom niet?'

'Mijn make-uptasje is gestolen. Kort nadat ze mijn jasje hadden gegapt.' Pap schudde zijn hoofd, maar hij keek er niet van op. Hij wist uit eigen ervaring hoe het binnen de gevangenismuren toeging. 'Dus dit is waarschijnlijk de eerste keer dat je me, sinds mijn dertiende of zo, zonder mascara ziet,' ging ik verder. 'Hoe dan ook, het is niet echt zinvol om nog oorlogsverf op te smeren nu ik de strijd verloren heb.'

Hij nam me schattend op. 'Het is helemaal niets voor jou, Annie, om het op te geven.'

Ik zuchtte. 'Ach, er is voor alles een eerste keer.'

Er gleed een schaduw over zijn gezicht. 'Als ik die man van jou ooit nog eens tegenkom, dan vermoord ik hem voor alles wat hij je heeft aangedaan!'

'Mijn ex-man, zul je bedoelen. En ik zou me de moeite maar besparen. Hij is het niet waard. Bovendien, je komt ervoor in de gevangenis, en wie wil hier nu zitten?'

'Wat? Achter slot en grendel met al die vrouwen?' Mijn vader trok zijn wenkbrauwen op en glimlachte. 'Ik kan wel ergere straffen bedenken.'

Ik kon het niet helpen dat ik moest lachen. 'O, ik heb je zo gemist, lieve paps.'

'Ik jou ook, kleine meid. Kun je hier niet een paar uur uitbreken om samen bij Wolseley te gaan eten?' Hij legde zijn hand op de revers van zijn jas en zei quasi-fluisterend: 'Ik heb hier een koevoet in zitten.'

'Pap!' Ik wierp een blik op de grimmig kijkende bewaakster die binnen gehoorafstand bij de deur stond. Maar mijn vader draaide zich naar haar om en gaf haar een knipoog.

'Ze weet heus wel dat het een grapje is, niet, schoonheid?' Ik zag tot mijn verbazing dat ze echt haar best deed om niet te lachen. 'Ik ben, voor ik hier uiteindelijk naar binnen mocht, al zeker vijf keer gefouilleerd. En ik moet zeggen dat dat geen onaangename ervaring was. Al hadden ze me, wat mij betreft, daar ook best voor mogen strippen. Het volgende weekend kom ik terug – en heus niet omdat ik mijn dochter zo nodig wil zien!' Ze lachte. Ik had bewondering voor mijn vader, voor de manier waarop hij het op zijn vijfenzestigste en nagenoeg kaal nog altijd voor elkaar kreeg om indruk op vrouwen te maken. 'Maar het gaat dus goed met je, lieverd?' zei hij, zich weer tot mij wendend.

Ik haalde mijn schouders op. 'Ik overleef het wel. En weet je, ik had het je al eerder willen zeggen, maar ik heb er nog geen kans toe gehad – het spijt me echt heel erg allemaal. Ik heb je enorm teleurgesteld.'

'Nou, je kunt rustig zeggen dat het een klotesituatie is – en neem me de uitdrukking niet kwalijk,' zei hij over zijn schouder tegen de bewaakster. 'Door die schoft ben je alles kwijtgeraakt waar je zo hard voor hebt gewerkt – je baan waar je zoveel plezier in had, je flat...'

Ik had een brok in mijn keel. 'En die lieve Fluffy.'

Hij leunde naar achteren. 'Hou op over dat mormel! Jij en Mark, jullie stellen je alle twee even erg aan over dat beest. En moet je kijken waar je door hem terecht bent gekomen!' Hij drukte mijn hand. 'Maar je hebt een lief, goed hart, en je bent al erg genoeg gestraft. Veel te erg. Je verdient dit niet. Helemaal niet.' Opnieuw rolden de tranen over mijn wangen. 'En dan te bedenken dat die klootzak gewoon vrij rondloopt. Hier.' Hij haalde een schone, gestreken zakdoek met zijn initialen uit zijn zak en gaf hem aan mij. 'Nou, Annie, het is maar goed dat je oma er niet meer is en dat ze niet hoeft te weten dat jij hier zit.'

'Zou ze zich heel erg voor me hebben geschaamd?'

'Ben je gek? Ze zou een fles Guinness open hebben gerukt en het glas op je hebben geheven. Een tijdje in de nor is immers een familietraditie!'

We keken elkaar glimlachend aan. 'Maar hoe is het met jou?' vroeg ik.

'Met mij? Nou, afgezien van dat ik je mis en dat ik me zorgen om je maak, schat, gaat het goed met mij. Heel goed, zelfs.'

'Echt?' Ik nam hem onderzoekend op.

'Maar... Ik moet je iets vertellen. Over Norma en mij...'

Mijn hart trok samen. 'O, nee toch, pap? Je gaat me toch niet vertellen dat het uit is tussen jullie?'

'Nou, om je de waarheid te zeggen, lieverd...' begon hij ontwijkend.

Ineens werd ik ontzettend boos op hem. 'Waarom nu opeens? Of gewoon, waarom? Norma is zo'n lieverd.'

'O, dus je mag haar?'

'Natuurlijk mag ik haar! Ik vind haar het einde. Ik wou alleen dat jij dat ook zo zag.'

'Ho, ho, Annie. Ik heb nooit gezegd dat dat niet zo zou zijn. Norma is een fantastische meid, dat geef ik toe –'

'Ze is een vrouw!' corrigeerde ik hem.

Hij knipperde met zijn ogen en leek niet te begrijpen wat ik daarmee wilde zeggen. 'Dat zeg ik toch. Ze is een fantastische meid.'

Waar maakte ik me druk om? Ik hoefde van mijn vader niet te verwachten dat hij zich net zo zou uitdrukken als ik. 'Pap, jullie hebben al vijfenhalf jaar een vaste relatie, en dat is langer dan ik met Mark getrouwd ben geweest.'

Mijn vader snoof afkeurend. 'En dat moet zeker doorgaan voor een lange relatie, niet?' Hij reikte over tafel en drukte mijn hand. 'Weet je, je mag niet vergeten dat ik een kwart eeuw ouder ben dan Norma. De laatste tijd heb ik steeds vaker het gevoel dat ik haar niet kan bijbenen. Ik ben gewoon te oud om op zaterdagavond tot zo laat met haar te gaan stappen. En ineens, ik weet niet waar het vandaan komt, heb ik de behoefte aan iemand om oud mee te worden. Iemand met wie ik gewoon thuis kan blijven, bij wie ik op sloffen kan lopen en met wie ik gezellig samen op de bank voor de televisie kan zitten.'

'Maar waarom moet dat met iemand anders?' drong ik aan.

Hij schudde zijn hoofd. 'Zou je me nu even willen laten uitpraten? Wie heeft het over iemand anders?'

'Dan snap ik niet wat je wilt zeggen.'

Hij kreeg een kleur. 'Ik, eh... heb het haar gevraagd,' mompelde hij.

'Wát heb je gedaan?' riep ik stomverbaasd uit.

Hij hield zijn hand op om duidelijk te maken dat ik hem niet steeds in de rede moest vallen. 'Nou, ik weet wel dat je dit nooit van me zou verwachten, maar na wat er toen op de stoep voor de rechtbank gebeurd is tussen haar en die schoft van die advocaat van jou, nou, ik had gewoon geen keus.'

'Meneer Williams? Wat heeft hij hiermee te maken?'

Pap trok een gezicht. 'Toen we met zijn allen Fluffy achternagingen, heeft hij haar terzijde genomen en mee uit gevraagd. Hij zei tegen haar dat hij diep onder de indruk was van de manier waarop ze tegen mij tekeer was gegaan. Hij houdt kennelijk van sterke, dominante vrouwen.' Hij huiverde in zijn jas. 'Nou, toen Norma me dat een paar dagen later vertelde en erbij zei dat ze overwoog of ze met hem zou gaan lunchen, schrok ik daar wel een beetje van. En toen dacht ik... Eigenlijk is ze nog helemaal niet zo'n slecht wijf... Stel dat ik haar zou verliezen. Dus toen heb ik maar gedaan wat elke zichzelf respecterende man onder die omstandigheden zou doen. Ik probeerde het van me af te zetten. Maar dat lukte niet. En toen heb ik haar een paar dagen geleden ten huwelijk gevraagd.'

'Pap! En heeft ze ja gezegd?' vroeg ik ademloos.

Mijn vader, die zich niet voor kon stellen dat ik dat nog moest vragen, trok een gezicht. 'Wat dácht je? Godallemachtig! Zo'n onweerstaanbare kerel als ik?'

'O, pap!' Ik was zo opgetogen dat ik het wel kon uitschateren, maar in plaats daarvan werd ik overspoeld door emoties en moest ik verschrikkelijk huilen. Ik had me vaak afgevraagd hoe het met hem moest wanneer hij ouder werd, want er zou onvermijdelijk een moment komen waarop zijn steeds jongere vriendinnen genoeg van hem kregen, en ik was altijd bang geweest dat hij oud en eenzaam zou eindigen. Maar nu wist ik dat Norma er voor hem zou zijn. Een vrouw met een goed hart, onafhankelijk, die wist wat ze wilde, maar ook iemand die zich over haar dierbaren ontfermde, die een goed stel hersens had en in staat was om het tegen mijn overheersende vader op te nemen. Daarbij hield ze ook nog eens van hem en wist ik dat ze even dol op mij was als ik op haar. Maar hoe blij ik ook was, ik voelde me ook een beetje beroofd, alsof ik mijn vader verloor op het moment dat ik hem het hardst nodig had. En ik geloof dat mijn vader dat ook zo voelde, want hij zei met hese stem: 'Maar je moet niet denken, Annie, dat je je vader verliest, hoor. Tussen jou en mij en de gevangenismuren, voor mij zul jij altijd op de eerste plaats blijven staan. Je krijgt er gewoon twee tienerbroers bij, en een stiefmoeder met wie je kunt gaan stappen.'

Toen ik hem de verzekering had gegeven dat ik dolblij voor hem was en een kort briefje aan Norma had geschreven om haar geluk te wensen, ging mijn vader weg. Ik probeerde dapper te zijn, maar ik vond het verschrikkelijk om afscheid van hem te moeten nemen in de wetenschap dat hij terug zou gaan naar Hampstead Garden Suburb en ik niet met hem mee kon – het voelde alsof een van mijn ledematen werd afgerukt. Gedurende de afgelopen twee weken had ik mijn best gedaan om niet te veel aan Fluffy te denken, maar ineens werd ik overweldigd door een intens verlangen om hem, met die grijnzende open bek van hem en die mallotig flappende oren, springend aan mijn zij te zien. Wat zou dat een troost zijn geweest.

Maar wat een absurde fantasie.

Ik was op weg terug naar mijn cel toen een van de gevangenbewaarsters over de gang brulde: 'Osborne, de nieuwe directrice wil je spreken.'

'Ik wil terug naar mijn cel,' riep ik terug. 'Ik ben niet lekker.'

'Dat was geen verzoek, Osborne, het was een bevel. De directrice wil je spreken, dus je gaat, verdomme, naar haar toe!'

Terwijl ik haar kromme, vette rug volgde door een aantal afgesloten deuren en hekken, betonnen trappen op en af en langs de gemeenschappelijke wasruimtes waar het naar shampoo rook en je, van achter de halfopen deurtjes, water kon horen spetteren, vroeg ik me af wat ik misdaan had. In het boekje met de voorschriften, dat ik op de eerste dag overhandigd had gekregen, stonden maar liefst vijfentwintig regels vermeld, en in die zin was het niet moeilijk om een overtreding te begaan. Had ik met opzet een bewaarster in de uitvoering van haar plicht gehinderd? Had ik mijzelf, zonder dat te beseffen, een verboden middel toegediend? Had ik dreigende of beledigende taal gebruikt? Of had een medegevangene, iemand die mij niet kon uitstaan, drugs in mijn cel verstopt of me ergens ten onrechte van beschuldigd? Er waren meer dan voldoende vrouwen die ik daartoe in staat achtte. Ik had me geprobeerd te gedragen zoals Tanya me dat had aangeraden – door ogen in mijn rug te hebben en te proberen zo min mogelijk op te vallen – maar hoewel ik zelden met iemand sprak, had ik sterk het gevoel dat iedereen een ontzettende hekel aan me had.

In de afgelopen veertien dagen had ik over de nieuwe directrice horen vertellen. Ze zat nog maar net op haar post, maar in de twee weken dat ik hier was had ik nog nooit meegemaakt dat ze een gevangene bij zich had laten komen. Ik vermoedde dat ik iets heel ergs had gedaan, maar eerlijk gezegd kon het me niet schelen. Wat ze me ook zou verwijten, ik zou gewoon toegeven en de opgelegde straf – een bepaalde tijd in de isoleercel, aardappels schillen met mijn nagels, toiletten schrobben met een tandenborstel – gelaten ondergaan.

Na een labyrint van kale gangen en nog meer hekken en deuren in de moderne vleugel van de gevangenis kwamen we uit in de hal van het oorspronkelijke victoriaanse gebouw. We gingen een dubbele mahoniehouten deur met ruiten van kogelvrij glas door en liepen een gang met een stenen vloer in. Daar moest ik gaan zitten op een bankje tegenover een deur waarop een bordje met 'Directie' hing. Na vijf minuten zwaaide de deur open en kwam een vrouw in minirok, met een stapeltje dossiers onder de arm geklemd, naar buiten. Voordat ze een andere kamer in ging, zei ze tegen mij: 'Je kunt naar binnen.'

Ik ging naar binnen terwijl de bewaarster op de gang bleef wachten. Het vertrek was voorzien van donkere houten lambriseringen. Er hingen moderne spotjes waarvan het licht tegen het hoge, gepleisterde plafond weerkaatste. Tegen de muur stond een rij grijze archiefkasten met dikke stapels papieren erop, en de andere muur beschikte over een kleine open haard. Het grimmige instellingsinterieur werd enigszins verzacht door een aantal foto's in zilveren lijstjes, een vaas met chrysanten op de schoorsteen en een tweepersoonsbankje bekleed met verschoten chintz.

Het eerste wat me echter opviel aan het kantoor, waren de ramen. In de afgelopen twee weken was mijn horizon beperkt geweest tot lange, met kunstlicht verlichte gangen en het hoekje dat ik, door het smerige raampje van mijn cel, van de binnenplaats kon zien. Maar nu kon ik, door twee hoge, aan de buitenzijde van tralies voorziene schuiframen, de takken van grote platanen onderscheiden, en langsrijdende auto's, en gewone mensen die bij een bushalte stonden te wachten. De buitenwereld – waar ik deel van had uitgemaakt – bevond zich ineens weer verleidelijk dichtbij, maar ik kon er niet bij. Hoewel het uitzicht op de doodnormale straat werkelijk niets bijzonders was, kwam het mij prachtig voor.

Ik was zo gegrepen door wat ik zag, en door het zonlicht dat door de vensters naar binnen viel, dat ik de vrouw die ervoor aan een groot ouderwets bureau zat, helemaal niet had gezien. Ik schrok me wild toen ze ineens tegen me begon te praten.

'Dag, Annie. Ga alsjeblieft zitten. Ik maak dit even af, maar ik ben zo klaar.'

Haar toon was zakelijk, maar ik bespeurde er ook iets geruststellends in. Op de een of andere manier kwam haar stem me bekend voor, maar ik zocht er niets achter. Ik schoof een van de houten stoelen aan de andere kant van het bureau naar achteren, ging zitten en keek naar haar. Aanvankelijk zag ik, door het tegenlicht, alleen maar het silhouet van een ietwat mollige vrouw met keurig verzorgd bruin haar die iets aan het schrijven was, maar naarmate mijn ogen meer aan het licht gewend raakten en ze even later ook haar bril nog afzette, realiseerde ik me wie ze was. En mijn adem stokte.

Hoofdstuk 37

'Mevrouw Barclay!'

Marion Barclay. Dezelfde mevrouw Barclay die van baan wilde veranderen en iets speciaals nodig had voor haar sollicitatiegesprek. Hoe zou ik dat wollen mantelpak dat ik voor haar had gevonden ooit kunnen vergeten? Dat pakje met de gerende knielange rok en de zijden Burberry-blouse die ik erbij had uitgezocht? Ik had haar niet meer gezien sinds die fatale dag waarop ze, op weg naar haar sollicitatie, in alle haast naar de winkel was gekomen om het pakje te halen dat, in de minuten daarvoor, door Fluffy was vernield.

Mevrouw Barclay was de nieuwe directrice van Highridge. Geweldig, dacht ik bitter.

Ze legde haar pen neer en zuchtte. 'Annie. Ik had nooit gedacht dat ik jou hier zou zien.'

Ik slikte. 'Ik had ook nooit gedacht dat ik hier terecht zou komen, mevrouw Barclay.'

'Tja, maar hier zitten we dan. Tegenover elkaar – elk aan een kant van het bureau.'

'Ja.'

Ze glimlachte koeltjes. 'Uiteindelijk ben ik in dat oude fleecevest en de spijkerbroek van mijn man naar die sollicitatie gegaan – ik moest wel. Maar je ziet, ik heb de baan toch gekregen.'

'Bedoelt u dat dít de baan was?' vroeg ik. 'Dat u voor déze baan ging solliciteren? Voor de baan van directeur van Highridge?' Ze knikte. 'Ik heb het u al eens gezegd, en ik zeg het nog eens. Het spijt me echt verschrikkelijk wat er met uw mantelpak is gebeurd.'

Ze wuifde mijn woorden weg. 'Uiteindelijk waren het alleen maar kleren, Annie. Er zijn belangrijker dingen in het leven, realiseerde ik me, toen ik over de ergste schok heen was.' Ze zweeg even. 'Ik heb het gelezen van je scheiding. En ook van die rechtszaak, natuurlijk. Het stond in de krant. En ik wil je wel bekennen dat ik nogal verbaasd was. Meineed is een zwaar misdrijf.'

Ik kreeg een brok in mijn keel. 'Ja, daar ben ik inmiddels wel achter.'

'En diefstal ook. Zelfs van een zwerver.'

'Ja.'

Ze keek met die doordringende ogen van haar dwars door me heen, en ik liet mijn hoofd beschaamd hangen. Ik schaamde me dieper dan ik gedaan had toen ik, op mijn elfde, tijdens een wiskundeproefwerk betrapt was op spieken. 'En toen ontdekte ik, tot mijn verbazing, jouw naam op de lijst van nieuwe gevangenen,' ging ze verder. 'Wat zeggen je ouders hiervan?'

'Nou... mijn vader was behoorlijk van streek, natuurlijk...'

'En je moeder?'

Het brok in mijn keel werd groter. 'O... mijn moeder...' begon ik. 'Ik heb geen...' Ineens kon ik geen woord meer uitbrengen, en even later zat ik op het tweepersoonsbankje in het kantoor voor de tweede keer die middag te janken als een klein kind. Marion Barclay was naast me komen zitten. Ze hield mijn oververhitte hand tussen haar koele vingers en bood me een doos met tissues aan. Ik heb er geen idee van hoe lang ik daar zat, maar ik vertelde haar alles – over mijn moeder die ons in de steek had gelaten toen ik acht was, over hoe ik Fluffy had gered en Mark had ontmoet, over Ferns tanga, de roze riem en mevrouw Weimaraner, en over Fluffy die voor de rechtbank onder een auto was gelopen.

'Hoe is het mogelijk,' zei ze, toen ik was uitgehuild. 'Jij en ik hebben meerdere keren contact met elkaar gehad, en in de loop der jaren moet ik je heel wat intieme dingen van mijzelf hebben toevertrouwd. Je maakte op mij altijd de indruk van een opgewekte jonge vrouw. Ik had er geen idee van dat je zoveel problemen had. Het spijt me, Annie. Je bent al zwaar genoeg gestraft zonder dat ik daar nog eens een schepje bovenop zou hoeven doen.' Ze glimlachte. 'Waarschijnlijk heb je niets aan wat ik nu ga zeggen, maar voor wat meineed betreft ben je in goed gezelschap. Heel wat bekende mensen hebben dezelfde misdaad begaan en daar, net als jij nu, voor moeten boeten. Daarna hebben ze de draad van hun leven weer opgepakt, en in de meeste gevallen hebben ze ook hun reputatie nog weten te redden. Denk maar aan Jonathan Aitkin en Jeffrey Archer. En Martha Stewart, natuurlijk, de Amerikaanse die zo beroemd is geworden met het opnieuw inrichten van huizen, en die in grote moeilijkheden kwam door gegevens achter te houden voor de belasting. Maar ik weet zeker dat jij, zodra je weer vrij bent, net als zij weer door kunt gaan met het werk waarin je zo goed bent.'

Ik schudde mijn hoofd. 'George Haines heeft me ontslagen.'

'Niet om wat er met mij is gebeurd, hoop ik.'

'Het was mijn eigen schuld. Hij was woedend omdat ik Fluffy de winkel had binnengesmokkeld. U moet namelijk weten dat het al een keer eerder was gebeurd, en ik had hem bezworen dat het bij die ene keer zou blijven.'

Marion Barclay zuchtte. 'Nou, dat was een erg domme beslissing van Haines. Voor wat zijn zaak betreft, bedoel ik. Niemand op personal shopping heeft zoveel flair als jij, en ze zullen heel wat klanten kwijtraken – en ik als een van de eerste. Haines and Hampton is niet de enige zaak in Londen met een personal shopping-afdeling. Ik weet zeker dat je wel ergens anders werk zult kunnen vinden.'

'Met een strafblad? Dat betwijfel ik.' Intussen had ik een hele doos tissues weggewerkt. Ik pakte de laatste en snoot mijn neus. 'Hoe dan ook,' zei ik, 'het kan me niets meer schelen. Al die dure mode hoeft niet meer voor mij. Make-overs en personal shopping en merkkleren – het is zo'n ontzettend oppervlakkig wereldje.'

'Ik zal je iets vertellen, Annie.' Ze pakte mijn hand en drukte hem. 'Er was niets oppervlakkigs aan wat jij voor mij hebt gedaan. Na mijn borstamputatie was jij degene die me mijn zelfvertrouwen teruggaf. Dankzij jou heb ik de touwtjes van mijn leven weer in handen gekregen en ben ik me weer een begeerlijke vrouw gaan voelen – al is dit waarschijnlijk niet de plek om het over dit soort dingen te hebben. Moet je horen,' ging ze verder, terwijl ze mijn hand losliet. 'Ik weet zeker dat je weer werk zult kunnen vinden na je vrijlating, die, als ik het goed heb, een paar dagen voor Kerstmis zal zijn.'

'Nou, personal shopping hoeft niet meer voor mij,' zei ik. 'Het kan me allemaal niets meer schelen. Ik ben alles kwijt wat belangrijk voor me was. Mijn huwelijk. Mijn huis. Mijn zelfrespect. En Fluffy.'

'Die onverschilligheid kun je je niet veroorloven, Annie,' zei ze, nogal streng. 'We krijgen in het leven maar één kans, en jij bent veel te jong en veel te getalenteerd om het bijltje er op deze manier bij neer te gooien. Vroeg of laat vind je een ander met wie je wilt trouwen –'

'Dat nooit meer!' viel ik haar in de rede.

'– en met wie je misschien ook kinderen zult krijgen. Dat is iets waar ik zelf altijd spijt van heb gehad. En na wat je zelf met jouw moeder hebt meegemaakt, zou dat ook wel eens een helende ervaring voor je kunnen zijn. En voor wat het verlies van Fluffy betreft...' ze stond op en liep terug naar haar bureau '... je zegt dat je van hem hield, maar...' Ze ging zitten en gebaarde me dat ik weer tegenover haar moest plaatsnemen. 'Je wilt dit misschien niet van me horen, Annie, maar, nou ja, hij was maar een hond. Het kan best zijn dat je op dit moment vreselijk veel verdriet om hem hebt. Je bent er misschien wel kapot van. Maar als dat het ergste is wat je in je leven te verwerken krijgt... Echt, je komt er heus wel overheen. Er zijn mensen die hun kínderen verliezen, en die toch voldoende motivatie vinden om de draad van het leven weer op te pakken. Je wilt me toch niet vertellen dat je de moed opgeeft alleen omdat je een hónd hebt verloren? Kom op zeg, jongedame! Met dat zelfmedelijden, en met steeds maar aan je eigen ellende te denken, schiet je niets op. Denk liever aan wat je voor anderen zou kunnen doen – voor anderen die er veel erger aan toe zijn dan jij.'

'Waarom zegt u dat allemaal tegen mij?' vroeg ik nadat ik was gaan zitten.

'Omdat je een preek waard bent, Annie. En omdat ik je een voorstel wil doen.' Ze sloeg haar handen in elkaar, legde ze op het bureau en boog zich naar voren. 'Luister. Je bent hier om een straf uit te zitten, en ik kan je niet zomaar een voorkeursbehandeling geven. Die zul je, net als alle anderen, moeten verdienen. Ik kan het me niet veroorloven om je speciale gunsten te verlenen. En aangezien jij zo je best hebt gedaan om mij aan deze baan te helpen – en dan heb ik het even niet over Fluffy – zou het wel heel erg jammer zijn als ik door aan jou bewezen gunsten op straat zou komen te staan, vind je ook niet? Maar, Annie, je kunt iets voor me doen.'

'O?'

'Het gaat om een experiment dat ik graag uit zou willen proberen. Deze gevangenis zit vol vrouwen die geen greintje eigenwaarde hebben. Ze hebben geen zelfrespect en geen ambitie. De meesten hebben ook nauwelijks enige opleiding gehad. Ik vertel je waarschijnlijk niets nieuws als ik zeg dat een groot deel van hen ook geestelijke problemen heeft, depressief is en met zelfmoordneigingen kampt. Ze komen over het algemeen uit gezinnen waar ze mishandeld zijn, of waar ernstige misstanden heersen. Jij hebt het als kind zonder moeder moeten stellen, maar veel van deze vrouwen hebben het veel en veel zwaarder gehad in hun jeugd. Het enige wat veel van deze vrouwen hebben zijn hun kinderen, alhoewel veel vrouwen die kinderen ook kwijt zijn geraakt aan het systeem omdat ze verslaafd zijn, geen huis hebben of omdat ze, om wat voor reden dan ook, niet voor hen kunnen zorgen. Maar het opvallende is dat veel van deze vrouwen heel intelligent zijn. Ze hebben er echter geen idee van wat ze zouden kunnen bereiken als ze zich ergens helemaal voor in zouden zetten. En nu wilde ik jou vragen of je hen zou willen helpen met het terugwinnen van hun zelfvertrouwen, en een beetje zelfrespect.'

'Ik? Hoe zou ik dat moeten doen?'

Marion Barclay glimlachte. 'Ligt dat niet voor de hand, Annie? Door voor hen te doen wat je voor mij hebt gedaan.

Door ervoor te zorgen dat ze zichzelf gaan accepteren. Door ze te laten zien hoe ze het beste van zichzelf kunnen maken met wat ze hebben – hetgeen in de meeste gevallen echt bitter weinig is.'

'Bedoelt u dat u wilt dat ik make-overs met ze doe? Hier, in de gevangenis?' Mevrouw Barclay knikte. Ik moest er bijna om lachen. 'Maar dat is toch onmogelijk! In de winkel had ik een heel team van assistentes en vier verdiepingen vol dure merkkleren om uit te kiezen. En kappers en visagisten en alle denkbare cosmetica van de hele wereld. Geld speelde geen rol.'

'Ja, ja, dat weet ik allemaal. En het zou natuurlijk een enorme uitdaging voor je zijn. Maar... Denk je niet dat je íets zou kunnen proberen? Ik kan een ruimte voor je regelen – een soort van kantoor, zeg maar. En ik weet zeker dat we cosmeticafabrikanten en ook warenhuizen – misschien zelfs wel Haines and Hampton – zover zullen kunnen krijgen dat ze ons make-up willen schenken. We zouden mensen aan moeten schrijven. En wat kleren betreft – hier in de kelder is een grote opslag met gevonden voorwerpen, spullen die door gevangenen zijn achtergelaten. Het is natuurlijk niet bepaald haute couture, maar... Je zou moeten improviseren. Probeer het beste te maken van wat je hebt. Misschien dat je de gevangenen ook zover zou kunnen krijgen dat ze dingen met elkaar willen ruilen.' Ze glimlachte warm en enthousiast. 'Zou je dat voor mij willen doen, Annie? Ik heb zo het gevoel dat je, door iets voor anderen te doen, jezelf ook beter zult gaan voelen.'

Gedurende de rest van mijn verblijf in Highridge stortte ik me op de uitvoering van Marion Barclays make-overplan. Ze kreeg haar vriendinnen zover dat ze hun oude kleren schonken, en nadat ik in de eetzaal een poster had opgehangen, vond ik een kapster en een paar naaisters onder de gevangenen die bereid waren me bij de transformatie van mijn nieuwe 'klanten' te helpen. Verder gaf mevrouw Barclay me toestemming om Eva te bellen, die na mijn ontslag tot hoofd van de afdeling personal shopping was benoemd – een functie waarvan ik wist dat ze die verdiende. Dat kon evenwel niet voorkomen dat ik het heel moeilijk vond om me voor te stellen hoe ze nu in mijn kantoor zou zitten, haar jas aan de haak aan de achterkant van de deur zou hangen en, met haar mooie voetjes naast elkaar, achter het bureau zou zitten dat voor mijn gevoel nog steeds van mij was. En was het alleen maar mijn verbeelding, of klonk ze echt een beetje zelfvoldaan toen ze zei: 'Ik zal kijken wat ik voor je kan regelen, Annie. Ik beloof je dat ik het met meneer Haines zal overleggen, maar ik kan je niets beloven.'

Twee weken later werd ik opnieuw bij de directrice geroepen. In Marion Barclays kantoor stonden drie grote kartonnen dozen en vier grote plastic draagtassen van Haines and Hampton op te me wachten. En tussen die dozen en tassen stond – zenuwachtig en ingetogen – Charlotte. Ze droeg een sober zwart broekpak en een gewatteerde Cecilia van Mark Jacobs, en ze had haar blonde haren in een strakke paardenstaart. Ze fronste haar voorhoofd toen ze me zag binnenkomen – waarschijnlijk had ze even tijd nodig voor ze mij herkende, maar toen dat was gebeurd, begon ze te stralen en wiebelde ze me op haar rode naaldhakken van Manolo tegemoet. Ze wapperde met haar handen en riep: 'Annie! Annie!' Toen ze me tot op een meter afstand was genaderd, bleef ze staan en wendde ze zich tot mevrouw Barclay. 'Kan ik haar aanraken, mevrouw Barclay?' vroeg ze. 'Ik bedoel, mag dat? Is het toegestaan?'

'Nou, het kan me niet schelen of het mag. Ik heb er graag een week isoleercel voor over!' riep ik en ik sloeg mijn armen om haar heen. Tijdens onze omhelzing drongen de meest heerlijke geuren mijn neusgaten binnen – Chanel Naturally Luminous Foundation, als ik me niet vergiste, en Aveda Pure Abundance Voluminizing Shampoo en, ja, Breath of Joy, dat exclusieve parfum van Jean Patou dat Charlottes moeder haar altijd voor haar verjaardag gaf. In het verleden hadden al die luchtjes zo vanzelfsprekend deel uitgemaakt van mijn dagelijkse bestaan dat ze me nauwelijks waren opgevallen, maar nu riepen ze beelden op van een wereld die miljoenen kilometers ver weg leek – exotisch, duur en luxueus. Het verlangen daarnaar was zo intens dat het nagenoeg ondraaglijk was.

Charlotte maakte zich van mij los, en hoewel haar rood gestifte lippen glimlachten, deden haar ogen niet mee. Tot op dat moment had ze me alleen nog maar netjes en goed verzorgd op mijn werk gezien, en ik realiseerde me hoe afstotelijk ik eruit moest zien in mijn gekreukte T-shirt en trainingsbroek, en met mijn ongewassen haren, en mijn onopgemaakte, vettige en naar gevangenis stinkende huid. Ik was die ochtend bezig geweest met het schoonmaken van het stoffige kantoor dat mevrouw Barclay voor me had gevonden om mijn make-overs in te doen, dus waarschijnlijk rook ik ook nog naar zweet. Ik schaamde me voor mijzelf en voelde me in het nadeel.

'Het is heerlijk om je te zien, Charlotte,' zei ik terwijl ik een stapje naar achteren deed, 'en ik zie dat je een heleboel spullen hebt meegebracht.'

'Nou, Eva heeft het aan meneer Haines gevraagd, en die zei dat we een deel van de oude uitverkoopvoorraad uit het magazijn konden krijgen,' vertelde ze. 'Dus ik ben erheen gegaan en heb de hele boel gesorteerd, en hoewel er natuurlijk niets van dit seizoen bij zit, heb ik toch nog heel wat aardige dingen van afgelopen winter gevonden, zoals een paar jasjes van Miu Miu en broeken van Nicole Farhi. Er is zelfs een jurk van Julien Macdonald van vorig seizoen bij die is teruggebracht omdat de rits kapot was, maar ik weet zeker dat er een nieuwe ingezet kan worden. In deze doos zitten ceintuurs en tassen, en die andere zit vol met topjes en blouses. En in deze,' ging ze verder, op de draagtassen wijzend, 'zitten make-up en cleansers. Ik heb de meisjes van cosmetica verteld waar ik de spullen voor nodig had en ze hebben een hele hoop testers en monstertjes gevonden. En dit kleine tasje is voor jou. Je krijgt veel liefs van iedereen, Annie.'

Sinds mijn ontslag had ik heel bewust geprobeerd om niet te veel aan Haines and Hampton te denken, maar terwijl ik zo naar de keurig prononcerende Charlotte luisterde, zag ik de zaak en mijn afdeling weer glashelder voor me. In gedachten zag ik mijzelf op de cosmetica-afdeling met zijn vitrines van staal en glas, zijn schier eindeloze spiegelwanden, de onbetaalbare lotions en crèmes in hun prachtige potten en verpakkingen, het deskundige personeel en de knappe schoonheidsspecialistes in hun onberispelijk witte uniformen die hen op verpleegsters deden lijken. In het verleden had ik alleen maar over die afdeling hoeven lopen om me meteen vrolijk en veilig te voelen. Hoe heerlijk had ik het niet gevonden om daarvan deel uit te kunnen maken. En dat alles had ik nu vergooid. Ik was *persona non grata*. En ik zou er nooit meer thuishoren.

Volgens mij zag Marion Barcley aan me dat ik van streek was, want ineens zei ze: 'Waarom breng je die dozen niet meteen naar het kantoor, Annie? En misschien wil Charlotte je wel helpen – dat wil zeggen, als je daar tijd voor hebt, Charlotte? Ik kan zo een speciaal bezoekerspasje voor je regelen. En misschien ook een goederenkarretje om de spullen op te zetten.'

Twintig minuten later duwden Charlotte en ik een blauw metalen wagentje met de dozen en tassen erop de lange gangen door. We werden op de voet gevolgd door een bewaakster en oogstten nieuwsgierige blikken van mijn medegevangenen. Vergeleken met ons zag Charlotte eruit als een wezen van een andere planeet. En dat was ze in zekere zin natuurlijk ook – een wezen van Planeet Chic.

Na een maand in Highridge was ik al helemaal gewend geraakt aan de talloze metalen hekken en deuren waar we doorheen moesten, maar ik zag haar ineenkrimpen bij elke deur die achter ons op slot ging. Om de haverklap keek ze zenuwachtig achterom alsof ze verwachtte door een met een bijl gewapende gek besprongen te worden, en op sommige momenten zag ik dat ze dapper haar best deed om niet te kokhalzen van de stank. Tegen de tijd dat we bij mijn zogenaamde kantoor waren gekomen, zag ik hoe bleek ze was geworden. Ik vroeg of ze weg wilde, maar ze stond erop tenminste te blijven tot we de dozen hadden uitgepakt. Gelukkig rook het vertrek, na mijn grondige schoonmaakbeurt van die ochtend, niet meer naar spruitjes en kool, maar naar ontsmettingsmiddel en bleekwater.

Het eerste wat ik deed nadat we alles van het wagentje hadden geladen, was in de draagtasjes van de cosmetica-afdeling kijken. Ik pakte de eerste de beste eau-de-toilettetester – Oscar, van Oscar de la Renta – en spoot ermee in de lucht.

'Oef! Dat is beter!' verzuchtte ik, de lucht diep opsnuivend. 'Mmm! Ik voel me bijna weer mens.'

Charlotte veegde het wagentje af met een tissue en ging met een somber gezicht op de rand zitten. 'Annie, zou je het erg bezwaarlijk vinden als ik je heel eerlijk zei wat ik denk?'

Het was niet het moment om te lachen om haar gecompliceerde zinnen, dus ik volstond met: 'Ga je gang, Charlotte.'

'Je bent zo verschrikkelijk vrolijk, maar...' Ze vertrok haar zorgvuldig gepoederde gezicht tot een grimas. 'Het is verschrikkelijk hier! En al die dichte deuren en zo! En die afschuwelijke stank. En alles lijkt zo smerig dat ik amper ergens aan durf te komen uit angst voor besmetting. En dan... nou ja... sommigen van die mensen die we op de gangen zijn tegengekomen... Er waren erbij die... om het vriendelijk te zeggen... zo, nou ja...' ze fluisterde nu '... die veel te zwaar waren, en dan zoals ze erbij liepen, je weet wel, zo smakeloos gekleed! Het lijkt wel, Annie, of iedereen er hier zijn eigen stijl op na houdt! Hoe kun je daar tegen, Annie? Hoe hou je het uit om hier weken achtereen opgesloten te zitten? Ik zou hier al na één dag gillend weg willen lopen!'

Mijn mond viel open. Ik had van begin af aan geprobeerd om me niet aan te stellen. Ik had mezelf zelfs wijsgemaakt dat ik maar een akelig verwend nest was en dat de gevangenis in werkelijkheid niet half zo ondraaglijk was als ik wel dacht. Uiteindelijk leek geen van mijn medegevangenen zich ook maar half zo erg aan de dingen te storen als ik. En nu bracht Charlotte hier precies al die dingen onder woorden die ik wekenlang onderdrukt had, en zelfs niet had durven denken. Op de een of andere manier kwam haar hele beschrijving me waanzinnig komisch voor.

Ik had sinds de hoorzitting niet meer gelachen, maar ineens schaterde ik het uit. Charlotte keek me geschrokken aan. 'Wat is er, Annie? Heb ik iets verkeerds gezegd?'

'Nee,' wist ik uit te brengen, 'je hebt alleen maar precies datgene onder woorden gebracht wat ik zelf niet durfde toe te geven. Kom hier, en laat me je een zoen geven! Je bent een schat!'

Hoofdstuk 38

Met de kleren, accessoires en make-up die Charlotte me van Haines and Hampton had gebracht, en de kleren die mevrouw Barclay had ingezameld, had ik meer dan genoeg materiaal om de make-overstudio te starten. In de loop van de eerste vijf dagen nam ik twaalf vrouwen – stuk voor stuk weifelende proefkonijnen – onder handen die er bovendien in toestemden om in het weekend mee te werken aan een bescheiden modeshow in de gymzaal. Het showen was zo'n succes, en de vrouwen waren zo opgetogen over wat de kapsters en ik voor hen hadden gedaan, dat op het einde van de tweede week iedereen mijn vriendin wilde zijn. Het duurde niet lang voor het nieuwtje van mijn make-overs de wereld buiten de gevangenismuren had bereikt en een onafhankelijke televisiezender uit Soho contact zocht met mevrouw Barclay met het voorstel om, binnen de gevangenis, een zesdelige serie, de 'make-over van bajesmeiden', te filmen. Mevrouw Barclay liet hun weten geen interesse te hebben. Ze wilde iets voor de vrouwen doen om ze zelfverzekerder te maken, en dat was niet hetzelfde als ze op de televisie te laten verschijnen voor vijf minuten vluchtige roem.

Inmiddels was het al begin december, en was het moment aangebroken waarop ik vrij zou komen. Marion Barclay had me gevraagd of ik mijn project als vrijwilligster wilde voortzetten, en ik had beloofd dat ik er na Kerstmis mee verder zou gaan. Maar eerst moest ik mijn leven weer op de rails zien te krijgen – er was een aantal belangrijke dingen waar ik een oplossing voor moest zien te vinden.

Nummer één: waar moest ik wonen?

Nummer twee: hoe moest ik, als ex-veroordeelde, voor mijn lichamelijke en geestelijke gezondheid zorgen? En dan bovendien nog een ex-veroordeelde die, over niet al te lange tijd, deel zou gaan uitmaken van de grote, onbeminde groep van ongehuwde moeders.

Ja ja, je kon rustig stellen dat ik een ernstige vergissing had begaan toen ik, die eerste avond in Vlads flatje, mijn pillen door de wc had gespoeld.

Tijdens de eerste weken van mijn gevangenschap weet ik mijn misselijkheid 's ochtends aan angst – en als het geen angst was, dan kwam het natuurlijk door het gevangeniseten dat ik niet gewend was. Toen ik niet lang daarna opeens onbedwingbare trek kreeg in een bepaald soort snoep met chocolade dat ik sinds mijn jeugd niet meer had gegeten – Wispas, Munchies en Chrunchie Bars – hield ik mezelf voor dat dit was om mijn verdriet weg te eten, hetgeen gegeven de omstandigheden nog helemaal niet zo vreemd was. Ik propte me vol met elk beetje chocola dat ik maar te pakken kon krijgen of van mijn medegevangenen kon bietsen, en natuurlijk werd ik dikker en dikker. Kon mij dat iets schelen? Nee. Had ik ergens een vermoeden van? Aanvankelijk niet, en ook niet toen mijn menstruatie uitbleef, want ik was altijd al onregelmatig geweest. En ik zocht er zelfs niets achter toen mijn borsten zo groot werden dat ze begonnen uit te puilen over de bovenkant van de B-cups van de katoenen Agent Provocateur-beha, die Norma me ter vervanging van de Rigby and Peller met zijn beugels had gestuurd.

Dus tegen de tijd dat ik het eindelijk doorhad – of liever, toen een medegevangene me er attent op maakte door te vragen wie me zwanger had gemaakt – was ik waarschijnlijk al drie maanden onderweg, hoewel ik eruitzag alsof ik al in de vijfde maand was.

Als ik naar de gevangenisarts was gegaan had ik er misschien nog iets aan kunnen doen, maar op de een of andere manier voelde ik me te loom en te futloos om daar de nodige energie voor op te kunnen brengen. De enigen aan wie ik het vertelde waren Clarissa en Norma, toen ze me, twee weken voor mijn vrijlating, samen kwamen bezoeken.

'Gefeliciteerd, schat!' Mijn stiefmoeder keek me stralend aan, alsof ik haar het fijnste nieuws van de wereld had verteld. Maar het volgende moment betrok haar gezicht, en riep ze uit: 'O god, ik word oma!'

Clarissa keek van mij naar haar en terug. 'Geweldige timing, Annie,' zei ze.

'Hm, ja, dat kun je wel zeggen, hè?'

'Ik bedoel, al die jaren zeurt Mark je aan je hoofd dat hij kinderen wil, en jij zegt maar steeds dat je daar niet aan toe bent, en dan wacht je tot vier dagen voor de uitspraak van je echtscheiding om zonder voorbehoedsmiddelen met hem naar bed te gaan!'

'O, jongens, dat wil ik allemaal niet weten.' Norma drukte haar oren dicht, maar het was te laat.

'Ja hoor, wrijf het er nog maar even lekker in,' zei ik tegen Clarissa.

Mijn beste vriendin onderdrukte een giechel. 'Het spijt me, maar je zult moeten toegeven dat het behoorlijk stom is.' Maar toen reikte ze over de tafel heen, pakte mijn hand en voegde er ernstig aan toe: 'En wat ben je van plan eraan te doen, lieverd?'

'Wat zou ze eraan moeten doen?' riep Norma geschokt uit terwijl ze mijn andere hand vastpakte. 'Daarmee wil je toch hoop ik niet suggereren dat ze het zou moeten laten aborteren, wel?'

'Ik suggereer niets, Norma,' zei Clarissa terwijl ze mijn hand steviger vastpakte. 'Ik heb Annie alleen maar gevraagd wat ze eraan wil doen.'

'Nou, ik stel geen vragen. Ik zég dat ze dit kind moet krijgen!' verklaarde Norma fel, en ze kneep zo hard in mijn hand dat ik vreesde dat ze de botjes zou verpulveren.

'Hé, jongens, geen ruziemaken alsjeblieft,' smeekte ik. 'Ik wil best bekennen dat ik niet weet wat ik moet doen. Eerst wil ik hier uit en dan zie ik wel verder.'

'O ja? Tegen die tijd ben je, wat, dertien, veertien weken ver, dus je kunt een beslissing echt niet lang uitstellen,' zei Norma.

Clarissa liet mijn hand los en leunde naar achteren. 'Lieverd, als je wilt weten hoe ik erover denk...'

'Nee, dat wil ik niet. Dankjewel.'

'Zoals ik al zei, als je wilt weten hoe ik erover denk –'

'Dat wíl ze niet weten!' riep Norma. 'Hoor je dan niet wat ze zegt?'

Clarissa negeerde ons en sprak gewoon verder. '– en dat wíl je, omdat je niet buiten mijn mening kunt, dan zeg ik je dat ik het met Norma eens ben.'

Norma keek geschokt. 'Meen je dat?'

'Ja, natuurlijk.' Clarissa wendde zich weer tot mij. 'Lieverd, je bent eenenveertig nu.'

'O, doe me een lol, zeg! Bespaar me die onzin over de biologische klok, wil je?'

'Goed, maar het is wel waar.'

'En geloof me nu maar, Annie,' zei Norma, 'het moederschap is een zegen. Het mag dan niet altijd even gemakkelijk zijn, maar het is een zegen. Er is niets beters op de wereld dan het hebben van kinderen.'

Ik dacht aan wat Marion Barclay me had gezegd, dat ze er spijt van had dat ze geen kinderen had gekregen. En toen dacht ik aan mijn moeder, en er gleed een verdrietig glimlachje over mijn gezicht. 'In mijn familie zijn we niet echt goed in het moederschap. Of in het in stand houden van ons huwelijk.'

'Hé, ho, ho!' riep de toekomstige mevrouw Osborne uit. 'Ik ben van plan om daar verandering in te brengen.'

'En daarbij ligt het heus niet aan je genen of je een slechte of goede moeder zult zijn,' zei Clarissa. 'Ik bedoel, kijk naar mij. Ik mag dan wel niet volmaakt zijn, maar ik ben zonder twijfel een betere moeder voor mijn kinderen dan mijn moeder voor mij is. Annie, ik weet zo goed als zeker dat je er verschrikkelijke spijt van zult krijgen als je dit kind niet laat komen, want in dat geval hou je echt helemaal niets aan je huwelijk over.'

'Je vergist je,' zei ik somber. 'Je vergeet mijn strafblad.'

Clarissa aarzelde even, en toen zei ze: 'Goed, goed, je hebt gelijk. Afgezien daarvan dan.' En we moesten alle drie lachen.

Het krijgen van een baby was evenwel geen grapje. En het krijgen van het kind van de man van wie je zojuist was gescheiden, ging een mens niet in de koude kleren zitten. Goed, Norma had toegezegd dat ze me zo veel mogelijk zou helpen. Ze had zelfs aangeboden om mee te gaan naar het een of andere prijzige restaurant om me daar, onder het genot van biefstuk, patat en een dure fles rood van het een of ander, terzijde te staan wanneer ik het nieuws aan mijn vader vertelde. En verder had Mark, de vader van de baby, sinds de uitspraak een ietwat beschaafdere kant van zichzelf laten zien. Hij had me zelfs, toen ik in de gevangenis zat, geschreven en zich geëxcuseerd voor wat hij omschreef als 'de onuitsprekelijke ellende die mijn advocate je heeft bezorgd door Holtby op te laten draven'. Hij had eraan toegevoegd dat hij er 'werkelijk geen idee van had gehad dat jij daardoor zo in moeilijkheden zou komen. Had ik dat wel gedaan, dan zou ik dat echt nooit hebben toegelaten, ook al betekende dat dat jij Fluffy zou krijgen. Ik zweer je, ik ben echt kapot van de hele geschiedenis.'

Bij de brief zat een cheque voor al het geld dat hij op grond van de regeling van de scheiding toegewezen had gekregen, na aftrek van de vijftigduizend pond die hij Holtby had toegezegd voordat Fluffy was overreden. 'En dat geld zal ik je, zodra ik kan, terugbetalen,' besloot hij. 'Verdomme, Annie, wat een botte ellende allemaal!'

En daar kon ik het alleen maar roerend mee eens zijn.

Maar niets van dat alles maakte het krijgen van Marks baby er gemakkelijker op.

Ik had zijn brief niet beantwoord.

Hoofdstuk 39

Ik bracht kerstochtend in de televisiekamer van mijn vader door
– op de bank, in een oude katoenen pyjama die ik in mijn kast
had gevonden, met daarover een van mijn vaders zijden kamerjassen. *It's a Wonderful Life* werd uitgezonden, maar omdat mijn
leven niet meer zo heel erg geweldig was, had ik geen zin om
daarnaar te kijken. In plaats daarvan keek ik naar een oude
kerstspecial van de serie *Vicar of Dibley*, gevolgd door de in 1999
gemaakte televisieversie van *A Christmas Carol* met Richard E.
Grant en Patrick Stewart in de hoofdrollen als Cratchit en
Scrooge. 'In één enkele nacht werd hij geconfronteerd met zijn
verleden, heden en toekomst,' luidde de aankondiging van de
presentatrice, 'en de beelden bleven hem achtervolgen.' En dat
voelde als de perfecte samenvatting van mijn eigen leven op dat
moment.

Na afloop van de film wandelde ik op kousenvoeten over de
marmeren gang naar de keuken en at een beetje van de 'op traditionele wijze gerijpte Schotse Gravad Lax Zalm met een romi-
ge saus van mosterd en dille' van Marks & Spencer die Norma
voor me had gekocht. Ik schoof de kant-en-klaarschotel van
pastinaken met een dressing van wilde bloesemhoning en mos-
terdzaad in de oven, en terwijl ik wachtte tot het maal warm was,
at ik alle exemplaren van witte chocolade uit een grote doos Bel-
gische bonbons. Zelfs met de televisie keihard aan was het nog
akelig stil in huis. Ik begon me af te vragen of ik ja had moeten
zeggen toen mijn vader had gevraagd of ik zin had om met hem,

Norma en mijn aanstaande stiefbroers mee te gaan naar Marbella. De gedachte aan een verblijf in een luxehotel en de Spaanse zon was onvoorstelbaar verleidelijk geweest. Maar iets had me ervan weerhouden om ja te zeggen. Ik had mijn vader nog niets van de baby verteld, en het leek me geen goed idee om in mijn badpak – zelfs niet in mijn zwarte Speedo Chi Tank met ingebouwde steunbeha en buikelastiek – voor hem heen en weer te paraderen. Daarbij kwam dat ik er, na zo lang met zo veel vreemden dicht opeen in de gevangenis te hebben gezeten, eigenlijk een enorme behoefte aan had om een poosje alleen te zijn.

Clarissa, die zich zorgen om mij maakte, had me bij herhaling gesmeekt om naar Primrose Hill te komen. Ze was druk bezig met de voorbereidingen voor haar kerstlunch voor vijftien mensen, maar hoeveel ik ook van James en de kinderen hield, ik voelde er toch niets voor om met een andere familie Kerstmis te moeten vieren. En bovendien was ik helemaal niet in een blije stemming, zodat ik toch alleen maar een domper op de feestvreugde zou hebben gezet, en ik had er al helemaal geen behoefte aan om Clarissa's moeder onder ogen te moeten komen. Dertig jaar nadat ze opmerkingen over mijn bedenkelijke afkomst had gemaakt, had ze nog gelijk gekregen ook.

'Ik kan het je niet kwalijk nemen dat je geen zin in haar hebt,' had Clarissa gezegd, toen ze op kerstavond had gebeld. 'James ziet haar als puur gif, en zelf had ik ook liever niet gehad dat ze kwam. En de meisjes denken er al net zo over. Toe lieverd, zou je je niet alsnog bedenken?'

'Nee, ik blijf bij mijn besluit,' zei ik. 'Ik vermaak me best. Ik wil gewoon alleen zijn.'

Maar zó helemaal alleen was ik nu ook weer niet, en dat wist ze heel best, want dat was aan haar te danken – al was het nog maar de vraag in hoeverre 'danken' het juiste woord was.

Drie dagen tevoren, vlak nadat mijn vader naar het vliegveld was vertrokken, was ze in haar oude Volvo als een gek toeterend op de oprit verschenen. Ik was, even dik en sloom als ik me voelde, in mijn pyjama met mijn jas erover naar buiten gesloft. 'Hoi!

Wat kom jíj hier doen?' had ik gevraagd. 'En wat heb je daar in je auto?'

'Je kerstcadeautje, lieverd,' had ze nogal zenuwachtig gezegd. 'Het spijt me dat het een paar dagen te vroeg moest zijn en dat er geen gezellig papiertje omheen zit.'

Ik had naar het kopje gekeken dat verlangend uit het achterraampje keek. Het had de onzekere uitdrukking van een kleine bruin met witte jackrussell, met platliggende oortjes en verdrietige, zwarte oogjes. En het volgende moment was ik in woede ontstoken. 'Je kunt dat beest meteen weer meenemen,' riep ik tegen Clarissa. 'Ik wil hem niet hebben.'

'Het is een teefje en ze heet Molly,' had Clarissa na een korte aarzeling gezegd. 'En voordat je mij en haar wegstuurt, Annie, vind ik dat je eerst met haar zou moeten kennismaken, dat je mijn verhaal zou moeten aanhoren en dat je niet zo ondankbaar zou moeten zijn.'

'Snap je het dan niet? Ik wil geen andere hond!' Ik moest me beheersen om niet te schreeuwen.

Clarissa had me stilzwijgend aangekeken. Toen had ze haar kin uitdagend in de lucht gestoken en het achterportier van de auto opengetrokken. 'Kom op, Molly,' had ze gezegd. 'Hier mag je uitstappen.' De jackrussell liep langzaam naar de rand van de achterbank, keek Clarissa aan alsof ze het niet helemaal vertrouwde en sprong toen op het grind. Met haar staartje tussen haar achterpootjes bleef ze angstig staan trillen terwijl mijn beste vriendin haar preek afstak.

'Molly is vijf jaar oud,' zei ze. 'Ze is – of laat ik liever zeggen, ze wás – van een van mijn cliëntes, een geweldige vrouw van tweeënnegentig, die mevrouw Chips heet. Tot en met vorige week woonden ze samen in een armoedig souterrain achter de Seven Sisters Road. Mevrouw Chips heeft jarenlang kunnen rondkomen van een onvoorstelbaar schamel pensioentje – een bedrag waar jij en ik nog niet eens een dag van zouden kunnen leven, laat staan een week – maar ze sloeg nog liever zelf haar maaltijden over dan Molly honger te laten lijden, en ik weet zeker dat dit meer dan eens het geval is geweest. Twee jaar gele-

360

den brak ze haar heup, en daarna heeft ze maanden met een rollator gelopen. Maar ook met dat onhandige ding is ze minstens één keer per dag met Molly gaan wandelen – zo veel had ze voor haar hondje over. Hoe dan ook, vanaf dat moment ging het eigenlijk steeds verder bergafwaarts met haar gezondheid. Ik heb haar meer dan eens getracht over te halen om naar een verpleeghuis te gaan, maar dat heeft ze altijd geweigerd omdat je in dat soort tehuizen geen huisdieren mag hebben.

Vorige week heeft mevrouw Chips een beroerte gekregen. Ze is gevallen en heeft haar andere heup gebroken. Hoewel ze geestelijk nog helemaal in orde is, kan ze nu haar bed niet meer uit en ligt ze op zo'n vreselijk ziekenhuiszaaltje met allemaal bejaarde mannen en vrouwen. Ik was gisteren bij haar, en ze heeft aan één stuk door liggen huilen. En weet je waarom, Annie? Niet omdat ze weet dat ze de komende weken zal sterven, niet omdat ze aan één kant bijna helemaal verlamd is en ze zichzelf nog maar amper verstaanbaar kan maken, maar omdat ze zich verschrikkelijke zorgen maakt om wat er met Molly zal gebeuren, die tijdelijk door een van haar buurvrouwen is opgevangen.' Clarissa zweeg omdat ze een brok in haar keel had gekregen.

'Nou, ik geef toe dat het een reuze zielig verhaal is,' zei ik, 'maar het is niet mijn probleem. Ik stel me voor dat er via het asiel van Battersea heus wel een nieuw tehuis voor haar te vinden zal zijn.'

'Dat heb ik dus voorgesteld. Maar daar wilde mevrouw Chips niets van weten. Ze raakte zelfs nog meer van streek, want ze was ervan overtuigd dat Molly terecht zou komen bij mensen die haar zouden mishandelen of die ook katten zouden hebben, of zo. Hoe dan ook, ik moest ineens aan jou denken, en zei haar dat ik het ideale nieuwe bazinnetje voor haar wist – mijn beste vriendin die dol is op honden en die onlangs haar eigen hondje had verloren.'

'En heb je die mevrouw Chips ook verteld hoe dat was gebeurd?' onderbrak ik haar.

'Ik denk niet dat ze het helemaal begrepen zou hebben als ik haar het volledige trieste verhaal verteld zou hebben. Hoe dan ook, Annie, je had haar gezicht moeten zien. Ze straalde. Dat wil zeggen, de helft van haar gezicht die ze nog kan bewegen. Ineens was ze beeldschoon – engelachtig mooi, zelfs. Ze zei dat ze nu als een gelukkige vrouw kon sterven. En toen... toen deed ze dat ook.' Clarissa haalde een tot prop verkreukelde tissue uit haar mouw en snoot haar neus.

'Hé, wacht even, je zei net dat ze nog leefde en in het ziekenhuis lag.'

Ze snoof en duwde de tissue terug in haar mouw. 'Nou goed, ik geef toe dat ik dat laatste er voor een beetje extra dramatisch effect bij heb verzonnen. Maar de rest van het verhaal is waar.'

Ik zuchtte. 'Moet je horen, ik weet dat je het goed bedoelt, maar het kán gewoon niet. Je moet goed begrijpen dat ik niet van streek ben omdat ik geen hond meer heb, maar ik ben van streek omdat ik Fluffy kwijt ben. En ik wil geen andere hond.' Ik keek neer op het bibberende hoopje hond dat tussen ons in stond, en bukte me om haar over haar kopje te aaien. 'Kun jij haar niet houden?'

'Nou, dat zou ik wel willen,' antwoordde Clarissa, 'maar James en ik zijn de hele dag op ons werk. En daarbij is Miranda allergisch.'

'Sinds wanneer?' vroeg ik achterdochtig.

Mijn vriendin maakte een wuivend gebaar. 'O, sinds maanden al,' antwoordde ze vaag. 'Nou ja, als je Molly dan echt niet wilt, dan zal ik haar weg moeten brengen. Na Kerstmis.'

'Maar...'

Ze duwde een lok ongekamde haren achter haar oor. 'Nou, Annie, de meisjes hebben vakantie, ik moet over twintig minuten bij de slager zijn om mijn kanjer van een kalkoen te halen en ik heb op dit moment geen tijd om een ander thuis voor Molly te zoeken. En tot ik dat wel heb, zul jij voor haar moeten zorgen, oké?'

'Jee, mens, je maakt me razend.'

'Dank je. Ik ben blij dat dit geregeld is.'

Met een voldane grijns drukte ze me Molly's riem in de hand, waarna ze de kofferbak van de Volvo openmaakte en een oude mand plus een zak hondenvoer op de oprit liet vallen. 'Maar denk eraan, Clarissa,' zei ik door het open autoraampje toen ze de motor weer startte, 'deze hond is maar een paar dagen van mij, tot na Kerstmis, en beslist niet langer.'

Met haar kopje schuin, alsof ze niets begreep van wat er gebeurde, keek Molly de wegrijdende Volvo na. Toen ik zachtjes aan haar riem trok, keek ze niet-begrijpend naar me op. 'Wees maar niet bang,' zei ik. 'Je zit maar voor een paar dagen met me opgescheept. Daarna zal Clarissa een goed tehuis voor je vinden, bij mensen die van je houden.' Ze moest er inmiddels aan gewend zijn geraakt om van de een bij de ander te worden gedumpt, want hoewel ze er geen idee van had wie ik was, liep ze braaf met me mee naar binnen.

Vanaf dat moment volgde ze me overal naartoe – een kleine, zwijgzame, attente schaduw die nooit blafte, zich nergens druk om maakte en geen enkel karakter toonde. Ze was waanzinnig gehoorzaam – ze ging zitten wanneer ik dat zei, kwam wanneer ze werd geroepen, at haar eten zodra ik dat voor haar op de grond zette en deed haar behoefte in de tuin wanneer ik haar naar buiten liet. 's Avonds rolde ze zich op in haar mandje dat ik boven, naast de deur van mijn kamer, op de gang had gezet. Wanneer ik in de loop van de nacht moest plassen – iets waar ik met mijn dikke buik veel last van had – deed ze één oog open, en keek naar me terwijl ik langs haar heen naar de badkamer liep. Misschien voelde ze wel aan dat ze maar tijdelijk bij mij zou zijn, want ze deed geen enkele poging om dicht bij me te komen terwijl ik, op mijn beurt, ook geen openingen naar haar toe maakte, ook al realiseerde ik me dat ze haar vrouwtje heel erg moest missen. Ik kon het gewoon niet opbrengen. Hoewel Molly me een heel lief dier leek, was ze niet Fluffy. Ik voelde me even emotioneel van haar verwijderd als van de groeiende foetus in mijn buik.

Tegen de tijd dat ik mijn kerstlunch van ovengebakken pastinaken op had, was ik me echter steeds schuldiger gaan voelen over het feit dat ik het arme, verdrietige hondje onvoldoende aandacht schonk. Ik herinnerde me wat Clarissa had verteld over mevrouw Chips, die elke dag, en zelfs nog met haar rollator, met haar was gaan wandelen, en hoewel ik helemaal geen zin had om me aan te kleden, wurmde ik me in mijn spijkerbroek, gapte een kasjmieren trui van mijn vader en ritste mijn jack dicht over mijn uitdijende heupen.

'We gaan alleen maar een blokje om,' zei ik nadrukkelijk tegen Molly, toen ik de voordeur van mijn vaders huis achter ons afsloot. Maar op het moment dat we bij het eind van de oprit waren gekomen, spitste ze haar oortjes in de ijzig koude wind, begon te kwispelen en trok me aan de riem achter zich aan.

Ik had bij de hoek linksaf willen slaan om weer naar huis terug te keren, maar besloot nog een eindje verder te lopen. De frisse buitenlucht had me opgepept, en na dagenlang hangen en luieren had ik eigenlijk wel behoefte aan een beetje beweging. Niet veel later bevond ik mij op de bochtige, brede Hampstead Lane. Me schrap zettend tegen mogelijke confrontaties met spoken uit het verleden, stak ik over en liep de tuinen van Kenwood House in. Ik nam me voor om niet verder te gaan dan het brede grindterras aan de achterzijde van de witte villa waar Mark en ik zo vaak met Fluffy hadden gelopen. Toen ik daar kwam en vaststelde dat ik me helemaal niet overmand voelde door verdriet, keek ik het gazon van de helling af naar de vijver en nam me voor om niet verder te lopen dan daar, waar we op zondag zo vaak gepicknickt hadden.

Voor ik het goed en wel besefte, waren Molly en ik de mooie witte trompe-l'oeil-brug gepasseerd en gingen we het dichte stuk bos erachter binnen, waar ik haar ten slotte van de lijn liet. Met haar neus aan de grond liep ze op een holletje de modderige paadjes af, waarbij ze om de zoveel tijd achteromkeek om zich ervan te verzekeren dat ik nog steeds volgde. Toen we bij het hek kwamen dat toegang gaf tot de hei, riep ik haar terug. Om me uitgerekend vandaag op Hampstead Heath te wagen, was een beetje te veel van het goede.

Maar Molly dacht daar anders over. Ze weigerde koppig om terug te komen. Even later volgde ik haar de glooiende hellingen af, langs de omheinde heuvel die Mark altijd de Magische Cirkel had genoemd, en weer naar boven, Parliament Hill op – de allerlaatste plek waar ik op eerste kerstdag wilde zijn.

Molly bleef pas staan toen ze helemaal boven was gekomen. Buiten adem – maar niet half zo buiten adem als ik – liep ze naar een van de bankjes, sprong erop en ging zitten, bijna alsof ze op iets wachtte. Ze scheen precies te weten wat ze deed – en het enige wat ik kon bedenken was dat ze hier vaak met mevrouw Chips moest zijn geweest. Na door een tiental gezinnen heen te hebben gelaveerd die, net als ik, besloten hadden het ijskoude weer te trotseren, ging ik naast mijn pleeghondje op de vochtige bank zitten. Zij aan zij keken we uit over de skyline van Londen – de toren van het postkantoor, het parlement, de London Eye, Centrepoint en de koepel van St. Paul's.

Op een gegeven moment probeerde Molly zich dicht tegen me aan te nestelen, maar ik kon mezelf er niet toe brengen haar aan te raken. Ik voelde me inmiddels ellendiger dan ellendig. Het was zuiver masochisme van me geweest om hier te komen. Ik dacht aan Mark en aan al die Kerstmissen dat we hier met Fluffy hadden gewandeld en aan hoe Mark me hier, bijna op de minuut af zes jaar eerder, ten huwelijk had gevraagd. Wat hadden we in die tijd van elkaar gehouden! En wat miste ik hem nog steeds – nou ja, hém miste ik niet zozeer, als wel onze relatie zoals die in de begintijd was geweest. Het had zo fantastisch geleken indertijd. Hoe had het zo ontzettend mis kunnen gaan? En wiens schuld was dat geweest? Zijn schuld? De mijne? Die van ons alle twee?

Alsof dat er nu nog toe deed. Ons huwelijk was voorbij en het geluk dat we in het verleden met elkaar hadden gedeeld behoorde tot het verleden. Ik rilde in mijn jack. De hemel was even kleurloos, grauw en somber als mijn toekomst eruitzag. Ik was blij toen Molly haar toenaderingspogingen staakte en van de bank in het gras sprong. Ik wilde haar niet in mijn nabijheid want ik voelde niets voor haar. Ik kon hoe dan ook niets meer voelen, of liever, het enige wat ik nog kon voelen was verdriet.

Maar toen opeens voelde ik heel iets anders. Ik ging met een ruk rechtop zitten, trok mijn handschoenen uit, stak mijn handen onder mijn jack en spreidde mijn vingers over mijn buik. Even gebeurde er niets. Maar juist toen ik mijzelf ervan overtuigd had dat ik het me maar had verbeeld, voelde ik het opnieuw – een fladderend gevoel in mijn buik dat een beetje aan lichte kramp deed denken, of aan wind.

Op de een of andere manier wist ik echter heel zeker dat het geen kramp was.

Nee, het was de foetus.

Of, zoals ik er nu ineens aan dacht, de baby.

Mijn baby.

Als een donderslag bij heldere hemel drong ineens ten volle tot me door dat er een levend wezen in mij groeide. En het groeide niet alleen, het bewoog ook.

Met een opgetogen gevoel sprong ik van het bankje en keek om me heen om dit geweldige nieuws met iemand te delen. Ik was zwanger! En ik wist heel, maar dan ook héél zeker dat ik een betere moeder zou zijn dan de mijne was geweest! De toekomst zou niet gemakkelijk zijn, maar het zou in ieder geval niet saai en eenzaam zijn, want ik kreeg een kind, en van nu af aan waren we met zijn tweeën.

Nee – we zouden met zijn drieën zijn. Ik was Molly even helemaal vergeten. Die arme kleine Molly, die haar mevrouw Chips kwijt was, en die even dringend een nieuw tehuis nodig had als ik er eentje voor mijn aanstaande kind zou moeten creëren.

Ineens wilde ik niets liever dan Molly optillen en haar, hoe modderig ze ook was, in mijn armen nemen en haar vertellen dat ze niet bang hoefde te zijn, en dat ze na Kerstmis niet opnieuw naar een ander huis zou hoeven. Van nu af aan zou ze bij mij blijven. Voor altijd.

Maar waar was Molly?

Ik zag haar nergens. Ik stond op en riep haar naam, maar ze kwam niet. Ik liep het geasfalteerde pad weer op naar de top van de heuvel, keek om me heen maar kon haar nergens ontdekken. Met groeiende paniek rende ik heen en weer en vroeg iedereen die ik zag of ze misschien ergens een jackrussell met een kort staartje en een donkere vlek over haar ene oog hadden gezien. Een vrouw zei dat ze er aan de andere kant van het park een had gezien, maar die was aangelijnd geweest en hoorde bij een gezin met kinderen. Een ander zei dat ze er eentje bij het lido had gezien – ze wees op een gebouw in zuidelijke richting – die op weg was geweest naar de straat. Ik wilde net die kant op rennen, toen iemand anders zei dat hij zojuist een jackrussell bij het bosgedeelte had gezien. 'Daar, die kant op,' zei hij, op een bosje verderop wijzend.

Ik rende, wanhopig haar naam roepend, naar het bosje. En net toen ik erin wilde lopen, kwam ze uit het dichte struikgewas tevoorschijn en liep met een voldane grijns en met haar korte staartje kwispelend, naar me toe. 'O, godzijdank!' verzuchtte ik. 'Molly! Malle meid! Ik was al bang dat ik je kwijt was.'

Op dat moment kwam er een andere hond uit de bosjes – een mager scharminkel dat iets van een stropershond had, met een spitse snuit en een mallotige, veel te lange pony. Zijn oren wezen elk een kant op en zijn bek hing open in wat een grijns leek. Hij hupte op zijn drie poten onder de struiken uit en maakte een intens tevreden indruk. En hij had die bekende, afwezige blik in zijn ogen die ik vaker van hem had gezien nadat hij een lekker potje had gevreeën.

Fluffy.

Hoofdstuk 40

De laatste keer dat ik hem had gezien, was op de dag van de rechtszitting geweest, toen hij dat mooie, parmantige spaniël-teefje achterna wilde gaan en onder de wielen van een Honda Civic was gekomen. Zijn gegil, terwijl hij daar bloedend op straat lag, was hartverscheurend geweest. Mark had hem opge-tild en uit het verkeer gehaald, terwijl mijn vader de geschokte bestuurder de verzekering gaf dat het echt niet zijn schuld was geweest. Ik had met Fluffy's bevende lijfje in mijn armen op de stoep gezeten, en Mark had zijn jasje uitgetrokken en hem erin gewikkeld.

We waren met zijn vijven – ik, pap, Norma, Dennis en Mark – in een taxi gestapt en hadden ons naar het dierenhospitaal in Camden Town laten brengen. Mark had de van de pijn kronke-lende Fluffy op schoot gehouden, en hij was lijkbleek geweest. Niemand zei een woord – volgens mij was dat vooral omdat nie-mand iets durfde te zeggen. Terwijl de dierenarts met Fluffy bezig was, hadden Mark en ik elk aan een kant van de wacht-kamer gezeten – Mark met zijn vader en ik met mijn vader en Norma – maar we hadden elkaar niet aangekeken. We waren er alle twee zeker van geweest dat Fluffy zou sterven. En als dat ge-beurde, dan was dat onze schuld.

Na een tijdje was er een verpleegster in een groene overall naar ons toe gekomen om te zeggen dat Fluffy zwaargewond was en dat zijn rechterachterpoot mogelijk geamputeerd moest worden. Maar eerst moest hij bijkomen van de shock, die op zichzelf al gevaarlijk genoeg was. Het was een dubbeltje op zijn kant of hij het zou halen, maar zodra zijn conditie stabiel was – als dat al zou gebeuren – zouden ze hem verdoven en opereren. Als we wilden, konden we bij hem gaan kijken, maar hij was er heel slecht aan toe en bovendien zat hij onder de kalmerende middelen.

Mark was opgestaan en naar ons toe gekomen. Mijn vader had hem woedend aangekeken. Als blikken konden doden, zou Mark ter plekke levenloos ter aarde zijn gestort. 'Kom je mee?' vroeg hij aan mij. Ik schudde mijn hoofd, en nadat hij me bij de deur lange seconden over zijn schouder had aangekeken, was hij ten slotte alleen naar binnen gegaan om bij Fluffy te kijken. Tegen de tijd dat hij weer naar de wachtkamer was teruggekomen, waren mijn vader, Norma en ik vertrokken.

Op dat moment was ik er zeker van geweest dat ik Fluffy nooit meer zou zien. En nu kwam hij heel vrolijk Molly achterna gehobbeld. Ik kon het bijna niet geloven, maar hij leek zich uitstekend te redden op zijn drie pootjes. Hij snuffelde nieuwsgierig aan mijn voeten, keek met een bedenkelijke uitdrukking op zijn snuit naar me op – en begon ineens hysterisch, en blaffend als een gek, op zijn ene achterpoot te springen en met zijn beide voorpoten aan mijn borst te krabben. Ik had verwacht dat hij me vergeten zou zijn, maar nee, hij had me herkend en was uitzinnig van vreugde.

Ik was op mijn hurken gaan zitten om hem te omhelzen en het duurde even voor het tot me doordrong dat als Fluffy hier was, Mark nooit ver uit de buurt kon zijn. Hij was waarschijnlijk met Darcie, of de bazin van de Weimaraner, of wie ook maar zijn huidige geliefde mocht zijn. Alleen al die gedachte maakte me woedend. Hoe kón hij – hoe kón hij op eerste kerstdag met een andere vrouw hier op Parliament Hill gaan wandelen – een dag die altijd zo bijzonder voor ons was geweest, en de dag waarop hij me hier ten huwelijk had gevraagd?

Ik keek rond maar kon hem nergens ontdekken, dus ik maakte dat ik het bosje in kwam waar Molly en Fluffy zojuist uit tevoorschijn waren gekomen, en zag een flinke hulststruik waar ik me achter zou kunnen verstoppen. Nog steeds uitgelaten blaffend en huppend kwam Fluffy, op zijn beurt gevolgd door Molly, achter me aan. Ik probeerde Fluffy van me af te duwen, maar hij wilde niet weg.

En toen zag ik Mark die het hoogste punt van Parliament Hill op kwam gelopen. Hij deed me een beetje denken aan Colin Firth in de rol van Mr. Darcie in *Pride and Prejudice*, en zo te zien was hij alleen. Ik dook verder weg achter de struik en bleef tussen het dichte, prikkende loof door naar hem kijken. Ik vond hem, in zijn spijkerbroek en zwarte jack, en met zijn verwaaide haren, stoerder en aantrekkelijker dan ooit. Opnieuw had ik een vreemd gevoel in mijn buik, maar deze keer was het niet de baby. Verdorie! Waarom vond ik hem nog steeds zo onweerstaanbaar?

Mark keek om zich heen of hij Fluffy ergens zag, en toen hij hem nergens kon ontdekken, stak hij zijn vingers in zijn mond en floot. Fluffy draaide zich om en liep naar hem toe, de heuvel op. Ik slaakte een zucht van opluchting, maar vlak voordat hij bij Mark was, begon hij te blaffen en in kringetjes rond te rennen. Mark probeerde hem te kalmeren, maar Fluffy bleef even opgewonden. Hij sprong tegen Mark op, zette zijn tanden in de zoom van zijn jack en probeerde hem mijn kant op te trekken. Toen Mark hem van zich af schudde, hobbelde hij terug naar het bosje en dook tussen het kreupelhout door naar mijn schuilplaats.

Het was te laat om te kunnen ontsnappen, dus ik ging, Molly aan haar halsband achter me aan trekkend, onder de hulststruik liggen en maakte me zo klein mogelijk. Ik hoorde Mark opnieuw fluiten en Fluffy roepen, maar Fluffy bleef afwisselend in kringetjes om ons heen rennen en naar hem blaffen.

'Weg! Ga weg!' siste ik toen Fluffy zijn neus onder de takken door stak. Maar hij ging niet weg. Ik probeerde hem weg te duwen, maar op dat moment wist Molly te ontsnappen en rende onder de struik vandaan. Mijn hart bonkte tegen mijn ribben en ik kneep mijn ogen stijf dicht. Ik hoorde voetstappen mijn kant op komen.

'Wie is dit, Fluffs?' hoorde ik Mark zeggen. 'Je nieuwe vriendinnetje, hè?' Ik deed mijn ogen open en zag Molly vrolijk naar hem toe lopen. Hij bukte zich en kroelde haar achter haar oortjes. Het volgende moment kwam ze weer terug naar mijn struik, waar Fluffy nu aan mijn voeten aan het snuffelen was. Marks voetstappen kwamen steeds dichterbij. 'Wat hebben jullie hier gevonden, jongens?' vroeg hij. 'Een eekhoorn of zo?'

Het volgende moment duwde hij de hulsttakken opzij, riep 'Au!' toen hij zich prikte en tuurde tussen het donkere loof. Het eerste wat hij zag waren mijn laarzen, en hij deinsde achteruit alsof hij een lijk had ontdekt. 'Christus!' kwam het geschokt over zijn lippen. Maar toen zag hij mijn gezicht, en werd hij lijkbleek. 'Annie?'

'Ga weg!'

'Maar...' Hij fronste zijn voorhoofd. 'Is alles goed?'

'Ja, dank je,' snauwde ik kortaf.

'Maar dan...' Hij schudde zijn hoofd. 'Wat doe je daar?'

Ik probeerde wanhopig een geloofwaardige smoes te verzinnen. 'Ik... ik ben paddenstoelen aan het zoeken.'

'Echt?'

'Ja. Oesterzwammen. Shiitakes, je weet wel.'

'Shiitakes, hè?' Zijn lippen plooiden zich in een beginnende grijns. 'Hier, op Hampstead Heath?'

'Ja,' hield ik vol, alsof het de normaalste zaak ter wereld was.

'Maar... groeien shiitakes niet alleen in het Verre Oosten?'

Ik slaakte een ongeduldige zucht. 'O, allemachtig, Mark, wat dénk je dat ik hier doe?'

'Geen idee.'

Jezus, hij kon soms toch zo ontzettend traag van begrip zijn. 'Me verstoppen, natuurlijk,' snauwde ik.

'Voor wie?'

'Voor wie denk je? Voor jou!'

Nu glimlachte hij echt. 'Nou, maar dat is je dan dus niet helemaal gelukt, als ik dat mag zeggen.'

'Dat kun je inderdaad wel zeggen,' gaf ik toe.

'Je kunt nu net zo goed tevoorschijn komen, nu ik je heb gevonden. Tenzij je het natuurlijk prettig vindt om zo in de koude modder te liggen.'

'Nou, ik lig hier toevallig heel lekker.'

'Of is het soms een revolutionaire nieuwe schoonheidsbehandeling? Moddertherapie of zo?'

Zijn flauwe grapjes maakten me ziedend. Met een ongedurige zucht zei ik: 'Kom, doe me een lol en ga nu maar gewoon weg, wil je?'

Zijn gezicht betrok. 'Goed.' Maar hij bleef staan waar hij stond. En het ergste was nog wel dat ik ook helemaal niet wilde dat hij weg zou gaan. Hoe woedend ik ook op hem was, op de een of andere perverse manier vond ik het heerlijk om hem te zien. En het leek wel alsof hij ook niet weg wilde, want even later probeerde hij een normaal gesprek met me te beginnen. 'En, eh, hoe is het met je?'

'Hoe dacht je? Geweldig,' antwoordde ik op sarcastische toon. 'En met jou?'

'Och, wat zal ik zeggen...' Hij haalde zijn brede schouders op en ineens herinnerde ik me weer hoe fijn zijn naakte huid tegen de mijne had gevoeld. Zo snel als ik kon, zette ik die gedachte weer van me af. 'Ik had niet verwacht dat ik jou hier zou zien,' ging hij verder. 'En vandaag al helemaal niet.'

Dus dan wist hij het nog. Ik keek hem fel aan. 'En ik jou ook niet.'

'Ik wist niet eens dat je weer vrij was. Ik heb geprobeerd erachter te komen, maar niemand wilde het me vertellen. En Clarissa neemt niet eens op als ik haar bel.'

'Je meent het. Ik snap werkelijk niet waarom.'

Hij zuchtte en ging op zijn hurken naast me zitten. 'Heb je mijn brief gekregen?' Ik knikte. 'Je hebt nooit geantwoord.'

Ik keek hem recht aan. 'Ik wist niet wat ik moest schrijven.'

'Ah, oké.'

'Bedankt voor de cheque,' voegde ik er met tegenzin aan toe.

'Het was jouw geld. Ik dacht dat je het wel nodig zou hebben wanneer je uit de gevangenis kwam.'

Ik knikte. Er viel een pijnlijke stilte – en dan te bedenken dat we vroeger evenmin om woorden als om kussen verlegen hadden gezeten! O, dit deed echt pijn. 'Laat je nog steeds andermans honden uit?' vroeg ik ten slotte.

Er gleed een beschaamde uitdrukking over zijn gezicht, en ik had het allerakeligste voorgevoel dat hij me zou vertellen dat hij samenwoonde met een nieuwe, veel geld verdienende carrièrevrouw. Maar ik bleek het helemaal mis te hebben. 'Ik ben gezwicht voor het onvermijdelijke en ik heb een baan genomen.'

Hoewel ik helemaal geen gesprek met hem wilde, won mijn nieuwsgierigheid het. 'Een echte baan?' vroeg ik. Hij knikte. 'Dat klinkt nogal drastisch.'

'Ja, dat weet ik. Maar het werd tijd. Hoog tijd. Eenenveertig is te oud om een rockster te worden. Ik bedoel, het was ook maar een droom, niet? Een fantasie waaraan ik me had vastgeklampt, en dat iets van twintig jaar te lang.' Hij krabde afwezig aan zijn hoofd. 'Maar ik schrijf nog steeds muziek en ik speel ook nog. Ik ben op het moment bezig aan een nieuw nummer, en ik denk dat het best wel eens wat zou kunnen worden, maar... Nou ja, muziek is meer een hobby dan iets om geld mee te verdienen. Ik werk bij een cateringbedrijfje en doe etentjes bij mensen thuis, en zo. En het is ook goed met Fluffy te combineren, want ik ben het grootste gedeelte van de dag thuis om alles voor te bereiden, en dan ga ik 's avonds weg om het op te dienen.'

'Nou, je kon altijd al fantastisch koken.'

'Dan deed ik tenminste iets goed.' Hij glimlachte verdrietig. 'Weet je zeker dat je niet onder die struiken vandaan wilt komen?'

Ik schudde mijn hoofd, hoewel het vocht optrok door mijn spijkerbroek en ik het koud begon te krijgen. Ik begon te rillen en te klappertanden. Molly vroeg zich kennelijk af of er iets met mij was, want ze duwde zich luid snuffelend langs Mark heen, kroop bij me onder de struik en begon mijn gezicht te likken. 'Goed, goed, Molly,' zei ik. 'Ik kom er zo onderuit.'

'Is ze van jou?' vroeg Mark verbaasd. Juist op dat moment stak Fluffy zijn snuit onder de struik en hapte speels in Molly's staart.

'Hij doet het helemaal niet slecht op zijn drie poten,' zei ik.

'Ja, hij heeft zich echt fantastisch aangepast. Het enige wat lastig voor hem is, is plassen, want als hij zijn achterpoot op wil tillen, kukelt hij omver.'

'Arm dier.' We keken elkaar opnieuw aan. 'Maar hij leeft gelukkig nog. Voor hetzelfde geld was hij dood geweest, en dat door onze schuld.'

'Ja, vertel mij wat. God, wat zijn we stom geweest.'

Er viel opnieuw een stilte waarin we alle twee terugdachten aan alles wat er gebeurd was. 'Ik heb Molly nog maar pas,' zei ik, om iets te zeggen, en ik duwde haar met zachte dwang van mijn gezicht. 'Clarissa heeft me haar gegeven, voor Kerstmis.'

'Zij en Fluffy schijnen elkaar nogal te mogen.'

'Volgens mij is het al meer dan dat. Ik heb ze zonet uit de struiken zien komen en Fluffy keek op die speciale manier van hem, zoals hij altijd doet nadat hij een robbertje gevreeën heeft.'

Mark grinnikte en aaide hem over zijn kop. 'Goed zo, jongen! Drie poten of vier, het maakt hem niet uit. Die hond kan zijn libido gewoon niet de baas.'

'Dat zit dan zeker in de familie.' Het was eruit voordat ik het kon helpen. Marks gezicht betrok. 'Het spijt me,' zei ik. 'Dat had ik niet willen zeggen.'

Hij schudde zijn hoofd. 'Als er iemand zijn verontschuldigingen aan zou moeten bieden, Annie, dan ben ik dat. Ik ben degene die de boel naar de kloten heeft geholpen. Letterlijk.'

'Nou, ik ben niet geheel onschuldig, hoewel mijn vader daar anders over denkt. Als hij je nog eens ziet, dan weet ik bijna zeker dat hij je zal vermoorden.'

'En dat kan ik hem niet kwalijk nemen.' Hij zuchtte. 'En nadat ze jou naar de gevangenis hadden gestuurd, heeft het weinig gescheeld of mijn ouders hadden me de strot omgedraaid. En het heeft verschillende keren weinig gescheeld of ik had mezelf van kant gemaakt.'

Op dat moment hadden we geloof ik alle twee het gevoel dat onze toevallige ontmoeting lang genoeg had geduurd. Mark ging staan en stak zijn hand naar me uit. Ik liet me onder de struik uit overeind trekken. Zijn hand in de mijne voelde warm en heerlijk vertrouwd. Ondanks alles wat er was gebeurd, ja, ondanks alles was hij nog steeds degene met wie ik mij het meest verwant voelde, en ik werd overvallen door een intens gevoel van spijt.

'Je bent zwaar!' zei hij nadat we, enkele seconden langer dan normaal zou zijn geweest, elkaars hand loslieten. Hij liet zijn blik nieuwsgierig over mijn gestalte gaan.

Ik sloeg mijn armen over elkaar. 'Ja, ik ben aangekomen van dat gevangeniseten. Fijn dat het je is opgevallen.'

In de lange stilte die volgde, floot de koude wind door de kale, winterse takken boven onze hoofden, terwijl de honden vrolijk tussen de struiken stoeiden. Het verdriet tussen ons was bijna tastbaar. Misschien was het wel masochistisch van me, maar ik moest het weten. Ik wist dat ik het niet zou moeten vragen, maar ik kon het niet laten. 'Heb je nog steeds een verhouding met haar?'

'Met wie?' vroeg hij. Ik trok mijn wenkbrauwen op. 'O, je bedoelt mevrouw Weimaraner. Nou, ik had je toch al meteen gezegd dat het niets serieus was? Ik bedoel,' haastte hij zich eraan toe te voegen toen hij mijn gezicht zag verstrakken, 'niet voor haar en ook niet voor mij. We waren elk op onze eigen manier een beetje ongelukkig en het is gewoon gebeurd. Dus nee, ik heb geen contact meer met haar.' Ik knikte. 'En daarbij,' ging hij verder, 'heb ik mezelf voorgenomen om geen avontuurtjes meer te hebben. In ieder geval niet zolang ik getrouwd ben.'

'Wát?' Ik had het gevoel alsof ik een emmer ijswater over me heen had gekregen. 'Je bent getrouwd? Zo snel al?'

Mark stak zijn handen in de zakken van zijn jack. 'Ik vrees van wel,' zei hij.

Eerlijk gezegd snapte ik niet waarom ik me dat zo aantrok. Een intens bedroefd gevoel maakte zich van mij meester. 'O? Met wie?' Ik probeerde zo onverschillig mogelijk te klinken. 'Met Darcie, zeker?'

Hij maakte een ontzette indruk. 'Doe me een lol! Dat was een enorme vergissing. Of misschien kan ik beter zeggen, de zoveelste vergissing.'

'Om nog maar te zwijgen over het feit dat er duidelijk even iets mis was met je smaak.'

'Ja, het spijt me. Allemachtig, ja, wát een mens.'

'Ja, van eh, daar heb je zooo helemaal gelijk in,' imiteerde ik haar. Mark grinnikte. Toen viel er opnieuw een stilte. 'Nou, dus met wie ben je dan getrouwd?' vroeg ik ten slotte.

Hij keek me even doordringend aan en zei toen langzaam: 'Nou, met mijn vrouw, natuurlijk.'

Hoe kon hij zo gemeen zijn? Dit was geen moment voor grapjes. 'Ja, dat snap ik,' snauwde ik. 'Maar wie is je vrouw dan?'

Hij beet op zijn lip, aarzelde, en wees op mij.

Ineens was ik woedend. 'Mark Curtis, wat ís dit voor een ziekelijk spel! We zijn gescheiden! Of ben je die memorabele dag op de rechtbank soms vergeten?'

'Hou op, alsjeblieft. Maar dat was alleen maar de laatste zitting,' ging hij verder. 'Snap je wel?'

'Nee,' antwoordde ik. 'Dat snap ik niet.'

'Nou, een laatste zitting gaat vooraf aan de definitieve uitspraak. En daar moet je, na afloop van de laatste zitting, officieel een aanvraag voor indienen.'

'Wát?' vroeg ik totaal ongelovig. 'Dat heeft Williams me nooit verteld! Of tenminste, daar kan ik me niets van herinneren.'

'Je had op het moment waarschijnlijk andere dingen aan je hoofd. Zoals die kwestie van meineed.'

'Nou, en heb jíj die definitieve uitspraak dan niet aangevraagd?'

Mark schudde zijn hoofd. 'Dat moet de eiser doen.'

'En had die Martha daar niet iets aan kunnen doen?'

'Ze zei dat ze Williams zou kunnen schrijven met het verzoek jou eraan te herinneren. Maar ik heb gezegd dat ze dat niet hoefde te doen.'

'Waarom?' wilde ik weten.

Hij haalde zijn schouders op. 'Ik weet niet. Ik kon het niet over mijn hart verkrijgen. Het leek me zo verschrikkelijk... nou ja, zo verschrikkelijk definitief, denk ik.' Hij keek me opnieuw aan en ik bespeurde iets kwetsbaars in zijn blik. 'Kennelijk,' ging hij verder, en hij schraapte zijn keel, 'ben je zonder die definitieve uitspraak nog altijd officieel getrouwd.'

'Echt? Hoe weet je dat?'

'Opgezocht op Google, en ik heb het nagevraagd bij Greenwood. Dus ja, ik vrees dat we altijd nog getrouwd zijn.'

'Wil je daarmee zeggen dat al dat geld dat we hebben uitgegeven, de verkoop van de flat, mijn gevangenisstraf en Fluffy's ongeluk – dat dat allemaal voor niets is geweest?'

Mark knikte. 'Ik vrees van wel.'

Het was zo ongelooflijk dat ik er bijna om moest lachen. 'Hoe bestaat het!'

Ineens maakte hij een angstige indruk. 'O, je kunt het elke moment aanvragen. We zouden het ook samen kunnen doen.' Hij zweeg. 'Dat wil zeggen, als je dat wilt, Annie.'

'Nou, wil jij het dan niet?'

'Natuurlijk. Ik bedoel, ja. Wil jij het?'

Waarom stelde hij zo'n idiote vraag? Lag het antwoord niet voor de hand? Natuurlijk wilde ik dat. Ja toch? Was dat niet de bedoeling geweest van deze hele treurige scheidingsgeschiedenis? En als dat zo was, waarom beantwoordde ik zijn vraag dan niet meteen met een hartgrondig 'ja'? En waarom vond ik het zo fijn om Mark te zien, hoewel ik nog altijd boos op hem was? Ik haatte hem, dus ik kon onmogelijk nog van hem houden.

Hij tuurde naar zijn laarzen. 'Vind je het heel erg? Dat we nog altijd getrouwd zijn, bedoel ik?'

Ik aarzelde. 'Jij?'

'Ik vroeg het eerst.'

'O, allemachtig, Mark, op die manier kunnen we wel de hele dag doorgaan.'

'Dat is zo.' Hij schopte tegen een steen die in de modder lag, en in plaats van me een rechtstreeks antwoord te geven, zei hij: 'Er was ook nog een andere reden waarom ik niet achter die definitieve uitspraak ben aangegaan.'

Toen hij daar niet verder op door ging, vroeg ik: 'En dat is?'

'Nou, omdat...' Hij schopte opnieuw tegen de steen. 'Omdat ik je zo verschrikkelijk miste, Annie,' bekende hij aan de steen.

'En dat doe ik nog steeds. Ik mis je gezelschap. Niet zoals het op het laatst was, natuurlijk, maar zoals het voorheen tussen ons was.' Zijn woorden gaven precies weer hoe ik mij voelde. 'En het feit dat ik weet dat we officieel nog steeds getrouwd zijn, gaf me het gevoel dat, ik weet niet, dat je op de een of andere manier nog dichtbij was. Stom eigenlijk, hè?'

Ik was zo overdonderd dat ik niet wist wat ik moest zeggen. 'Nee, dat vind ik helemaal niet stom,' mompelde ik.

'Ik dacht dat je woedend zou zijn. Ik bedoel, omdat we niet gescheiden zijn.'

'Nou, dat zou ik waarschijnlijk wel moeten zijn. Niet op jou, maar op mijzelf. En op Williams, natuurlijk. Maar het grappige is dat ik dat niet ben.'

'Meen je dat?'

Ik knikte en besefte dat ik hem verdrietig glimlachend aankeek. 'O, Mark, wat zijn we ontzettend stom geweest, hè? Geen van tweeën wisten we hoe je moest scheiden. We zijn er gewoon blindelings in gedoken. Even blindelings als we indertijd zijn getrouwd.'

'En heb je daar spijt van?'

'Van wat? Van het blindelings scheiden of van het blindelings trouwen?'

Hij spreidde zijn handen. 'Van alle twee, denk ik.'

'Ja en nee,' antwoordde ik.

'Hoe bedoel je dat? Je hebt er geen spijt van dat we blindelings zijn getrouwd en nee, je hebt er geen spijt van dat we zijn gescheiden. Niet dat we gescheiden zijn. Of bedoel je het andersom?'

Ik moest giechelen. 'Ik kom er niet uit.'

'En ik weet het ook niet meer!' riep hij lachend uit.

'Hoe dan ook,' zei ik toen we even later weer ernstig waren geworden. 'We zijn dus nog steeds getrouwd, dus dan heeft de baby straks toch nog officieel een vader.'

Ik had het niet willen zeggen – het was eruit gefloept. Maar Mark zou het vroeg of laat toch moeten weten.

Hij keek geschokt. 'De báby?' herhaalde hij. 'Welke baby?'

Ik haalde diep adem en ritste mijn jack open. 'Het is niet allemaal gevangenisspek,' zei ik en ik legde mijn handen op mijn buik.

Hij keek er met grote ogen naar. 'Ben je zwanger?' kwam het ademloos over zijn lippen. Hij kwam heel dicht bij me staan en legde, nadat hij gevraagd had of dat mocht, zijn handen eerbiedig op mijn buik. 'Maar... ik snap het niet. Hoe heeft dit kunnen gebeuren?' vroeg hij.

'O, op de normale manier. Het is geen onbevlekte ontvangenis of zo.'

'Ik bedoel, wannéér, Annie?' vroeg hij ongeduldig. 'Wanneer is dit gebeurd?'

'Nou, niet toen ik in de vrouwengevangenis zat, dat is duidelijk.'

'Dus... Daarvoor dan?' Ik knikte. Gut, wat was Mark weer snel van begrip. Maar toen haalde hij zijn handen van mijn buik, deed een stap naar achteren en vroeg zenuwachtig: 'Kom op, Annie, geef me een eerlijk antwoord, alsjeblieft. Wie is de vader?'

Ik keek hem recht in de ogen. 'Nou, dat blijkt dus mijn man te zijn.'

Hij slikte. 'Ik? Bedoel je dan, die ene keer toen...?'

'Ja, die ene keer toen.'

'Maar...'

'Darcie mag dan indertijd *Boots Protect and Perfect* hebben gebruikt, maar ik deed dat niet.'

Mark haalde langzaam en diep adem en toen begon hij te stralen. 'Krijgen we een baby, jij en ik?' fluisterde hij.

'Nou,' zei ik, op zakelijke toon, 'om helemaal precies te zijn, ík krijg een baby. Ik ben degene die haar figuur verliest en die elke ochtend moet overgeven. Maar als je wilt, mag je die dingen met plezier van me overnemen. Zo niet, dan zit jouw aandeel erop. Dat wil zeggen, tot het tijd is om luiers te verschonen. Ik bedoel, als je bij de verzorging wilt helpen zodra hij eenmaal geboren is...'

'Om je bliksemse bolle billen wel!'

379

'Mijn recente bliksemse bolle billen, zul je bedoelen.'

'Ja. Je beeldige recentelijke bolle billen!' In een opwelling trok hij me tegen zich aan en kneep hij onder mijn jack door zachtjes in mijn bolle billen. Het volgende moment maakte hij zich weer van me los en zijn gezicht betrok. 'Maar... wil je dat wel? Zou je dat willen, Annie?'

'Wat bedoel je?' Ik hield mijn adem in.

'Nou, denk je dat we weer bij elkaar zullen kunnen komen? Na alles wat er is gebeurd? We zijn zo afschuwelijk tegen elkaar geweest. We hebben zulke intens gemene dingen gezegd en gedaan.'

'Dat is me niet opgevallen.'

'Ik meen het, Annie. Zou je je daar overheen kunnen zetten?'

'Dat weet ik werkelijk niet, Mark,' bekende ik. 'En jij?'

Zijn expressieve gezicht betrok. 'Ik heb me er al overheen gezet. Ik heb me zo ontzettend schandalig gedragen. Ik was zo totaal van de kaart doordat je van me wilde scheiden, dat ik gewoon niet meer wist wat ik deed. Maar jij... Denk je dat je me ooit weer zult kunnen vertrouwen, Annie? Zul je me mijn ontrouw ooit kunnen vergeven? Om over de rest nog maar te zwijgen.'

Ik dacht na. Kon ik Ferns tanga en de roze halsband van de Weimaraner uit mijn geheugen bannen? En zou ik Marks gevecht om me Fluffy afhandig te maken naast me neer kunnen leggen, en me over alle verbittering en woede van de afgelopen jaren heen kunnen zetten? Ik wist inmiddels dat het niet helemaal alleen zijn schuld was, dat we beiden verantwoordelijk waren voor wat er was gebeurd. Maar toch... Zou ik mijn veroordeling voor meineed, en die gruwelijke weken in de gevangenis ooit kunnen vergeten? 'Ik weet het niet,' zei ik opnieuw.

Mark nam mijn handen in de zijne. 'Ik zweer je dat het deze keer anders zal zijn, tenminste, als... als je mij nog een kans zou willen geven. Ik zal me anders gedragen. Ik bén al veranderd. Ik bedoel, ik ben inmiddels wat verantwoordelijker dan voorheen.'

'En eigenlijk zou ik zelf ook moeten proberen te veranderen,' zei ik. 'Ik zou minder bazig moeten zijn en niet alle touwtjes in handen willen hebben. Een beetje minder volmaakt, misschien.'

Ik glimlachte. 'En ik zou ook niet zo vreselijk hard meer moeten werken. Niet dat ik op het moment werk heb.'

'Nou, dan is het maar goed dat ík een baan heb,' zei Mark. 'Je zult je een poosje door mij moeten laten onderhouden.'

'Ik geloof niet dat ik dat echt wil.'

'O, zo erg is het niet. Ik heb me ook een tijdje door mijn vrouw laten onderhouden.' Hij grinnikte en ik lachte terug. 'En we zouden ook niet meer alleen met zijn tweetjes zijn, toch?' ging hij verder. 'Straks zijn we met zijn drieën – wij twee en de baby.'

'En Fluffy en Molly,' voegde ik eraan toe. 'Laten we hen niet vergeten.'

'Dat lijkt me onmogelijk. Zullen we dan maar naar huis gaan?' stelde hij voor. 'Ik sta hier te bevriezen en jij hebt blauwe lippen. Zelfs de honden staan te rillen.'

Ik keek naar de dieren. Arme Molly stond in een plas modder te bibberen van de kou. Maar Fluffy was op zijn drie poten vrolijk onder de struiken aan het snuffelen. 'Goed,' zei ik. En toen: 'Nee, dat kan niet.'

'Wat kunnen we niet?'

'We kunnen niet naar huis, Mark.'

Hij keek beteuterd. 'Waarom niet?'

'Omdat we geen huis hebben waar we naartoe kunnen.'

'Verdorie!' riep Mark uit, maar toen schoten we alle twee in de lach. 'Dat was ik even helemaal vergeten,' ging hij verder. 'Het is verkocht om de advocaten van te betalen.'

'En mijn boete. En die etter van een Joseph Holtby.'

'Wat een ellende!'

'Waar woon jij nu?' vroeg ik.

'Ik heb een studio in Tufnell Park. Goedkoop en treurig, maar ze hebben er tenminste geen bezwaar tegen honden. En jij?'

'Ik woon bij mijn vader. Kijk niet zo bang. Hij zal je niet vermoorden – niet vandaag, tenminste. Hij zit in Spanje, op vakantie met Norma en de jongens.'

'Pffft. Nou, mag ik dan met je meelopen naar huis?'

Ik ritste mijn jack weer dicht en we liepen door het park terug naar Kenwood House. Fluffy rende in kringetjes om ons heen en Molly volgde hem op de voet.

Een beetje beduusd door alles wat we hadden gezegd, liepen we zij aan zij, zwijgend en zonder elkaar aan te raken, over het pad. Maar toen we bij het bos kwamen, zocht ik zijn hand, en ondanks alles wat er tussen ons was gebeurd, gleden onze vingers met de grootste vanzelfsprekendheid in elkaar.

Dankbetuiging

Mijn dank gaat uit naar Grant Howell van het advocatenkantoor Charles Russell, voor de tijd die hij zo gul heeft vrijgemaakt om mij in de loop van de totstandkoming van dit boek van advies en goede raad te voorzien, iets wat hij bovendien altijd met plezier heeft gedaan. En verder gaat mijn dank uit naar Rebecca Haynes van Harvey Nichols in Londen voor haar uiterst waardevolle informatie over de wereld van het personal shoppen. En ten slotte nog een woord van dank aan Trevor Cooper van doglaw.co.uk, een website die gespecialiseerd is in de juridische aspecten van het hondenbezit, en Deborah Rothfield.